여러분의 합격을 응원하는
해커스공무원의 특강!

KB148230

단기 합격을 위한
해커스 커리큘럼

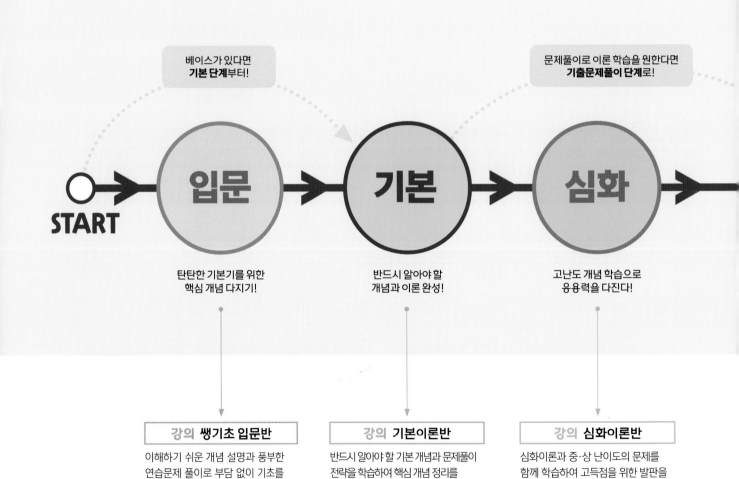

베이스가 있다면
기본 단계부터!

문제풀이로 이론 학습을 원한다면
기출문제풀이 단계로!

START

입문
탄탄한 기본기를 위한
핵심 개념 다지기!

기본
반드시 알아야 할
개념과 이론 완성!

심화
고난도 개념 학습으로
응용력을 다진다!

강의 **쌩기초 입문반**

이해하기 쉬운 개념 설명과 풍부한
연습문제 풀이로 부담 없이 기초를
다질 수 있는 강의

강의 **기본이론반**

반드시 알아야 할 기본 개념과 문제풀이
전략을 학습하여 핵심 개념 정리를
완성하는 강의

강의 **심화이론반**

심화이론과 중·상 난이도의 문제를
함께 학습하여 고득점을 위한 발판을
마련하는 강의

* 커리큘럼은 과목별·선생님별로 상이할 수 있으며, 자세한 내용은 해커스공무원 사이트에서 확인하세요.

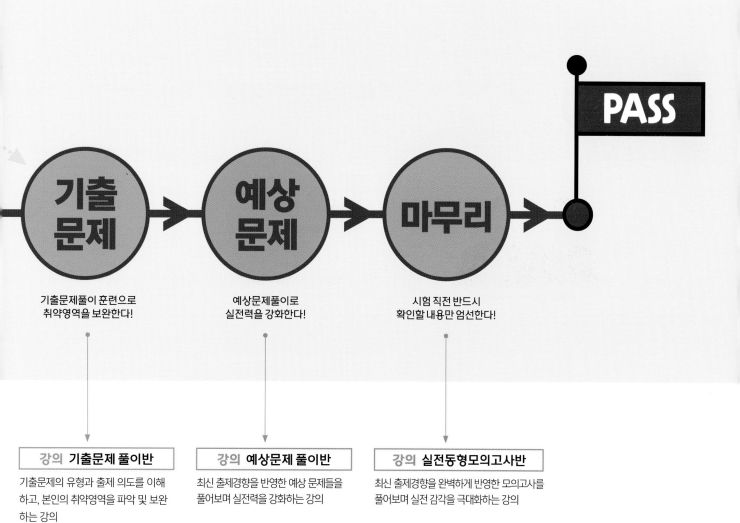

기출문제

기출문제풀이 훈련으로
취약영역을 보완한다!

예상문제

예상문제풀이로
실전력을 강화한다!

마무리

시험 직전 반드시
확인할 내용만 엄선한다!

PASS

강의 기출문제 풀이반

기출문제의 유형과 출제 의도를 이해
하고, 본인의 취약영역을 파악 및 보완
하는 강의

강의 예상문제 풀이반

최신 출제경향을 반영한 예상 문제들을
풀어보며 실전력을 강화하는 강의

강의 실전동형모의고사반

최신 출제경향을 완벽하게 반영한 모의고사를
풀어보며 실전 감각을 극대화하는 강의

강의 봉투모의고사반

시험 직전에 실제 시험과 동일한 형태의
모의고사를 풀어보며 실전력을 완성하는 강의

5천 개가 넘는
해커스토익 무료 자료!

대한민국에서 공짜로 토익 공부하고 싶으면 | 해커스영어 Hackers.co.kr ▾ | 검색

강의도 무료

베스트셀러 1위 토익 강의 150강 무료 서비스,
누적 시청 1,900만 돌파!

RC 정수진   RC 이상길

3,730제
무료

문제도 무료

토익 RC/LC 풀기, 모의토익 등
실전토익 대비 문제 3,730제 무료!

최신 특강도 무료

2,400만뷰 스타강사의
압도적 적중예상특강 매달 업데이트!

LC 한승태   RC 김동영

공부법도 무료

토익고득점 달성팁, 비법노트,
점수대별 공부법 무료 확인

전원
무료

가장 빠른 정답까지!

615만이 선택한 해커스 토익 정답!
시험 직후 가장 빠른 정답 확인

*미션 달성 시

더 많은 토익무료자료
보기 ▶

해커스공무원

영어
기본서 3권 | 어휘

gosi.Hackers.com

해커스공무원 영어 **어휘** Vocabulary

CONTENTS

이 책의 구성

어휘

공무원 최빈출 어휘

공무원 영어 시험에 출제되었던 어휘와 표현을 엄선하여 제공하였습니다. 각 어휘는 출제 빈도에 따라 '최빈출 단어', '빈출 단어'로 나누어져 있으며, 자주 출제된 숙어는 '빈출 숙어'로, 출제 횟수가 적은 고난도 어휘는 '완성 어휘'로 나누어져 있습니다.

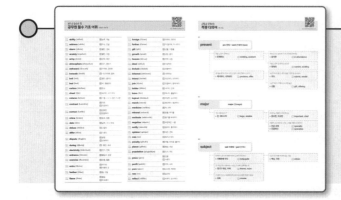

공무원 필수 기초 어휘·적중 다의어

기출 어휘로 구성된 반드시 알아야 할 '공무원 필수 기초 어휘 1500'을 제공하여, 본격적으로 공무원 어휘를 학습하기 전 기본 어휘 실력을 탄탄히 다질 수 있습니다. 또한, 다의어의 여러가지 뜻을 어원을 통해 정리한 '시험에 강해지는 적중 다의어'를 제공하여, 문맥에서 쓰인 다의어의 의미를 찾는 문제 유형에 효과적으로 대비할 수 있습니다.

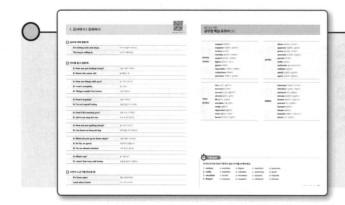

최빈출 생활영어 표현·핵심 유의어

'시험에 꼭 나오는 최빈출 생활영어 표현'을 제공하여 생활영어에서 자주 출제되는 표현들도 놓치지 않도록 하였습니다. 또한, '빈출 순으로 외우는 공무원 핵심 유의어'를 제공하여, 유의어 찾기 문제 유형에도 대비할 수 있습니다.

문법

기초문법

영어의 품사, 문장의 형식, 구·절과 같은 기초 영문법 개념에 대한 설명을 Check-up Quiz와 함께 제공하여, 영어 문법의 기본 개념과 문장의 기본 구조를 확실하게 이해하고 기초를 다질 수 있습니다.

BASIC GRAMMAR

매 챕터마다 BASIC GRAMMAR를 제공하여, 핵심적인 기본 개념을 정리하고 기초를 다진 후 본격적으로 공무원 영어 시험의 기출 문법을 학습할 수 있습니다.

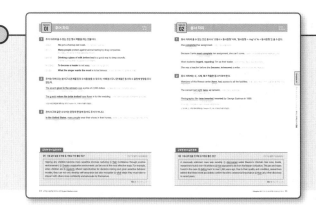

기출포인트별 문법 정리

공무원 영어 시험에 출제되는 문법을 포인트별로 제시하고, 각 포인트 상단에 빈출도를 표시하여 중요도를 확인하며 체계적으로 학습할 수 있습니다. 또한 각 기출포인트마다 공무원 영어 실전 문제를 제공하여, 포인트가 적용된 실제 기출 문제를 풀어보며 학습한 내용을 바로 확인할 수 있습니다.

이 책의 구성

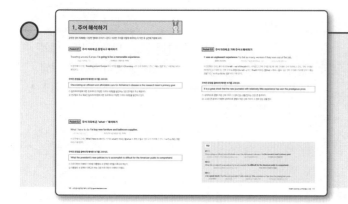

독해가 쉬워지는 공무원 필수구문

문제 풀이 전략을 학습하기에 앞서 공무원 시험에 자주 등장하는 필수구문을 한 번에 모아 학습할 수 있습니다. 또한, 모든 지문에 앞서 학습한 필수구문이 등장한 부분을 표시하여, 복잡한 구문을 해석하는 방법을 실제 지문에 적용하여 연습해 볼 수 있습니다.

STEP별 문제 풀이 전략 및 전략 적용

독해 문제 유형에 대한 문제 풀이 전략을 STEP별로 제시하고, 전략 적용 방법을 시험 출제 경향이 반영된 기출 예제를 통해 확인함으로써 전략적인 문제 풀이 방법을 익힐 수 있습니다.

지문 구조 한눈에 보기

지문의 구조를 한눈에 파악할 수 있는 구조 분석을 제공하여, 지문의 내용을 체계적으로 이해하고 지문을 정확하게 파악하는 방법을 학습할 수 있습니다.

공통

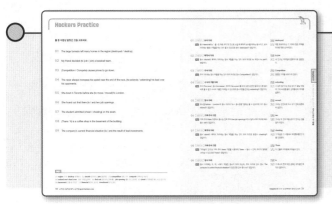

Hackers Practice

1권 문법에 수록된 Hackers Practice의 연습 문제를 통해 각 챕터에서 공부한 공무원 기출 문법 개념을 문제 풀이에 적용해 볼 수 있습니다. 연습 문제에 대한 해설과 해석을 문제 옆에 제공하여, 각 문제의 정답과 오답에 해당하는 문법 포인트를 바로 확인하고 복습할 수 있습니다.

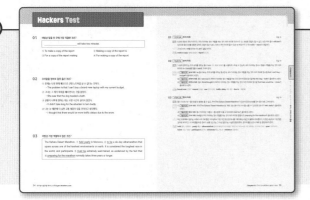

Hackers Test

1권 문법과 2권 독해에 수록된 Hackers Test의 예상문제와 기출문제를 풀어보며 문제 유형을 익히고 공무원 영어 시험에 효율적으로 대비할 수 있습니다. 각 문제에 대한 정답 및 정확한 해석과 오답 분석을 포함한 상세한 해설을 문제 옆에 제공하여, 편리하고 효율적으로 학습할 수 있습니다.

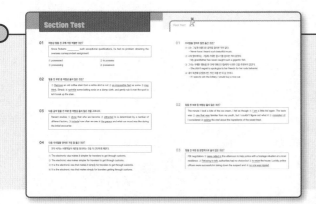

Section Test · Final Test

1권 문법의 매 섹션마다 Section Test를 제공하여, 각 섹션에서 배운 문법 포인트를 복습하고 넘어갈 수 있습니다. 또한, 1권 문법과 2권 독해 마지막에 수록된 Final Test를 통해 공무원 영어 시험에 나오는 모든 유형의 문제를 실제 시험과 유사한 난이도로 풀어보며 학습을 효과적으로 마무리하고 실전에 대비할 수 있습니다.

gosi.Hackers.com

슬럼프는 누구나 옵니다.
다만 슬럼프에 빠져 소홀히 하거나 안다고 자만하고 건너뛴다면
수험생활이 더 힘들어질 것입니다.
공부가 양이 많은 것이지 결코 붙지 못할 시험은 아닌 것 같습니다.
자신을 믿고 자신만의 공부방법과 패턴을 찾고
꾸준히 하는 것이 중요한 것 같습니다.

– 국가직 9급 합격자 김*웅

Day 01 – Day 50
공무원 최빈출 어휘

Day 01

최빈출 단어

0001 **maintain** [meintéin] ✔[1]	동	유지하다
0002 **yield** [ji:ld] ✔	동	(결과·수익 등을) 내다, 산출하다
	동	양도하다
	명	수확량, 총수익
0003 **vast** [væst]	형	방대한, 어마어마한
0004 **aggressive** [əgrésiv] ✔	형	공격적인, 난폭한
0005 **exposure** [ikspóuʒər] ✔[2]	명	노출
	명	폭로, 탄로
0006 **indifferent** [indífərənt] ✔	형	무관심한, 냉담한
	형	공평한, 중립의
0007 **temporary** [témpərèri] ✔	형	일시적인
0008 **suitable** [sú:təbl] [3]	형	적합한
0009 **breed** [bri:d]	명	혈통, 종, 유형
	동	사육하다
	동	번식하다

빈출 단어

0010 **particle** [pá:rtikl]	명	입자, 작은 조각
	명	소량, 미진
0011 **unfamiliar** [ə̀nfəmíljər]	형	익숙하지 않은, 낯선
0012 **contemplate** [ká:ntəmplèit] ✔	동	생각하다, 고려하다
	동	응시하다, 찬찬히 보다

0013 **barely** [béərli] [4]	부	거의 ~할 수 없이, 간신히
0014 **certify** [sə́:rtəfài]	동	증명하다, 보증하다
0015 **suburban** [səbə́:rbən]	형	교외의
0016 **dweller** [dwélər]	명	거주자, 주민, ~에 사는 동물
0017 **penetrate** [pénətrèit] [5]	동	(뚫고) 들어가다, 관통하다
0018 **masterpiece** [mǽstərpìs]	명	걸작, 명작
0019 **friction** [fríkʃən]	명	마찰
	명	(의견) 충돌, 불화
0020 **rebellious** [ribéljəs] ✔	형	반항적인
	형	반체제적인
0021 **laudable** [lɔ́:dəbl] ✔	형	칭찬할 만한
0022 **irregular** [irégjulər]	형	불규칙적인
0023 **excel** [iksél]	동	(남을) 능가하다
0024 **municipal** [mju:nísəpəl] [6]	형	지방 자치의, 시의
0025 **meddle** [médl] [7]	동	간섭하다, 참견하다
	동	건드리다, 손을 대다
0026 **grief** [gri:f]	명	깊은 슬픔, 비탄
0027 **insolent** [ínsələnt] ✔	형	무례한, 버릇없는
0028 **commendation** ✔ [kà:məndéiʃən]	명	칭찬, 인정

대표 기출 예문

1. It's really hard to **maintain** contact when people move around so much.
   사람들이 이렇게 자주 이사 다닐 때 연락을 유지하는 것은 정말 어렵다.

2. Long-term **exposure** to air pollution can lead to negative health consequences.
   장기적인 대기오염에 대한 노출은 부정적인 건강 결과에 이르게 할 수 있다.

3. Despite searching everywhere for a job opening, he could not find a **suitable** job.
   모든 곳에서 채용 공고를 찾아보았음에도 불구하고, 그는 적합한 일자리를 찾지 못했다.

4. Some workers **barely** complain about their poor working conditions.
   어떤 작업자들은 그들의 형편없는 근무 환경에 대해 거의 불평하지 않는다.

5. The explorers **penetrated** deep into the jungle and discovered gold.
   탐험가들은 정글 안으로 깊이 들어가서 황금을 발견했다.

6. I lomeless shelters are usually operated by a **municipal** agency.
   노숙자 쉼터는 보통 지방 자치 단체에 의해 운영된다.

7. Foreign **meddling** in the conflict in eastern Ukraine worried NATO.
   동우크라이나 분쟁에 대해 외국이 간섭하는 것은 NATO를 우려하게 했다.

8. Maintaining togetherness **calls for** a good system of communication.
   연대감을 유지하는 것은 좋은 의사소통 체계를 요구한다.

빈출 숙어

0029 ⬜⬜⬜	**according to**	~에 따르면
0030 ⬜⬜⬜	**take care of** 🌱	~을 돌보다, 신경 쓰다
0031 ⬜⬜⬜	**call for** 🌱[8]	요구하다, ~을 필요로 하다
0032 ⬜⬜⬜	**pick up** 🌱	~를 (차에) 태우다; (방송·신호 등을) 포착하다; ~을 집다, 들어 올리다;
0033 ⬜⬜⬜	**build up**	확립하다, 개발하다
0034 ⬜⬜⬜	**take ~ into account**	~을 고려하다

완성 어휘

0035 ⬜⬜⬜	**homage** 🌱	몡 경의
0036 ⬜⬜⬜	**defy**	동 반항하다, 거역하다
0037 ⬜⬜⬜	**issuance**	몡 발급, 배급
0038 ⬜⬜⬜	**perspicuous** 🌱	혱 알기 쉬운, 명쾌한
0039 ⬜⬜⬜	**detached**	혱 고립된, 무심한
0040 ⬜⬜⬜	**roster**	몡 명단, 등록부
0041 ⬜⬜⬜	**exquisite** 🌱	혱 매우 아름다운, 정교한
0042 ⬜⬜⬜	**strenuous**	혱 몹시 힘든, 격렬한
0043 ⬜⬜⬜	**entrench**	동 확고하게 하다
0044 ⬜⬜⬜	**parochial**	혱 편협한, 좁은
0045 ⬜⬜⬜	**promulgate** 🌱	동 널리 알리다
0046 ⬜⬜⬜	**trepidation** 🌱	몡 두려움
0047 ⬜⬜⬜	**belittle** 🌱	동 얕보다, 과소평가하다
0048 ⬜⬜⬜	**crown**	몡 왕위, 왕권
0049 ⬜⬜⬜	**punitive** 🌱	혱 징벌적인, 처벌의, 가혹한
0050 ⬜⬜⬜	**hitch**	동 얻어 타다, 편승하다
0051 ⬜⬜⬜	**solidarity**	몡 연대, 결속
0052 ⬜⬜⬜	**counteract**	동 대응하다

0053 ⬜⬜⬜	**throng**	몡 인파, 군중
0054 ⬜⬜⬜	**quarantine**	몡 격리
0055 ⬜⬜⬜	**arithmetic**	몡 산수, 연산
0056 ⬜⬜⬜	**astound**	동 크게 놀라게 하다
0057 ⬜⬜⬜	**inattentive**	혱 부주의한, 조심성이 없는
0058 ⬜⬜⬜	**rupture**	몡 파열 동 파열되다
0059 ⬜⬜⬜	**repellent**	혱 역겨운, 혐오감을 주는
0060 ⬜⬜⬜	**flux**	몡 끊임없는 변화, 유동
0061 ⬜⬜⬜	**savvy**	혱 요령 있는
0062 ⬜⬜⬜	**tenuous**	혱 미약한, 보잘것없는
0063 ⬜⬜⬜	**tacit**	혱 암묵적인, 무언의
0064 ⬜⬜⬜	**cluster**	몡 무리
0065 ⬜⬜⬜	**negligence**	몡 부주의, 태만
0066 ⬜⬜⬜	**remorse** 🌱	몡 회한
0067 ⬜⬜⬜	**malleable**	혱 영향을 잘 받는
0068 ⬜⬜⬜	**pale**	혱 창백한, 옅은
0069 ⬜⬜⬜	**mantle**	몡 (표면을 덮고 있는) 꺼풀
0070 ⬜⬜⬜	**superficially** 🌱	뷔 표면적으로
0071 ⬜⬜⬜	**unprepossessing**	혱 매력 없는
0072 ⬜⬜⬜	**bring about**	일으키다, 야기하다
0073 ⬜⬜⬜	**take apart**	~을 분해하다
0074 ⬜⬜⬜	**it follows that**	결과적으로 ~이다
0075 ⬜⬜⬜	**get ahead** 🌱	출세하다
0076 ⬜⬜⬜	**be off to**	~로 떠나다
0077 ⬜⬜⬜	**tell from**	~을 구분하다, ~으로 알다
0078 ⬜⬜⬜	**put on hold**	~을 보류하다
0079 ⬜⬜⬜	**spread out**	퍼지다
0080 ⬜⬜⬜	**go back on one's word**	약속을 어기다

🕐 1초 Quiz

1. temporary _____ 2. certify _____ 3. friction _____

4. 발급 _____ 5. 부주의, 태만 _____ 6. ~을 분해하다 _____

정답 | 1. 일시적인 2. 증명하다, 보증하다 3. 마찰 (갈등) 4. issuance 5. negligence 6. take apart

Day 02

최빈출 단어

0081 **face** [feis]	통	직면하다, 마주하다
0082 **strategy** [strǽtədʒi]	명	전략, 계획
0083 **shift** [ʃift]	명 통	전환, 변화, 이동 / 옮기다, 자세를 바꾸다
0084 **conceal** [kənsíːl] [1]	통	숨기다, 감추다
0085 **conversely** [kənvə́ːrsli]	부	반대로, 역으로
0086 **commitment** [kəmítmənt]	명 명	헌신, 전념 / 약속
0087 **exert** [igzə́ːrt] [2]	통 통	(영향력을) 행사하다 / 노력하다, 분투하다
0088 **superior** [supíəriər]	형 명	우월한 / 상급자, 선배
0089 **respective** [rispéktiv] [3]	형	각각의, 각자의
0090 **profound** [prəfáund]	형	심오한, 깊은, 엄청난

빈출 단어

0091 **ecological** [ikəlάːdʒikəl]	형	생태계의, 환경의
0092 **surge** [səːrdʒ]	명 명 통	급증, 급등, 상승 / 큰 파도, 파동, (감정의) 동요 / 쇄도하다, (감정이) 치밀어 오르다
0093 **scarce** [skɛərs]	형	희귀한, 드문, 부족한

0094 **circulation** [sə̀ːrkjuléiʃən]	명 명	(혈액 등의) 순환 / 유통
0095 **immoral** [imɔ́ːrəl]	형	부도덕한, 품행이 나쁜
0096 **entrepreneur** [à:ntrəprəné:r]	명	기업가
0097 **deplete** [diplíːt] [4]	통	대폭 감소시키다, 고갈시키다
0098 **negotiate** [nigóuʃièit] [5]	통	협상하다
0099 **repeal** [ripíːl]	통	폐지하다, 철회하다
0100 **redundant** [ridʌ́ndənt]	형	불필요한, 여분의
0101 **invincible** [invínsəbl]	형	무적의, 이길 수 없는
0102 **subconscious** [sʌbkάːnʃəs]	형 명	잠재적인, 잠재의식의 / 잠재의식
0103 **indigenous** [indídʒənəs] [6]	형	토착의, 타고난, 고유의
0104 **extrovert** [ékstrəvə̀ːrt]	형 명	외향적인 / 외향적인 사람, 외향성
0105 **marvelous** [mάːrvələs]	형	놀라운, 믿기 어려운
0106 **torture** [tɔ́ːrtʃər]	명 통	고문, 괴로움 / 고문하다
0107 **fabricate** [fǽbrikèit] [7]	통 통	조작하다, 위조하다 / 제작하다, 조립하다
0108 **sway** [swei]	통	흔들리다, 동요하다

대표 기출 예문

1. His statement **conceals** the fact that he failed the quiz.
   그의 진술은 그가 퀴즈를 망쳤다는 사실을 숨기고 있다.

2. Local identity **exerts** a strong influence on how dialects evolve.
   지역 정체성은 방언이 진화하는 방식에 강한 영향력을 행사한다.

3. The news media explains the issues and characterizes the **respective** positions of candidates.
   뉴스 매체는 문제들을 설명하고 각각의 후보자들의 입장을 특징짓는다.

4. The research shows how to utilize the fish population without **depleting** the population.
   이 연구는 어떻게 물고기 개체 수를 대폭 감소시키지 않고 수산 자원을 활용하는지를 보여준다.

5. The states **negotiated** several agreements to protect fauna and flora.
   주들은 동식물 군을 보호하기 위해 몇 가지 협정을 협상했다.

6. The filmmaker tried to show how **indigenous** people gathered food.
   그 영화 제작자는 토착 민족이 어떻게 식량을 모았는지를 보여주려고 했다.

7. The fossils were **fabricated** by someone in modern times.
   그 화석은 누군가에 의해 현대에 조작되었다.

8. People thought we would go bankrupt, but we **managed to** succeed.
   사람들은 우리가 파산할 것으로 생각했지만, 우리는 간신히 성공했다.

빈출 숙어

0109 □□□	in addition	~뿐만 아니라, 또한
0110 □□□	be ready to	~할 준비가 되다
0111 □□□	manage to[8]	간신히 ~하다
0112 □□□	be sure to	반드시 ~하다, 꼭 ~하다
0113 □□□	incapable of	~할 수 없는
0114 □□□	place an order	주문하다

완성 어휘

0115 □□□	irrigation	몡 관개
0116 □□□	jet-lag	몡 시차
0117 □□□	bent	혱 구부러진 / 몡 소질
0118 □□□	inertia	몡 관성, 타성
0119 □□□	trickle	몡 조금씩 이어지는 양
0120 □□□	stun	동 기절시키다, 놀라게 하다
0121 □□□	proximation ✔	몡 근사, 유사, 접근
0122 □□□	permeate	동 스며들다, 퍼지다
0123 □□□	paucity ✔	몡 소량, 부족, 결핍
0124 □□□	diminution ✔	몡 축소, 감소
0125 □□□	bellicose ✔	혱 호전적인
0126 □□□	atom	몡 원자
0127 □□□	outflow	몡 유출
0128 □□□	hypnotic	혱 최면을 거는 듯한
0129 □□□	traction	몡 견인, 호응
0130 □□□	crease	몡 주름, 구김살
0131 □□□	sheepishly ✔	甲 소심하게, 순하게
0132 □□□	behest ✔	몡 명령, 지령
0133 □□□	bizarre	혱 기이한, 특이한

0134 □□□	adaptable ✔	혱 적응할 수 있는
0135 □□□	posit	동 사실로 상정하다
0136 □□□	monstrous	혱 엄청난, 터무니없는
0137 □□□	smash	동 박살 내다, 박살 나다
0138 □□□	ruthless	혱 무자비한, 가차 없는
0139 □□□	reproach ✔	동 비난하다 / 몡 비난
0140 □□□	inconsistent	혱 일치하지 않는, 모순된
0141 □□□	sever	동 자르다, 절단하다
0142 □□□	unravel	동 흐트러지기 시작하다
0143 □□□	plagiarism ✔	몡 표절
0144 □□□	brevity	몡 간결성
0145 □□□	resolute	혱 단호한, 확고한
0146 □□□	potent	혱 강한, 강력한
0147 □□□	partisan	몡 신봉자 / 혱 편파적인
0148 □□□	epigraph ✔	몡 (기념비 따위의) 제명, 비문
0149 □□□	platitude ✔	몡 진부한 말, 평범한 의견
0150 □□□	prose	몡 산문
0151 □□□	beef up ✔	강화하다
0152 □□□	hit the ball ✔	수월하게 진행하다
0153 □□□	come off ✔	성공하다, 떨어지다
0154 □□□	supportive of	~을 지원하는
0155 □□□	in season	제철의
0156 □□□	in that	~이므로
0157 □□□	commit suicide	자살하다
0158 □□□	keep pace with	~와 보조를 맞추다
0159 □□□	by far	훨씬
0160 □□□	take turns	교대로 하다

1초 Quiz

1. profound _____
2. circulation _____
3. repeal _____
4. 호전적인 _____
5. 훨씬 _____
6. 교대로 하다 _____

✔ = 어휘 영역 출제

최빈출 단어

0161 treatment [trí:tmənt]	명 치료, 처치; 대우, 다룸	
0162 estimate 명 [éstəmət] 통 [éstəmèit]	명 추정치, 추정 통 추정하다, 어림잡다 통 평가하다	
0163 abuse 통 [əbjú:z] 명 [əbjú:s]	통 남용하다; 학대하다 명 남용, 학대	
0164 attribute [ətríbju:t]	통 ~의 책임으로 돌리다 명 특성, 속성, 자질	
0165 context [ká:ntekst]	명 문맥, 맥락; 배경, 전후 사정	
0166 symptom [símptəm]	명 증상 명 (특히 불길한) 징후, 조짐	
0167 exhaust [igzɔ́:st]	통 기진맥진하게 하다	
0168 beneficial [bènəfíʃəl]	형 이익이 되는, 유익한	
0169 undertake [ʌ̀ndərtéik]	통 (일·책임을) 떠맡다 통 착수하다	
0170 decay [dikéi]	통 썩다, 부패하다 명 부식, 부패	

빈출 단어

0171 entitle [intáitl]	통 자격을 주다
0172 convey [kənvéi]	통 (정보 등을) 전달하다 통 실어 나르다, 운반하다
0173 sensory [sénsəri]	형 감각의

0174 density [dénsəti]	명 밀도
0175 suspicious [səspíʃəs]	형 의심스러운, 수상쩍은
0176 riot [ráiət]	명 폭동 통 폭동을 일으키다
0177 explicit [iksplísit]	형 명쾌한, 분명한 형 솔직한, 노골적인
0178 endorse [indɔ́:rs]	통 (공개적으로) 지지하다 통 (상품을) 보증하다
0179 increment [ínkrəmənt]	명 증가량, 증대
0180 offense [əféns]	명 위반, 범행
0181 tame [teim]	통 다스리다, 길들이다 형 길들여진
0182 metabolic [mètəbálik]	형 신진대사의
0183 persevere [pə̀rsəvíər]	통 인내하다
0184 mediate [mí:dièit]	통 중재하다
0185 spur [spə:r]	통 박차를 가하다, 자극하다 명 자극, 원동력
0186 refurbish [rifɔ́:rbiʃ]	통 재단장하다, 정비하다
0187 irritable [írətəbl]	형 짜증을 내는, 민감한
0188 ingest [indʒést]	통 섭취하다, 삼키다, 먹다 통 (정보를) 수집하다
0189 rotate [róuteit]	통 회전하다; 교대로 하다

대표 기출 예문

1. Some drugs have a higher chance of being **abused** than others.
   어떤 약물은 다른 것보다 남용될 가능성이 더 높다.

2. His sense of responsibility urged him to **undertake** a dangerous task.
   그의 책임감이 그로 하여금 위험한 일을 떠맡도록 재촉했다.

3. Top executives are **entitled** to first-class travel.
   고위 간부들은 일등석으로 여행할 자격이 주어진다.

4. As the population **density** decreased, the traffic in the city decreased.
   인구 밀도가 낮아짐에 따라, 도시의 교통량이 줄었다.

5. We set up **explicit** theories to explain the facts clearly.
   우리는 사실을 명확하게 설명하기 위해 명쾌한 이론을 세웠다.

6. The mayor **endorsed** the plan to move the city's library.
   시장은 시의 도서관의 이전하려는 계획을 공개적으로 지지했다.

7. The attorney **mediated** between the business and its workers' union.
   그 변호사는 회사와 노동조합 사이를 중재했다.

8. Travel agencies use modern technology to **compensate for** the inexperience of many agents.
   여행사들은 많은 직원들의 경험 부족을 보충하기 위해 현대 기술을 사용한다.

빈출 숙어

0190 be likely to		~할 가능성이 있다
0191 catch up		따라잡다
0192 get[be] in touch		연락하다, ~와 닿다
0193 compensate for [8]		보충하다, ~에 대해 보상하다
0194 be acquainted with		친분이 있다

완성 어휘

0195 dichotomy	명	이분법
0196 textile	명	섬유, 옷감
0197 serviceable	형	쓸모 있는, 잘 돕는
0198 chancellor	명	수상, 총장
0199 onwards	부	계속
0200 circumscribe	동	제한하다
0201 spurn ✔	동	퇴짜 놓다, 일축하다
0202 equilibrium	명	평형
0203 belligerent ✔	형	적대적인
0204 perjury ✔	명	위증
0205 facetious	형	경박한, 까부는
0206 jettison ✔	동	버리다, 폐기하다
0207 traitor	명	배신자, 반역자
0208 creed	명	신념, 신조
0209 indignantly	부	분개하여
0210 rampant	형	걷잡을 수 없는
0211 brink	명	(벼랑 등의) 끝, 직전
0212 blunt	형	무딘, 뭉툭한
0213 peasant	명	소작농
0214 courtesy ✔	명	공손함

0215 temperance ✔	명	절제, 자제
0216 smuggle	동	밀수하다, 밀반입하다
0217 scribe	명	서기관
0218 second-hand	형	중고의
0219 indiscriminate	형	무분별한
0220 sober	형	제정신의, 냉철한
0221 manslaughter	명	살인
0222 intoxicate	동	취하게 하다
0223 exigent	형	위급한, 급박한
0224 incapacitate	동	무능하게 만들다
0225 tedious	형	지루한, 싫증 나는
0226 preeminent	형	탁월한, 발군의
0227 pastoral	형	목축의
0228 thaw	동	녹다
0229 martial ✔	형	싸움의, 전쟁의, 용맹한
0230 slack off ✔		쇠퇴하다, 게으름을 부리다
0231 break a habit		버릇을 고치다
0232 crack down on		단호한 조치를 취하다
0233 cut it close		절약하다
0234 do no harm		해가 되지 않다
0235 under condition		~한 조건하에
0236 pick on		~를 비난하다, 혹평하다
0237 in accordance with		~에 따라서
0238 in line with		~에 따라, ~과 비슷한
0239 burst into		(갑자기) ~하기 시작하다
0240 in the long run		장기적으로

⏱ 1초 Quiz

1. exhaust ＿＿＿＿＿＿＿＿

2. offense ＿＿＿＿＿＿＿＿

3. indignantly ＿＿＿＿＿＿＿＿

4. 인내하다 ＿＿＿＿＿＿＿＿

5. 공손함 ＿＿＿＿＿＿＿＿

6. ~한 조건하에 ＿＿＿＿＿＿＿＿

정답 | 1. 기진맥진하게 하다 2. 위반, 공격 3. 분개하여 4. persevere 5. courtesy 6. under condition

✔ = 어휘 영역 출제

Day 04

최빈출 단어

0241 **material** [mətíəriəl]	명 물질, 재료 형 물질적인, 물리적인 명 자료
0242 **fix** [fiks]	동 고정시키다 동 (날짜, 시간, 양 등을) 정하다
0243 **ban** [bæn]	동 금지하다 명 규제, 금지 명령
0244 **vulnerable** [vʌ́lnərəbl] [1]	형 취약한, 공격받기 쉬운 형 연약한
0245 **executive** [igzékjutiv]	명 임원, 경영진, 책임자 형 행정상의
0246 **verbal** [və́:rbəl]	형 언어의, 구두의
0247 **isolate** [áisəléit]	동 고립시키다, 격리하다
0248 **cite** [sait] [2]	동 (예를 들어) 언급하다, 인용하다
0249 **district** [dístrikt]	명 구역, 지구
0250 **fossil** [fá:səl]	명 화석 형 화석의
0251 **formula** [fɔ́:rmjulə]	명 (수학·화학 등의) 공식 명 (어떤 일을 이루기 위한) 방식

빈출 단어

| 0252 **equality** [ikwá:ləti] | 명 평등, 균등 |
| 0253 **offspring** [ɔ́fspriŋ] | 명 자손, 자식 |

0254 **eradicate** [irǽdəkèit] [3]	동 근절하다, 박멸하다
0255 **apprehend** [æprihénd] [4]	동 이해하다, 깨닫다 동 검거하다, 체포하다
0256 **speculate** [spékjulèit] [5]	동 추측하다 동 투기하다
0257 **differentiate** [dìfərénʃièit]	동 구별하다 동 차별하다
0258 **crude** [kru:d]	형 허술한, 대충의 명 원유
0259 **fade** [feid] [6]	동 (색깔이) 바래다, 희미해지다 동 사라지다
0260 **supervision** [sù:pərvíʒən]	명 관리, 감독
0261 **reticent** [rétəsənt]	형 과묵한, 말수가 적은
0262 **utter** [ʌ́tər]	동 (입 밖에) 내다, 말하다 형 완전한
0263 **terrain** [təréin]	명 지역, 지형
0264 **abhor** [æbhɔ́:r]	동 혐오하다
0265 **amateur** [ǽmətʃùər]	명 비전문가, 아마추어
0266 **insulate** [ínsəlèit]	동 절연하다, 단열 처리를 하다 동 보호하다
0267 **terminate** [tə́:rmənèit]	동 끝내다, 종료하다
0268 **pernicious** [pərníʃəs]	형 해로운, 유독한

대표 기출 예문

1. Governments become more **vulnerable** when economies fail.
경제가 실패할 때 정부들은 더 취약해진다.

2. The government stopped work on it, **citing** security concerns.
정부는 보안 문제를 언급하며 그것의 작업을 멈췄다.

3. The social activists devoted their lives to **eradicating** slavery.
그 사회 운동가들은 노예 제도를 근절하는 것에 자신들의 삶을 바쳤다.

4. The aesthetic significance of the culture seems to be very difficult to **apprehend**.
그 문화의 미적 중요성은 이해하기 매우 어려운 것처럼 보인다.

5. People **speculate** about how the animals might have looked when they were alive.
사람들은 그 동물들이 살아있었을 때 어떻게 보였을지 추측한다.

6. The attraction of the city for tourists has **faded** over the years due to air pollution.
관광객들을 위한 그 도시의 명소는 대기오염으로 인해 수년에 걸쳐 점점 색깔이 바랬다.

7. A good education will help you develop your **latent** talents.
좋은 교육은 당신이 잠재된 재능을 계발하는 것을 도울 것이다.

8. Banks had no money and **were forced to** close.
은행들은 돈이 없었고 문을 닫을 수밖에 없었다.

| 0269 decompose [dìːkəmpóuz] | 동 부패하다, 분해되다 |
| 0270 latent [léitnt] [7] | 형 잠재된, (질병이) 잠복해 있는
형 휴면의 |

빈출 숙어

0271 be responsible for	~에 책임이 있다
0272 be forced to[8]	~할 수밖에 없다, 마지못해 ~하다
0273 a handful of	소수의
0274 blot out	~을 완전히 덮다, 가리다; (추억·생각 등을) 잊다, 지우다

완성 어휘

0275 waive	동 (권리 등을) 포기하다
0276 clarity	명 명료성
0277 eternal	형 영원한
0278 sullen	형 침울한, 시무룩한
0279 contaminate	동 오염시키다
0280 disillusion	동 환멸을 느끼게 하다
0281 meticulously	부 조심스럽게, 세심하게
0282 kinetic	형 운동의
0283 purify	동 정화하다
0284 unfalteringly	부 망설임 없이
0285 bondage	명 구속, 결박
0286 brittle	형 불안정한, 잘 부러지는
0287 wastage	명 낭비
0288 cozen	동 속이다, 기만하다
0289 discursion	명 (산만한) 논의, 논증, 분석
0290 unseat	동 자리에서 몰아내다
0291 vibe	명 분위기, 느낌
0292 proximity	명 근접, 가까움

0293 penniless	형 몹시 가난한
0294 defiant	형 반항하는
0295 allegation	명 혐의, 주장
0296 ordeal	명 시련
0297 alchemy	명 연금술
0298 close-knit	형 긴밀히 맺어진
0299 inimical	형 해로운
0300 convolve	동 휘감다, 감기다
0301 veracity	명 진실성
0302 posthumous	형 사후의
0303 sympathetic	형 동정 어린
0304 liberate	동 해방시키다
0305 regime	명 정권
0306 tarnish	동 흐려지다, 변색시키다
0307 elope	동 달아나다, 도망가다
0308 eminent	형 저명한, 뛰어난
0309 tipping point	정점
0310 brush aside	무시하다
0311 lay claim to	~에 대한 권리를 주장하다
0312 eat into	~을 부식하다
0313 drift apart	사이가 멀어지다
0314 to the detriment of	~을 해치며
0315 pay dividends	큰 이익을 주다
0316 make good	성공하다
0317 in return	답례로
0318 on the rise	상승 중인, 오름세인
0319 caught up in	~에 휩쓸린
0320 get round	(잘해 주어서) ~를 설득하다

1초 Quiz

1. isolate _____ 2. supervision _____ 3. terminate _____

4. 오염시키다 _____ 5. 저명한, 뛰어난 _____ 6. 동정 어린 _____

정답 | 1. 고립시키다, 격리하다 2. 감독, 감시 3. 끝내다, 종료하다 4. contaminate 5. eminent 6. sympathetic

Day 05

최빈출 단어

0321	**consequently** [kάːnsəkwèntli]	閉 결과적으로, 따라서
0322	**closely** [klóusli]	閉 밀접하게 閉 엄중히, 면밀하게
0323	**identify** [aidéntəfài] ✔1	图 확인하다, 식별하다
0324	**pursue** [pərsúː]	图 추구하다, 얻으려고 애쓰다 图 (어떤 일을) 계속해 나가다 图 (붙잡기 위해) 뒤쫓다, 추적하다
0325	**colleague** [kάːliːg]	图 (특히 직장) 동료
0326	**trait** [treit]	图 특성, 특징
0327	**tremendous** [triméndəs] ✔	圈 엄청난, 거대한
0328	**controversy** [kάːntrəvə̀ːrsi]	图 논란
0329	**reinforce** [rìːinfɔ́ːrs] ✔2	图 강화하다, 보강하다
0330	**extinction** [ikstíŋkʃən]	图 멸종, 소멸 图 소화[불을 끄기], 소등

빈출 단어

0331	**dignity** [dígnəti]	图 존엄성, 품위
0332	**resume** 图[rizúːm] ✔ 图[rézumèi]	图 재개하다, 다시 시작하다 图 이력서
0333	**inspiration** [ìnspəréiʃən]	图 영감, 자극

0334	**premature** [prìːmətʃúər]	圈 조기의, 시기상조의
0335	**depict** [dipíkt]	图 묘사하다, 그리다
0336	**clarify** [klǽrəfài]	图 명확하게 하다, 규명하다
0337	**juvenile** [dʒúːvənl]	圈 청소년의, 나이 어린
0338	**intriguing** [intríːgiŋ] ✔	圈 아주 흥미로운
0339	**outbreak** [áutbrèik]3	图 (전쟁·질병 등의) 발생, 발발 图 (해충 따위의) 급격한 증가
0340	**meteor** [míːtiər]	图 유성, 별똥별
0341	**extract** 图[ikstrǽkt] 图[ékstrækt]	图 추출하다, (문구를) 발췌하다 图 추출물
0342	**coincide** [kòuinsáid]4	图 동시에 일어나다 图 일치하다, 아주 비슷하다
0343	**landlord** [lǽndlɔ̀ːrd]	图 집주인, 건물 소유주
0344	**revoke** [rivóuk] ✔5	图 취소하다, 철회하다
0345	**bleak** [bliːk] ✔	圈 암울한, 절망적인
0346	**mimic** [mímik] ✔	图 흉내 내다, 모방하다
0347	**redeem** [ridíːm]	图 상환하다, 되찾다, 회수하다 图 만회하다
0348	**feasible** [fíːzəbl] ✔6	圈 실현 가능한, 그럴싸한

대표 기출 예문

1. The virus that causes SARS was **identified** in 2003.
사스를 유발하는 바이러스는 2003년에 확인되었다.

2. Good behavior must be **reinforced** with incentives.
선행은 보상으로 강화되어야 한다.

3. The buildup of waste caused **outbreaks** of disease.
폐기물의 축적은 질병의 발생을 유발했다.

4. The new trade measures **coincided** with a slowdown in global trade.
새로운 무역 조치는 국제 무역의 둔화와 동시에 일어났다.

5. The judge **revoked** her driver's license after a hit-and-run accident.
판사는 뺑소니 사고 이후에 그녀의 운전면허증을 취소했다.

6. The investor wants to know if the project is **feasible**.
그 투자가는 프로젝트가 실현 가능한지 알고 싶어 한다.

7. The cleaner air **is accompanied by** a decrease in lung problems.
더 깨끗한 공기는 폐 질병의 감소를 수반한다.

8. The colors on the map **correspond to** the altitude of the land.
지도의 색깔들은 그 지역의 고도와 일치한다.

빈출 숙어

0349 ☐☐☐	**by the time**	~할 즈음에
0350 ☐☐☐	**lay off**	해고하다
0351 ☐☐☐	**bring up** ✔	(화제를) 꺼내다; 기르다, 양육하다
0352 ☐☐☐	**be accompanied by**[7]	~을 수반하다, 동반하다
0353 ☐☐☐	**correspond to**[8]	~과 일치하다, 대응하다
0354 ☐☐☐	**in conjunction with** ✔	~와 함께

완성 어휘

0355 ☐☐☐	**supremacy**	몡 패권, 우위
0356 ☐☐☐	**cosmos**	몡 우주
0357 ☐☐☐	**dislocate** ✔	통 탈구시키다, 위치를 바꾸다
0558 ☐☐☐	**malefactor** ✔	몡 범죄자, 악인
0359 ☐☐☐	**budding**	혱 신예의, 싹트기 시작하는
0360 ☐☐☐	**fervent** ✔	혱 열렬한, 강렬한
0361 ☐☐☐	**perspiration** ✔	몡 땀
0362 ☐☐☐	**sorrow**	몡 슬픔, 비애
0363 ☐☐☐	**rag**	몡 누더기, 넝마
0364 ☐☐☐	**vista**	몡 풍경
0365 ☐☐☐	**apathy**	몡 무관심, 냉담
0366 ☐☐☐	**languishing** ✔	혱 차츰 쇠약해지는
0367 ☐☐☐	**tumult**	몡 소란, 소동
0368 ☐☐☐	**deceptive**	혱 속이는, 기만하는
0369 ☐☐☐	**reminiscent**	혱 ~을 연상시키는
0370 ☐☐☐	**capitalize**	통 자본화하다
0371 ☐☐☐	**climatological**	혱 기후학적인
0372 ☐☐☐	**practitioner**	몡 (전문직) 현직자
0373 ☐☐☐	**deform**	통 변형시키다

0374 ☐☐☐	**mural**	몡 벽화
0375 ☐☐☐	**sought-after**	혱 수요가 많은
0376 ☐☐☐	**serene**	혱 조용한, 고요한
0377 ☐☐☐	**suffocate**	통 숨이 막히게 하다
0378 ☐☐☐	**injunction**	몡 명령, 지시
0379 ☐☐☐	**stylistic**	혱 양식의, 문체의
0380 ☐☐☐	**abridge**	통 단축하다, 생략하다
0381 ☐☐☐	**demise**	몡 종말, 죽음
0382 ☐☐☐	**agile**	혱 민첩한, 기민한
0383 ☐☐☐	**liquidate**	통 청산하다, 정리하다
0384 ☐☐☐	**tiresome**	혱 지루한, 성가신
0385 ☐☐☐	**transcendental**	혱 초월적인
0386 ☐☐☐	**prophecy**	몡 예언
0387 ☐☐☐	**empowerment**	몡 권한 부여
0388 ☐☐☐	**plead**	통 애원하다, 간청하다
0389 ☐☐☐	**staggering**	혱 충격적인, 믿기 어려운
0390 ☐☐☐	**bombast**	몡 과장, 호언장담
0391 ☐☐☐	**bypass**	몡 우회 도로
0392 ☐☐☐	**tribute** ✔	몡 경의, 찬사, 공물
0393 ☐☐☐	**hammer out**	(문제를) 타결하다
0394 ☐☐☐	**start over** ✔	다시 시작하다
0395 ☐☐☐	**weasel out of** ✔	~에서 손을 떼다
0396 ☐☐☐	**with interest**	이자를 붙여서
0397 ☐☐☐	**trace out**	(윤곽을) 그리다
0398 ☐☐☐	**in the event of**	만약 ~인 경우에
0399 ☐☐☐	**from now on**	이제부터, 향후
0400 ☐☐☐	**do well to**	~하는 것이 낫다

⏱ 1초 Quiz

1. controversy _____
2. mimic _____
3. deceptive _____
4. 해고하다 _____
5. 변형시키다 _____
6. 우회 도로 _____

정답 | 1. 논란 2. 흉내 내다, 모방하다 3. 속이는, 기만하는 4. lay off 5. deform 6. bypass

✔ = 어휘 영역 출제

Day 06

Day 06 음성 바로 듣기

최빈출 단어

0401 **subject** [sʌ́bdʒikt]	명 주제, 과목 형 ~의 영향을 받는, 종속하는	
0402 **contract** [kɑ́ntrækt]	명 계약 동 (병에) 걸리다	
0403 **federal** [fédərəl] [1]	형 연방의, 연방 정부의	
0404 **molecule** [mɑ́ləkjùːl]	명 분자	
0405 **adolescent** [ædəlésnt]	명 청소년 형 청소년기의, 사춘기의	
0406 **minority** [minɔ́ːrəti] [2]	명 소수, 소수 집단 명 미성년	
0407 **invisible** [invízəbl]	형 보이지 않는	
0408 **prejudice** [prédʒudis]	명 편견, 선입견	
0409 **virtually** [vɚ́ːrtʃuəli]	부 사실상, 거의 부 가상으로	
0410 **license** [láisəns]	명 허가증, 허가 동 허가하다	

빈출 단어

0411 **definitely** [défənitli]	부 분명히, 틀림없이	
0412 **altitude** [ǽltətjùːd]	명 고도	
0413 **foster** [fɔ́ːstər]	동 위탁 양육하다, 육성하다 동 조성하다, 발전시키다	

0414 **intake** [ínteìk]	명 섭취량, 섭취	
0415 **succumb** [səkʌ́m]	동 굴복하다	
0416 **bolster** [bóulstər] [3]	동 뒷받침하다, 지지하다	
0417 **publicize** [pʌ́bləsàiz]	동 선전하다, 알리다	
0418 **stigma** [stígmə]	명 낙인, 오명	
0419 **discredit** [diskrédit]	명 불명예 동 (신용·평판을) 떨어뜨리다	
0420 **mislead** [mislíd] [4]	동 오해하게 하다, 잘못 인도하다	
0421 **enigma** [ənígmə]	명 수수께끼	
0422 **wicked** [wíkid] [5]	형 못된, 사악한	
0423 **descent** [disént]	명 혈통, 가문 형 하강, 내려감	
0424 **partial** [pɑ́ːrʃəl]	형 부분적인 형 편향된	
0425 **latter** [lǽtər]	형 후자의	
0426 **incidental** [ìnsədéntl]	형 부수적인, 중요하지 않은	
0427 **scrupulous** [skrúːpjuləs] [6]	형 꼼꼼한, 세심한 형 양심적인	
0428 **momentary** [móuməntèri]	형 잠깐의, 순간적인	

대표 기출 예문

1. The white-tailed deer is protected by **federal** legislation.
   흰꼬리사슴은 연방법에 의해 보호받는다.

2. The **minority** of Native Americans have been fighting for their right to vote.
   소수 아메리카 원주민들은 그들의 투표권을 위해 싸워 왔다.

3. Curators used a variety of tools to **bolster** the case that it was the work of Rembrandt.
   큐레이터들은 그것이 렘브란트의 작품이라는 것을 뒷받침하기 위해 여러 가지 장비를 사용했다.

4. An institute **misled** the public into believing that its research was accurate.
   한 연구소가 대중을 오해하게 하여 그들의 연구가 정확하다고 믿게 했다.

5. Police resources should not be used for any **wicked** or dishonest reason.
   경찰 자원은 그 어떤 사악하거나 부정직한 이유를 위해서도 사용되어선 안 된다.

6. The university is **scrupulous** in selecting only the best students for admission.
   그 대학교는 입학을 위한 오직 최고의 학생들을 선정하는 데 꼼꼼하다.

7. The complexity of thought is believed to **be associated with** the number of neurons.
   사고의 복잡성은 뉴런의 수와 관련되어 있다고 생각된다.

8. **Apart from** a few exceptions, trees grow relatively slowly.
   몇 가지 예외를 제외하고, 나무는 상대적으로 느리게 자란다.

빈출 숙어

0429 □□□	be associated with[7]	~과 관련되다, 연관되다
0430 □□□	apart from[8]	~을 제외하고
0431 □□□	have nothing to do with	~과 관계가 없다
0432 □□□	cut down	~을 줄이다, 삭감하다
0433 □□□	at any rate	어쨌든
0434 □□□	make a living	생계를 꾸리다

완성 어휘

0435 □□□	transmission	명 전염
0436 □□□	surgical	형 수술의, 외과의
0437 □□□	monarchy	명 왕정, 군주제
0438 □□□	clutter	명 혼란
0439 □□□	expenditure	명 비용, 지출
0440 □□□	unequivocal ✔	형 명백한, 분명한
0441 □□□	broker ✔	동 중개하다 / 명 중개인
0442 □□□	labyrinth ✔	명 미로, 복잡하게 뒤얽힌 것
0443 □□□	revamp	동 개조하다
0444 □□□	scholarly	형 학문적인
0445 □□□	oxidize	동 녹슬게 하다
0446 □□□	devoid	형 ~이 전혀 없는
0447 □□□	peculate ✔	동 횡령하다, 유용하다
0448 □□□	laudation ✔	명 칭찬, 찬미
0449 □□□	ungrudging ✔	형 아끼지 않는, 진심의
0450 □□□	acidify	동 산성화하다
0451 □□□	flustered ✔	형 허둥대는, 갈팡질팡하는
0452 □□□	unaccompanied	형 ~이 동반되지 않는
0453 □□□	decondition	동 (건강을) 손상시키다

0454 □□□	inexhaustible	형 무궁무진한
0455 □□□	repel	동 격퇴하다
0456 □□□	denigration ✔	명 모욕, 명예 훼손
0457 □□□	precipitation	명 강수, 강수량
0458 □□□	deject	동 낙담시키다, 기를 꺾다
0459 □□□	myriad	명 무수히 많음
0460 □□□	microbial	형 미생물의, 세균의
0461 □□□	unaware	형 ~을 알지 못하는
0462 □□□	jubilant ✔	형 의기양양한
0463 □□□	taper	동 (폭이) 점점 가늘어지다
0464 □□□	candor	명 허심탄회, 솔직
0465 □□□	relentless	형 끈질긴
0466 □□□	bustling	형 북적거리는, 부산한
0467 □□□	unabashed ✔	형 부끄러워하지 않는
0468 □□□	synthesis	명 종합, 합성
0469 □□□	quotation	명 인용, 견적
0470 □□□	enthralling	형 마음을 사로잡는
0471 □□□	in the words of	~의 말에 따르면
0472 □□□	hand down	물려주다
0473 □□□	in a big way	대규모로
0474 □□□	enrich oneself	부자가 되다
0475 □□□	wrap oneself in	~을 몸에 걸치다
0476 □□□	put down ✔	~을 진압하다
0477 □□□	interest rate	금리, 이율
0478 □□□	in danger of ✔	~의 위험에 처한
0479 □□□	beyond control	통제가 불가능하다
0480 □□□	on one's own	혼자서, 자력으로

1초 Quiz

1. prejudice _____
2. precipitation _____
3. revamp _____
4. 비용, 지출 _____
5. 굴복하다 _____
6. ~을 진압하다 _____

정답 | 1. 편견, 선입관 2. 강수, 강수량 3. 개조하다 4. expenditure 5. succumb 6. put down

✔ = 어휘 영역 출제

Day 07

Day 07 음성 바로 듣기

최빈출 단어

0481 frequently [frí:kwəntli]	부	자주, 빈번히
0482 corporation [kɔ̀:rpəréiʃən]	명	회사, 기업
	명	법인, 조합
0483 phenomenon [finámənàn]	명	현상
0484 notion [nóuʃən][1]	명	개념, 생각, 관념
0485 rapid [ræpid]	형	빠른, 급속한
0486 accelerate [æksélərèit][2]	동	촉진하다, 가속하다
0487 assemble [əsémbl]	동	모으다, 집합시키다
	동	조립하다
0488 enforcement [infɔ́:rsmənt]	명	(법 등의) 집행, 시행
0489 surrounding [səráundiŋ]	형	주변의, 인근의
0490 dialect [dáiəlèkt]	명	방언, 사투리

빈출 단어

0491 greed [gri:d]	명	탐욕, 식탐
0492 devastate [dévəstèit][3]	동	완전히 파괴하다
	동	엄청난 충격을 주다
0493 worship [wə́:rʃip]	동	숭배하다, 예배드리다
	명	숭배, 예배
0494 cheerful [tʃíərfəl]	형	쾌활한, 발랄한
0495 monetary [má:nətèri][4]	형	통화의, 금전적인

0496 compassion [kəmpǽʃən]	명	연민, 동정심
0497 instrumental [ìnstrəméntl]	형	기악의, 악기의
	형	(어떤 일을 하는데) 중요한, 도움이 되는
0498 nasty [nǽsti]	형	불쾌한, 더러운
0499 surpass [sərpǽs][5]	동	넘어서다, 능가하다
0500 displace [displéis][6]	동	(살던 곳에서) 쫓아내다, 추방하다
	동	대신하다, 대체하다
0501 affirmative [əfə́:rmətiv][7]	형	긍정적인, 적극적인
0502 tentative [téntətiv]	형	잠정적인, 일시적인
0503 diabetes [dàiəbí:tis]	명	당뇨병
0504 treasure [tréʒər]	명	보물, 재보
	동	소중히 하다, 귀중히 여기다
0505 congruent [káŋgruənt]	형	일치하는
	형	적절한, 알맞은
0506 traverse [trǽvə:rs]	동	가로지르다
	명	횡단
0507 lavish [lǽviʃ]	형	호화로운, 사치스러운
0508 mundane [mʌndéin]	형	일상적인, 재미없는

대표 기출 예문

1. The **notion** of civilization is connected with the idea of social progress.
   문명이라는 개념은 사회적 진보에 대한 생각과 관련되어 있다.

2. Technology **accelerated** economic progress.
   기술은 경제적 진보를 촉진했다.

3. The war **devastated** the lives of people.
   그 전쟁은 사람들의 삶을 완전히 파괴했다.

4. The government limited the role of silver in the **monetary** system to prevent its price decline.
   정부는 은의 가격 하락을 막기 위해 통화 시스템에서 은의 역할을 제한했다.

5. It took me years to **surpass** my competitor's record.
   내가 나의 경쟁자의 기록을 넘어서는 데 수년이 걸렸다.

6. The residents were **displaced** because of the war.
   주민들은 전쟁으로 인해 살던 곳에서 쫓겨났다.

7. **Affirmative** Action is designed to correct past discrimination.
   긍정적 차별 철폐 조치는 과거의 차별을 바로잡기 위해 고안되었다.

8. We need to **be aware of** the potential risks in future years.
   우리는 미래의 잠재적 위험들에 대해 알고 있어야 한다.

빈출 숙어

0509 □□□	be aware of [8]	~에 대해 알다, ~을 의식하다
0510 □□□	in search of	~을 찾아서, 추구하여
0511 □□□	have no idea	전혀 모르다
0512 □□□	carry on ✔	(하던 일 등을) 계속하다
0513 □□□	head off ✔	~을 막다, 저지하다
0514 □□□	in place of ✔	~ 대신에

완성 어휘

0515 □□□	legion	몡 많은 사람들, 군단
0516 □□□	poisonous	혱 독이 있는
0517 □□□	descendant	몡 후손, 후예
0518 □□□	fraud ✔	몡 사기, 사기꾼
0519 □□□	servile ✔	혱 굽실거리는, 비굴한
0520 □□□	sheer ✔	혱 순전한, 완전한 몦 완전히
0521 □□□	perverse ✔	혱 삐딱한, 심술궂은
0522 □□□	inverse	혱 반대의
0523 □□□	recite ✔	동 낭송하다, 낭독하다
0524 □□□	urchin ✔	몡 부랑아
0525 □□□	furnace	몡 용광로, 화로, 난방기
0526 □□□	ingrained	혱 몸에 밴, 찌든
0527 □□□	uncompromising	혱 타협하지 않는, 단호한
0528 □□□	boldness ✔	몡 대담함, 무모함
0529 □□□	deregulate	동 규제를 철폐하다
0530 □□□	colossal ✔	혱 거대한, 엄청난
0531 □□□	presumably	몦 아마, 짐작건대
0532 □□□	demolition	몡 철거, 파괴
0533 □□□	particulate	혱 미립자의 몡 미립자

0534 □□□	succession ✔	몡 연속, 계승
0535 □□□	backlash	몡 반발
0536 □□□	commentator	몡 해설자
0537 □□□	indiscernibly ✔	몦 식별할 수 없게
0538 □□□	toxin	몡 독소
0539 □□□	derision ✔	몡 조롱, 조소
0540 □□□	supplant	동 대신하다, 대체하다
0541 □□□	comparable	혱 비교할 만한, 비슷한
0542 □□□	merchandise	몡 광고, 상품
0543 □□□	resilient	혱 회복력 있는, 탄력 있는
0544 □□□	embellish	동 꾸미다, 장식하다
0545 □□□	reactive	혱 반응을 보이는
0546 □□□	euphoria	몡 (극도의) 행복감, 희열
0547 □□□	unstained ✔	혱 깨끗한, 오점 없는
0548 □□□	cutting edge	최첨단
0549 □□□	meet the demand	수요를 충족시키다
0550 □□□	along the way	그 과정에서
0551 □□□	in a sense	어떤 면에서는
0552 □□□	get wrong	오해하다
0553 □□□	be flattered ✔	(어깨가) 으쓱해지다
0554 □□□	advance to	~에 진출하다
0555 □□□	all through	줄곧, 내내
0556 □□□	hang up	(전화를) 끊다
0557 □□□	work up	~을 불러일으키다, 북돋우다
0558 □□□	irrespective of	~과 상관없이
0559 □□□	correspond with	~과 일치하다, 서신을 주고받다
0560 □□□	at once	바로

⏱ 1초 Quiz

1. enforcement _____
2. fraud _____
3. supplant _____
4. 독소 _____
5. 반대의 _____
6. 연속, 계승 _____

정답 | 1. (법 등의) 집행, 시행 2. 사기, 사기꾼 3. 대신하다, 대체하다 4. toxin 5. inverse 6. succession

Day 08

최빈출 단어

0561	**decade** [dékeid]	몡 10년
0562	**capacity** [kəpǽsəti]	몡 능력 몡 용량, 수용력
0563	**invention** [invénʃən]	몡 발명품, 발명
0564	**concrete** [kánkri:t]	혱 구체적인, 사실에 의거한
0565	**assert** [əsə́:rt] [1]	통 주장하다 통 (권리 등을) 발휘하다, 행하다
0566	**grasp** [græsp]	통 파악하다, 이해하다 통 꽉 쥐다, 움켜잡다
0567	**expertise** [èkspərtí:z]	몡 전문 기술, 전문 지식
0568	**impose** [impóuz] [2]	통 (새로운 법·제도 등을) 도입하다, 시행하다 통 강요하다 통 (세금·형벌·의무 등을) 부과하다
0569	**distribute** [distríbju:t] [3]	통 나누어 주다, 분배하다
0570	**striking** [stráikiŋ]	혱 눈에 띄는, 현저한 혱 놀라운, 빼어난

빈출 단어

0571	**ingenious** [indʒí:njəs]	혱 독창적인, 기발한 혱 영리한
0572	**investigation** [invèstəgéiʃən]	몡 조사, 수사

0573	**servant** [sə́:rvənt]	몡 하인, 종업원
0574	**disruption** [disrʌ́pʃən]	몡 붕괴, 분열
0575	**tyranny** [tírəni]	몡 전제 정치, 폭정
0576	**stray** [strei]	혱 길 잃은, 주인이 없는
0577	**factual** [fǽktʃuəl]	혱 사실적인, 사실에 입각한
0578	**anthropology** [ænθrəpá:lədʒi]	몡 인류학
0579	**interrogate** [intérəgèit] [4]	통 심문하다
0580	**fluctuation** [flʌ̀ktʃuéiʃən]	몡 변동, 등락 몡 (감정의) 동요
0581	**rage** [reidʒ]	몡 분노, 격노 통 (격렬하게) 화를 내다 통 급속히 번지다
0582	**disregard** [dìsrigá:rd] [5]	통 무시하다, 묵살하다 몡 무시, 묵살
0583	**relocate** [rilóukeit]	통 이동시키다, 재배치하다 통 이전하다
0584	**pathway** [pǽθwei]	몡 경로, 진로
0585	**condense** [kəndéns] [6]	통 응결되다
0586	**corporal** [kɔ́:rpərəl]	혱 신체의, 육체적인
0587	**latitude** [lǽtətjù:d]	몡 위도 몡 지역, 지방
0588	**inject** [indʒékt]	통 주입하다, 투입하다

대표 기출 예문

1. The FBI director **asserted** that the law hasn't kept pace with technology.
   미국 연방 수사국(FBI) 국장은 법이 기술과 보조를 맞추지 못한다고 주장했다.

2. The railroad was the first institution to **impose** regularity on society.
   철도는 사회에 규칙성을 도입한 최초의 시설이었다.

3. The speaker **distributed** copies of his paper to each member of the audience.
   그 발표자는 자신의 논문 복사본을 각 청중에게 나누어 주었다.

4. The detective **interrogated** me about the incident.
   형사가 그 사건에 대해 나를 심문했다.

5. Drivers should not **disregard** safety regulations on the road.
   운전자들은 도로에서 안전 수칙을 무시해선 안 된다.

6. When the air cools, the water vapor **condenses** into liquid.
   공기가 차가워지면, 수증기는 액체로 응축된다.

7. The country's economic development **was based on** manufacturing.
   그 나라의 경제 개발은 제조업에 기반했다.

8. I couldn't finish the exam because I **ran out of** time.
   나는 시간이 바닥나서 시험을 다 보지 못했다.

빈출 숙어

0589 □□□	**be based on**[7]	~에 기반하다, ~을 토대로 하다
0590 □□□	**a number of**	많은, 다수의
0591 □□□	**run out of** ✔[8]	~이 바닥나다, 다 써버리다
0592 □□□	**in charge (of)**	(~을) 담당한, 맡은
0593 □□□	**go about** ✔	~을 시작하다
0594 □□□	**count on**	~에 의지하다, ~를 믿다

완성 어휘

0595 □□□	**limitedly**	제한적으로
0596 □□□	**unbearable** ✔	참을 수 없는
0597 □□□	**tribal**	부족의
0598 □□□	**surplus**	잉여의 / 흑자
0599 □□□	**diameter**	지름, 직경
0600 □□□	**callous** ✔	냉담한
0601 □□□	**fraudulent** ✔	사기의, 부정한
0602 □□□	**lethargy** ✔	무기력
0603 □□□	**oriental**	동양의
0604 □□□	**politeness** ✔	공손함, 정중함
0605 □□□	**unforeseen**	예측하지 못한, 뜻밖의
0606 □□□	**passable**	그런대로 괜찮은
0607 □□□	**deflating**	수축하는, 오그라드는
0608 □□□	**inquisitive**	호기심이 많은
0609 □□□	**muzzle** ✔	억압하다, 입막음하다
0610 □□□	**interlink**	연결하다
0611 □□□	**despondence** ✔	절망
0612 □□□	**psyche**	마음, 정신, 영혼
0613 □□□	**desolate**	황량한, 외로운

0614 □□□	**unsurpassed** ✔	타의 추종을 불허하는, 탁월한
0615 □□□	**squash**	짓누르다, 으깨다
0616 □□□	**divisible** ✔	나눌 수 있는
0617 □□□	**lifespan**	수명
0618 □□□	**venomous**	유독한, 원한을 품은
0619 □□□	**blemish**	(피부 등의) 티, 흠
0620 □□□	**simulate**	모의 실험하다
0621 □□□	**fury**	분노, 격분
0622 □□□	**oblivious**	의식하지 못하는
0623 □□□	**remonstrance**	항의, 불평
0624 □□□	**summarize**	요약하다
0625 □□□	**minuscule**	극소의
0626 □□□	**primordial**	태고의, 원시적인
0627 □□□	**let off** ✔	~의 책임에서 해방하다
0628 □□□	**fall under**	~의 영향을 받다
0629 □□□	**die down**	약해지다
0630 □□□	**a step ahead of**	(~보다) 한발 앞선
0631 □□□	**hang on**	꽉 붙잡다, 기다리다
0632 □□□	**vice versa**	거꾸로, 반대로
0633 □□□	**knock out**	깜짝 놀라게 하다
0634 □□□	**down to**	~에 이르기까지
0635 □□□	**get back to**	~으로 돌아가다
0636 □□□	**in effect**	실제로는
0637 □□□	**give a speech**	연설을 하다
0638 □□□	**level off** ✔	안정되다
0639 □□□	**on a regular basis**	정기적으로
0640 □□□	**hit upon**	(우연히) ~을 생각해내다

해커스공무원 영어 어휘

⏱ 1초 Quiz

1. inject _____
2. in charge (of) _____
3. surplus _____
4. 참을 수 없는 _____
5. 발명품, 발명 _____
6. 조사, 수사 _____

정답 | 1. 주입하다, 투입하다 2. (~을) 담당한, 맡은 3. 잉여의; 흑자 4. unbearable 5. invention 6. investigation

✔ = 어휘 영역 출제

Day 09

Day 09 음성 바로 듣기

최빈출 단어

0641	**affect** [əfékt]	통 영향을 끼치다
0642	**observation** [ὰbzərvéiʃən]	명 관찰, 관측 명 (관찰로 얻은) 지식, 의견
0643	**predator** [prédətər]	명 포식자, 포식 동물
0644	**stimulate** [stímjulèit] [1]	통 자극하다, (관심을) 불러일으키다
0645	**proposal** [prəpóuzəl]	명 제안
0646	**unprecedented** [2] [ənpréisidèntid]	형 전례 없는, 미증유의, 새로운
0647	**distress** [distrés]	명 고통, 괴로움 통 고통스럽게 하다, 괴롭히다
0648	**identical** [aidéntikəl]	형 동일한, 일치하는
0649	**external** [ikstə́:rnəl]	형 외부의
0650	**handicap** [hǽndikæp] [3]	명 불리한 조건 통 불리하게 만들다

빈출 단어

0651	**ubiquitous** [juːbíkwətəs]	형 어디에나 존재하는
0652	**explosive** [iksplóusiv]	명 폭발물 형 폭발하는, 폭발성의
0653	**troop** [truːp]	명 군대, 병력

0654	**drastic** [drǽstik]	형 극단적인, 급격한
0655	**culprit** [kʌ́lprit]	명 주범, 범인
0656	**dump** [dʌmp]	통 버리다
0657	**stability** [stəbíləti] [4]	명 안정성
0658	**intercultural** [íntərkʌ̀ltʃərəl]	형 (다른) 문화 간의
0659	**subordinate** [səbɔ́ːrdənət]	명 하급자, 부하 형 종속된, 부수적인
0660	**nullify** [nʌ́ləfài] [5]	통 무효로 하다, 파기하다
0661	**changeable** [tʃéindʒəbl]	형 바뀔 수 있는, 변덕이 심한
0662	**tenant** [ténənt]	명 세입자, 소작인
0663	**divine** [diváin]	형 신성한, 신의
0664	**ascend** [əsénd]	통 오르다, 올라가다
0665	**falsify** [fɔ́ːlsəfài]	통 반증하다 통 위조하다
0666	**levy** [lévi] [6]	통 (세금 등을) 징수하다, 부과하다 명 (징수한) 세금, 징수
0667	**pedestrian** [pədéstriən]	명 보행자
0668	**nimble** [nímbl]	형 날쌘, 재빠른

대표 기출 예문

1. The exhibitors passed out free samples to **stimulate** interest.
   출품자들은 관심을 자극하기 위해 무료 샘플들을 배부했다.

2. Newton made **unprecedented** contributions to mathematics.
   뉴턴은 수학에 전례 없는 기여를 했다.

3. Lacking an online presence is a **handicap** for print media.
   온라인상의 존재감 부족은 인쇄 매체에 불리한 조건이다.

4. Failure to carry out the court's decisions puts the **stability** of the justice system at risk.
   사법적 결정 이행의 실패는 사법제도의 안정성을 위험에 처하게 한다.

5. The judge **nullified** the results of a criminal trial.
   그 판사는 형사 재판의 결과를 무효로 했다.

6. A recent law **levies** a significant fee per full-time employee.
   최근의 법은 상근직원마다 상당한 요금을 징수한다.

7. He **is involved in** various adventures.
   그는 다양한 모험들에 연루되었다.

8. These paintings are believed to **be attributed to** the Bushman people.
   그 그림들은 부시맨 사람들에게서 기인한 것으로 여겨진다.

빈출 숙어

0669	tend to	~하는 경향이 있다
0670	be involved in[7]	~에 연루되다, 개입되다
0671	be attributed to[8]	~에서 기인하다
0672	in the midst of	~ 도중에
0673	put aside	저축하다; 제쳐두다, 무시하다
0674	take time	시간을 가지다, 시간이 걸리다; 천천히 하다

완성 어휘

0675	farewell	명 이별
0676	canny	형 약삭빠른, 노련한
0677	furtive	형 은밀한, 엉큼한
0678	evasion	명 회피
0679	condone	동 용납하다
0680	falter	동 흔들리다, 뒷걸음치다
0681	cliché	명 진부한 표현
0682	powerhouse	명 발전소
0683	paralysis	명 마비
0684	docility	명 온순, 유순
0685	loath	형 ~하기를 꺼리는
0686	clique	명 파벌, 패거리
0687	suffocating	형 숨이 막히는, 숨쉬기가 힘든
0688	aliment	명 자양분, 영양분
0689	deity	명 신
0690	intercede	동 탄원하다
0691	vent	명 통풍구, 배출구
0692	concomitant	형 수반되는
0693	precocious	형 조숙한, 아이 같지 않은

0694	puzzlement	명 어리둥절함, 얼떨떨함
0695	adduce	동 (증거·이유 등을) 제시하다
0696	unwieldy	형 다루기 어려운, 거추장스러운
0697	maternal	형 모성의
0698	vicinity	명 부근
0699	ablaze	형 불길에 휩싸인
0700	tattered	형 다 망가진
0701	facet	명 측면
0702	conjecture	명 추측
0703	squeamish	형 지나치게 예민한
0704	triumphantly	부 의기양양하여
0705	distraught	형 완전히 제정신이 아닌
0706	misconduct	명 비행
0707	convulsion	명 발작, 경련
0708	concur with	~에 동의하다
0709	let up	약해지다
0710	in hand	현재 하고 있는
0711	break a bill	지폐를 바꾸다
0712	be fined for	~으로 벌금을 물다
0713	hand out	나누어 주다
0714	an eye for	~에 대한 안목
0715	set out	착수하다
0716	rife with	~으로 가득 찬
0717	lash out	강타하다
0718	on the strength of	~에 힘입어
0719	at large	전체적인, 대체적인
0720	die of	~으로 죽다, 사망하다

1초 Quiz

1. identical _____
2. ascend _____
3. intercede _____
4. 측면 _____
5. 비행 _____
6. ~에 동의하다 _____

정답 | 1. 동일한 2. 오르다 3. 탄원하다 4. facet 5. misconduct 6. concur with

= 어휘 영역 출제

최빈출 단어

0721	**define** [difáin]	통 정의하다, 정의를 내리다 통 분명히 나타내다, 명시하다
0722	**fascinate** [fǽsənèit]¹	통 매료시키다, 마음을 사로잡다
0723	**distant** [dístənt]	형 거리가 먼
0724	**tough** [tʌf]	형 어려운, 힘든
0725	**extraordinary** [ikstrɔ́:rdənèri]	형 비범한, 특별한 형 이례적인
0726	**conceive** [kənsí:v]	통 구상하다, 생각하다 통 아이를 가지다
0727	**implement** [ímpləmənt]²	통 시행하다, 실시하다 명 도구, 기구
0728	**acute** [əkjú:t]	형 급성의; 극심한, 심각한 형 예민한, 잘 발달된
0729	**discard** [diská:rd]	통 버리다, 폐기하다

빈출 단어

0730	**mature** [mətʃúər]	형 성숙한, 다 자란 통 다 자라다, 발달하다
0731	**disposal** [dispóuzəl]	명 처리, 처분; 배치
0732	**inhibit** [inhíbit]³	통 억제하다, 저해하다, 금지하다
0733	**renowned** [rináund]	형 유명한
0734	**erupt** [irʌ́pt]	통 분출하다

0735	**despise** [dispáiz]	통 경멸하다, 혐오하다
0736	**elusive** [ilú:siv]	형 규정하기 힘든, 파악하기 어려운 형 교묘하게 피하는
0737	**lament** [ləmént]	통 안타까워하다, 비통해하다 명 비탄, 애도
0738	**exterior** [ikstíəriər]	형 외부의, 바깥의 명 외부, 겉모습
0739	**overlap** [òuvərlǽp]	통 겹치다
0740	**halt** [hɔ:lt]⁴	통 멈추다 명 멈춤, 중단
0741	**breakthrough** [bréikθrù]⁵	명 획기적 발전 명 돌파구
0742	**exasperate** [igzǽspərèit]	통 몹시 화나게 하다 통 (병·고통·감정 등을) 악화시키다
0743	**affectionate** [əfékʃənət]	형 다정한, 애정 어린
0744	**liable** [láiəbl]⁶	형 ~할 책임이 있는 형 ~하기 쉬운, ~ 할 것 같은
0745	**spiral** [spáiərəl]	형 나선형의 통 (나선형으로) 상승하다, 급증하다
0746	**peripheral** [pərífərəl]	형 주변의, 주위의, 지엽적인
0747	**capitulate** [kəpítʃulèit]	통 굴복하다

대표 기출 예문

1. We are **fascinated** by thinking of the wonderful things the future will bring.
   우리는 미래가 가져올 경이로운 것들을 생각하는 것에 매료된다.

2. The new policy will be **implemented** for all workers.
   새로운 정책이 모든 직원에게 시행될 것이다.

3. Some proteins **inhibit** the transmission of the AIDS virus.
   어떤 단백질은 에이즈 바이러스의 전염을 억제한다.

4. The joggers **halted** as they came to the crosswalk, waiting for cars to pass.
   조깅하던 사람들은 횡단보도에 오면서 차가 지나가기를 기다리며 멈춰 섰다.

5. Scientific **breakthroughs** successfully managed hunger by increasing food production.
   과학의 획기적 발전은 식량 생산을 증가시킴으로써 성공적으로 굶주림에 대처했다.

6. The judge found the company **liable** for the injuries of its workers.
   판사는 직원들의 부상이 회사에 책임이 있다고 여겼다.

7. The bath's frequency **depends on** the reason behind the bath.
   목욕 빈도는 목욕의 이유에 달려 있다.

8. Doctors recommend **keeping away from** any kind of alcoholic beverages.
   의사들은 어떤 종류의 알코올음료도 멀리할 것을 권장한다.

0748 □□□ **petition** [pətíʃən]	명 청원, 탄원 동 청원하다, 탄원서를 내다

빈출 숙어

0749 □□□ **depend on**[7]	~에 달려 있다, ~을 신뢰하다
0750 □□□ **make sense**	이해가 되다, 타당하다
0751 □□□ **as far as**	~하는 한, ~에 관한 한
0752 □□□ **cover up**	~을 가리다, 감추다
0753 □□□ **keep away from** 🌱[8]	멀리하다
0754 □□□ **let on** 🌱	(비밀을) 털어놓다, 폭로하다

완성 어휘

0755 □□□ **prelude** 🌱	명 서두, 전조
0756 □□□ **diaphanous** 🌱	형 매우 얇은, 거의 투명한
0757 □□□ **console**	동 위로하다
0758 □□□ **litigation**	명 소송
0759 □□□ **preliminary**	형 예비적인, 시초의
0760 □□□ **swift**	형 신속한
0761 □□□ **resonate**	동 울려 퍼지다
0762 □□□ **long-established**	형 오래 전부터 내려온
0763 □□□ **outlaw**	동 불법화하다
0764 □□□ **vaporous** 🌱	형 수증기가 가득한
0765 □□□ **amass**	동 모으다
0766 □□□ **irritability**	명 (자극에 대한) 감수성
0767 □□□ **forthright** 🌱	형 솔직한, 숨김없는
0768 □□□ **pertinent** 🌱	형 적절한, 관련된
0769 □□□ **interconnect**	동 서로 연결하다
0770 □□□ **resultant**	형 그 결과로 생긴
0771 □□□ **deficiency**	명 결핍, 부족, 결점, 결함

0772 □□□ **intercept**	동 가로막다
0773 □□□ **didactic**	형 교훈적인
0774 □□□ **nominal**	형 명목상의
0775 □□□ **downsize**	동 줄이다, 축소하다
0776 □□□ **mistreat**	동 학대하다
0777 □□□ **vie**	동 경쟁하다
0778 □□□ **deluge**	명 폭우
0779 □□□ **deviate**	동 벗어나다
0780 □□□ **complicity**	명 공모
0781 □□□ **unconditional**	형 무조건적인
0782 □□□ **fathomable**	형 추측할 수 있는
0783 □□□ **conceptualize**	동 개념화하다
0784 □□□ **entwine**	동 얽히다
0785 □□□ **dexterity**	명 기민함, 영리함
0786 □□□ **unfettered**	형 제한받지 않는
0787 □□□ **snoop**	동 염탐하다
0788 □□□ **go around** 🌱	(몫이) 돌아가다
0789 □□□ **leave no stone unturned**	온갖 수를 다 쓰다
0790 □□□ **call it a day** 🌱	(일 등을) 그만 끝내다
0791 □□□ **loom on** 🌱	나타나다
0792 □□□ **grab a bite**	간단하게 먹다
0793 □□□ **check with**	~와 의논하다
0794 □□□ **fresh from**	~을 갓 나온
0795 □□□ **come to light**	알려지다, 밝혀지다
0796 □□□ **look down on**	~을 경시하다
0797 □□□ **out of order**	고장 난
0798 □□□ **differ from**	~와 다르다
0799 □□□ **give over** 🌱	그만두다
0800 □□□ **crop up**	불쑥 나타나다

⏱ 1초 Quiz

1. renowned _____
2. capitulate _____
3. litigation _____
4. 학대하다 _____
5. 벗어나다 _____
6. 고장 난 _____

정답 | 1. 유명한 2. 굴복하다 3. 소송 4. mistreat 5. deviate 6. out of order

Day 11

Day 11 음성 바로 듣기

최빈출 단어

0801 **impact** 명[ímpækt] 동[impǽkt]	명 영향 / 명 충돌, 충격 / 동 영향을 주다	
0802 **appropriate** [əpróupriət]	형 적절한, 적합한 / 동 도용하다, 전용하다	
0803 **domestic** [dəméstik] ✓¹	형 국내의 / 형 가정의, 집안의	
0804 **exception** [iksépʃən] ✓	명 예외	
0805 **housing** [háuziŋ]	명 주택, 주택 공급	
0806 **astronomer** [əstrá:nəmər]	명 천문학자	
0807 **initially** [iníʃəli]²	부 처음에, 시초에	
0808 **dominant** [dá:mənənt] ✓	형 지배적인, 우세한 / 형 우뚝 솟은	
0809 **emit** [imít]	동 배출하다, 발산하다	

빈출 단어

0810 **innate** [inéit] ✓	형 내재적인, 타고난
0811 **flaw** [flɔ:]	명 결함, 흠
0812 **thoroughly** [θɔ́:rouli] ✓	부 철저히, 완전히
0813 **filter** [fíltər]	명 필터, 여과 장치 / 동 여과하다
0814 **compulsory** [kəmpʌ́lsəri] ✓³	형 의무적인, 필수의

0815 **machinery** [məʃí:nəri]	명 기계 / 명 조직, 기구
0816 **temper** [témpər]	명 화, 성질, 성미 / 동 완화시키다
0817 **improvisation** [imprὰvəzéiʃən]	명 즉흥 공연, 즉석에서 하는 것
0818 **alienate** [éiliənèit] ✓⁴	동 소외하다, 소원하게 하다 / 동 (재산 등을) 양도하다
0819 **draft** [dræft]	동 초안을 작성하다 / 명 초안, 원고
0820 **emulate** [émjulèit] ✓	동 모방하다, 따라가다 / 동 ~와 우열을 겨루다
0821 **revenue** [révənjù:]	명 수익, 소득
0822 **transaction** [trænsǽkʃən]	명 거래, 매매
0823 **paramount** [pǽrəmàunt] ✓⁵	형 가장 중요한, 최고의 / 형 탁월한, ~보다 앞선
0824 **consolidate** [kənsá:lədèit]⁶	동 통합하다 / 동 강화하다
0825 **implicate** [ímplikèit]	동 연루시키다, 관련되다 / 동 포함하다
0826 **localize** [lóukəlàiz]	동 지역화하다, 국지화하다
0827 **prestigious** [prestídʒəs] ✓	형 명망 있는, 일류의
0828 **captivate** [kǽptəvèit] ✓	동 ~의 마음을 사로잡다, 매혹하다

대표 기출 예문

1. It was obvious interference in the **domestic** affairs of independent nations.
   이것은 독립 국가의 국내 사건들에 대한 명백한 간섭이었다.

2. The government **initially** offered no funding or technical support.
   정부는 처음에 자금이나 기술적 지원을 제공하지 않았다.

3. Schooling is **compulsory** for all children in the United States.
   미국의 모든 어린이들에게 학교 교육은 의무적이다.

4. The present EU system is relatively **alienated** from the ordinary European people.
   현재 EU 시스템은 보통의 유럽 사람들로부터 비교적 소외되어있다.

5. The **paramount** duty of the physician is to do no harm.
   의사의 가장 중요한 의무는 해를 끼치지 않는 것이다.

6. The brain **consolidates** memories of things it faces regularly.
   뇌는 규칙적으로 마주치는 사물에 대한 기억을 통합한다.

7. The mistletoe can get so large that it **ends up** killing its host.
   겨우살이는 너무 커져서 결국 숙주를 죽이게 될 수도 있다.

8. Organizations **are bound to** respect the decisions of the court.
   단체들은 법원의 결정을 존중할 의무가 있다.

빈출 숙어

0829 end up[7]		결국 ~하게 되다
0830 take up		차지하다; (어떤 활동을) 시작하다
0831 be bound to[8]		~할 의무가 있다
0832 be up to		~에 달려 있다
0833 turn in		제출하다; 반환하다
0834 make over		양도하다; 고쳐 만들다

완성 어휘

0835 witticism	몡	재치 있는 말, 재담
0836 denote	동	의미하다, 조짐을 보여주다
0837 synonym	몡	동의어, 유의어
0838 fatigue	몡	피로
0839 giggle	동 몡	킬킬 웃다 / 킬킬거림
0840 discursive	형	두서없는, 산만한
0841 longitude	몡	경도
0842 reconcilable	형	조정할 수 있는
0843 mill	몡	공장
0844 cemetery	몡	묘지
0845 anomie	몡	사회적 무질서
0846 orator	몡	연설자, 웅변가
0847 residual	형	남은, 잔여의
0848 adjourn	동	중단하다
0849 interdependent	형	상호의존적인
0850 vitiate	동	손상시키다
0851 fiery	형	불같은, 맹렬한
0852 interchangeable	형	교환할 수 있는
0853 strife	몡	갈등, 다툼

0854 compartment	몡	객실, 칸
0855 awe	몡	경외감
0856 nourish	동	영양분을 공급하다
0857 viability	몡	생존력
0858 encumber	동	지장을 주다
0859 predicament	몡	곤경
0860 composure	몡	평정
0861 indignation	몡	분개
0862 absorbed	형	~에 몰두한
0863 cram	동	밀어 넣다
0864 repressive	형	억압적인
0865 idealize	동	이상화하다
0866 planetary	형	행성의
0867 encroach	동	침해하다, 침범하다
0868 semblance	몡	외관, 겉모습
0869 superfluous	형	필요치 않은
0870 cost an arm and a leg		큰돈이 들다
0871 make off		급히 떠나다, 달아나다
0872 brush up on		~을 복습하다
0873 come by		얻다
0874 look upon ~ as ~		~을 ~으로 간주하다
0875 in person		직접
0876 arise from		~에서 발생하다
0877 fall victim to		~의 희생자가 되다
0878 turn a blind eye to		~을 못 본 체하다
0879 stand a chance		가능성이 있다
0880 break up with		~와 결별하다

⏱ 1초 Quiz

1. exception _____

2. transaction _____

3. encroach _____

4. 남은, 잔여의 _____

5. ~에 몰두한 _____

6. 상호의존적인 _____

Day 12 음성 바로 듣기

최빈출 단어

0881 **pressure** [préʃər]	명 압력, 압박 동 압박을 가하다	
0882 **consume** [kənsú:m]	동 소비하다, 소모하다 동 (감정에) 사로잡히다	
0883 **boost** [bu:st] [1]	동 활성화하다, 신장시키다 명 후원, 지지, 격려	
0884 **likewise** [láikwàiz]	부 마찬가지로, 똑같이, 비슷하게 부 또한	
0885 **hazard** [hǽzərd] ✔[2]	명 위험, 위험 요소 동 위태롭게 하다, ~의 위험을 무릅쓰다	
0886 **meditation** [mèdətéiʃən]	명 명상; 심사숙고	
0887 **adequate** [ǽdikwət]	형 충분한, 적절한	
0888 **unemployment** [ʌ̀nimplɔ́imənt]	명 실업, 실업률	
0889 **mold** [mould]	동 만들다, 주조하다 명 거푸집, 틀 명 곰팡이	

빈출 단어

0890 **impair** [impɛ́ər] ✔	동 손상시키다, 악화시키다 명 손상	
0891 **tolerate** [tá:lərèit] ✔[3]	동 용인하다, 참다	
0892 **odor** [óudər]	명 냄새	

0893 **consult** [kənsʌ́lt]	동 상의하다, 상담하다 동 고려하다, 참고하다	
0894 **underlying** [ʌ́ndərlàiiŋ] [4]	형 기초를 이루는, 잠재적인	
0895 **connotation** [kà:nətéiʃən]	명 함축, 내포	
0896 **indispensable** ✔[5] [ìndispénsəbl]	형 필수적인, 없어서는 안 될	
0897 **tense** [tens]	형 긴장한, 신경이 날카로운 동 (근육을) 긴장시키다	
0898 **perpetuate** [pərpétʃuèit]	동 영속시키다, 영구화하다	
0899 **economical** [èkəná:mikəl]	형 경제적인, 절약하는	
0900 **expedite** [ékspədàit] ✔	동 추진하다, 촉진하다	
0901 **triumph** [tráiəmf]	명 대성공, 승리 동 승리를 거두다	
0902 **aloof** [əlú:f] ✔	형 냉담한, 무관심한	
0903 **ameliorate** [əmí:ljərèit] ✔[6]	동 개선하다, 개량하다	
0904 **cater** [kéitər] ✔	동 음식을 공급하다 동 (요구 등에) 부응하다	
0905 **empower** [impáuər]	동 할 수 있게 하다, 능력을 주다 동 권한을 부여하다	
0906 **presume** [prizú:m] ✔	동 추정하다, ~라고 생각하다 동 대담하게 ~하다	
0907 **allude** [əlú:d] ✔	동 암시하다	
0908 **ostentatious** [à:stəntéiʃəs] ✔	형 호화로운, 과시적인	

대표 기출 예문

1. The increase of working women **boosted** the expansion of food service programs.
근로 여성들의 증가는 급식 프로그램의 확대를 활성화했다.

2. Many governments educate young people of the health **hazards** of smoking.
많은 정부들이 젊은 사람들에게 흡연의 건강상의 위험을 교육한다.

3. I will not **tolerate** the continued misuse of valuable office resources.
나는 이 계속되는 귀중한 사무 자원의 남용을 용인하지 않을 것이다.

4. The author describes the **underlying** forces and emotions that lead to actual events.
저자는 실제 사건으로 이끌어가는 기초를 이루는 힘과 감정을 묘사한다.

5. **Indispensable** elements must be protected to ensure human survival.
필수적인 요소들은 인간의 생존을 보장하기 위해 보호되어야 한다.

6. Doctors often recommend compression to **ameliorate** symptoms.
의사들은 종종 증상을 개선하기 위해 압박을 권장한다.

7. Law enforcement is especially important **when it comes to** maintaining public trust.
대중의 신뢰를 유지하는 것에 관한 한, 법률 집행은 특히 중요하다.

8. To **keep up with** increasing demand, farmers produced more cotton throughout Britain.
늘어나는 수요를 따라잡기 위해, 영국 전역에서 농부들이 더 많은 면을 생산했다.

빈출 숙어

0909 □□□	**deal with** 🌱	~을 다루다
0910 □□□	**be willing to**	기꺼이 ~하다
0911 □□□	**above all**	무엇보다도, 특히
0912 □□□	**when it comes to**[7]	~에 관한 한
0913 □□□	**keep up with**[8]	따라잡다
0914 □□□	**lapse into** 🌱	~에 빠지다

완성 어휘

0915 □□□	**epidemic**	몡 전염병 혱 전염성의
0916 □□□	**overhaul**	통 철저하게 조사하다
0917 □□□	**negligible** 🌱	혱 무시해도 될 정도의, 하찮은
0918 □□□	**norms**	몡 규준, 규범
0919 □□□	**rejuvenate** 🌱	통 활기를 되찾게 하다
0920 □□□	**venturesome** 🌱	혱 모험적인
0921 □□□	**synthetic**	혱 합성한, 종합적인
0922 □□□	**disparaging**	혱 헐뜯는, 폄하하는
0923 □□□	**lessen**	통 줄다, 줄이다
0924 □□□	**alibi**	몡 변명, 구실
0925 □□□	**stride**	통 성큼성큼 걷다
0926 □□□	**intervene**	통 개입하다
0927 □□□	**rouse**	통 깨우다
0928 □□□	**deport**	통 강제 추방하다
0929 □□□	**penal** 🌱	혱 형벌의
0930 □□□	**wordy** 🌱	혱 장황한
0931 □□□	**sprawl**	몡 무분별한 확장 통 뻗다
0932 □□□	**swoop**	몡 급강하
0933 □□□	**confer**	통 수여하다

0934 □□□	**defraud**	통 횡령하다, 속여서 빼앗다
0935 □□□	**oppress**	통 탄압하다, 억압하다
0936 □□□	**boisterous**	혱 활기가 넘치는
0937 □□□	**distill**	통 증류하다
0938 □□□	**compulsive**	혱 강박적인
0939 □□□	**indisposed**	혱 ~할 수 없는
0940 □□□	**catastrophe**	몡 재앙
0941 □□□	**alias**	몡 가명, 별명
0942 □□□	**plantation**	몡 대규모 농원, 대농장
0943 □□□	**fractious**	혱 괴팍한
0944 □□□	**apace**	튀 빠른 속도로
0945 □□□	**avidity**	몡 욕망, 갈망
0946 □□□	**perilous**	혱 아주 위험한
0947 □□□	**texture**	몡 질감
0948 □□□	**creaky** 🌱	혱 삐걱거리는
0949 □□□	**take the lead**	지도적 위치를 차지하다
0950 □□□	**do justice to**	~을 공정하게 대하다
0951 □□□	**take effect**	발효되다, 시행되다
0952 □□□	**on the go**	끊임없이 일하는
0953 □□□	**go south** 🌱	나빠지다, 악화되다
0954 □□□	**stem from**	~에서 생겨나다
0955 □□□	**pass out** 🌱	의식을 잃다, 나눠주다
0956 □□□	**make up to** 🌱	~에게 아첨하다
0957 □□□	**on account of**	~때문에
0958 □□□	**call on**	~에게 청하다
0959 □□□	**go nowhere**	아무런 진전이 없다
0960 □□□	**generally speaking**	일반적으로 말하면

1초 Quiz

1. adequate _____
2. deal with _____
3. take effect _____
4. 수여하다 _____
5. 개입하다 _____
6. 아주 위험한 _____

정답 | 1. 충분한, 적절한 2. ~을 다루다 3. 발효되다, 시행되다 4. confer 5. intervene 6. perilous

Day 13

최빈출 단어

0961 response [rispá:ns]	명 반응, 응답	
0962 component [kəmpóunənt]	명 구성 요소	
0963 afford [əfɔ́:rd] [1]	동 ~할 여유가 되다	
0964 reliable [riláiəbl]	형 의지할 수 있는, 신뢰할 만한	
0965 proportion [prəpɔ́:rʃən]	명 비율, 부분	
0966 physics [fíziks]	명 물리학	
0967 facilitate [fəsílitèit] [2]	동 촉진하다, 활성화하다 / 동 가능하게 하다	
0968 indication [ìndikéiʃən]	명 조짐, 징후, 표시	
0969 silence [sáiləns]	명 침묵, 고요함	
0970 fertile [fə́:rtl]	형 비옥한, 풍부한 / 형 번식력이 있는	

빈출 단어

0971 dedicate [dédikèit]	동 바치다, 헌신하다
0972 incentive [inséntiv]	명 동기, 자극 / 명 장려책, 우대책
0973 equate [ikwéit] [3]	동 동일시하다 / 동 ~과 일치하다
0974 persuasive [pərswéisiv]	형 설득력 있는
0975 lucrative [lú:krətiv] [4]	형 수익성이 좋은

0976 greedy [grí:di]	형 탐욕스러운, 욕심이 많은	
0977 anonymous [ənɑ́:nəməs] [5]	형 익명의	
0978 ingenuity [ìndʒənjú:əti]	명 창의력, 독창성	
0979 novice [nɑ́:vis]	명 초보자, 풋내기	
0980 conversion [kənvə́:rʒən] [6]	명 전환, 개조	
0981 hover [hʌ́vər]	동 맴돌다, 배회하다	
0982 palatable [pǽlətəbl]	형 맛있는, 맛 좋은 / 형 마음에 드는, 구미에 맞는	
0983 apex [éipeks]	명 꼭대기, 정점	
0984 edible [édəbl]	형 먹을 수 있는, 식용의	
0985 plight [plait]	명 곤경, 역경	
0986 faint [feint]	형 (빛, 소리, 냄새 등이) 희미한, 모호한 / 동 실신하다	
0987 infinite [ínfənət]	형 무한한	
0988 splendid [spléndid]	형 화려한, 훌륭한	

빈출 숙어

0989 refer to [7]	~을 나타내다, 가리키다; ~을 참조하다
0990 apply to	~에 적용되다; ~에 지원하다

대표 기출 예문

1. The poor woman couldn't **afford** to get a smartphone.
   그 가난한 여자는 스마트폰을 살 여유가 되지 않았다.

2. Listening to others' problems carefully is a way of **facilitating** social interaction.
   다른 이들의 문제점을 주의 깊게 들어주는 것은 사회적 상호 작용을 촉진하는 한 방법이다.

3. People **equate** a lack of eye contact with lying.
   사람들은 눈 맞춤의 부족함과 거짓말을 동일시한다.

4. He built a **lucrative** business in Africa selling brand-name consumer goods.
   그는 유명 상표 소비재를 판매하는 수익성이 좋은 사업체를 아프리카에 설립했다.

5. A man sent the shop an **anonymous** letter of apology.
   한 남자가 상점으로 익명의 사과 편지를 보냈다.

6. The **conversion** to the metric system will not be easy.
   미터법으로의 전환은 쉽지 않을 것이다.

7. People invented the expression "o'clock" to **refer to** the time.
   사람들은 시간을 나타내기 위해 "o'clock"이라는 표현을 발명했다

8. Consider office workers who **happen to** use wheelchairs.
   휠체어를 사용하게 된 직장인들을 생각해 보자.

0991 ☐☐☐ **happen to**[8]		~하게 되다, (어떤 일이) ~에게 일어나다
0992 ☐☐☐ **a great deal of** 🌱		많은, 다량의
0993 ☐☐☐ **in no time**		곧, 당장에
0994 ☐☐☐ **make the best of**		~을 최대한 이용하다

완성 어휘

0995 ☐☐☐ **forefather**	명	선조
0996 ☐☐☐ **hackneyed**	형	진부한
0997 ☐☐☐ **fictitious**	형	허구의
0998 ☐☐☐ **exhortative** 🌱	형	권고적인
0999 ☐☐☐ **overrule**	동	기각하다
1000 ☐☐☐ **underprivileged**	형	혜택을 못 받는
1001 ☐☐☐ **cognizant**	형	인식하고 있는
1002 ☐☐☐ **conflicting**	형	모순되는
1003 ☐☐☐ **rugged**	형	울퉁불퉁한
1004 ☐☐☐ **raid**	명	습격, 급습
1005 ☐☐☐ **vengeance**	명	복수, 앙갚음
1006 ☐☐☐ **recede**	동	물러나다
1007 ☐☐☐ **appendix**	명	부속물, 부록, 맹장
1008 ☐☐☐ **oddity**	명	괴이함, 이상한 것
1009 ☐☐☐ **embezzle** 🌱	동	횡령하다
1010 ☐☐☐ **dismally**	부	쓸쓸하게, 우울하게
1011 ☐☐☐ **exemplify**	동	전형적인 예가 되다
1012 ☐☐☐ **retardation**	명	지연, 저지
1013 ☐☐☐ **disenchantment**	명	환멸
1014 ☐☐☐ **corpse**	명	시체

1015 ☐☐☐ **saturate**	동	포화시키다
1016 ☐☐☐ **acquisitive**	형	소유욕이 많은
1017 ☐☐☐ **adjacent**	형	인접한
1018 ☐☐☐ **unforgiving**	형	용서하지 않는
1019 ☐☐☐ **misplaced**	형	부적절한
1020 ☐☐☐ **opulent**	형	호화로운, 부유한
1021 ☐☐☐ **continuum**	명	연속체
1022 ☐☐☐ **coexist**	동	공존하다
1023 ☐☐☐ **prosaic**	형	평범한, 상상력이 없는
1024 ☐☐☐ **conceit**	명	자만, 자부심
1025 ☐☐☐ **defer**	동	미루다, 연기하다
1026 ☐☐☐ **assailant**	명	폭행범
1027 ☐☐☐ **resuscitate**	동	소생시키다
1028 ☐☐☐ **molten**	형	녹은
1029 ☐☐☐ **take a nosedive** 🌱		폭락하다, 급강하하다
1030 ☐☐☐ **on a par with** 🌱		~와 동등하게
1031 ☐☐☐ **pass on**		넘겨주다, 전달하다
1032 ☐☐☐ **per capita** 🌱		1인당
1033 ☐☐☐ **call off**		중지하다, 취소하다
1034 ☐☐☐ **live up to**		~에 부끄럽지 않게 살다
1035 ☐☐☐ **stick to**		~을 계속하다
1036 ☐☐☐ **break down**		고장 나다, 무너지다
1037 ☐☐☐ **gaze at**		응시하다
1038 ☐☐☐ **strike a balance**		청산하다
1039 ☐☐☐ **drift away**		벗어나다, 줄행랑치다
1040 ☐☐☐ **strip away**		벗겨내다

🕐 1초 Quiz

1. component _____

2. dedicate _____

3. call off _____

4. 기각하다 _____

5. 부적절한 _____

6. 혜택을 못 받는 _____

정답 | 1. 구성 요소 2. 바치다, 전념하다 3. 중지하다, 취소하다 4. overrule 5. misplaced 6. underprivileged

Day 14

Day 14 음성 바로 듣기

최빈출 단어

1041 standard [sténdərd]	형 일반적인, 보통의 명 수준, 기준	
1042 spell [spel]	명 (한) 시기, 잠깐 동 (철자를) 말하다, 맞게 쓰다	
1043 controversial [kà:ntrəvə́:rʃəl] ✔	형 논란이 많은	
1044 mostly [móustli]	부 대부분, 주로	
1045 perception [pərsépʃən]	명 인식, 지각	
1046 racial [réiʃəl]	형 인종의, 민족의	
1047 representative [rèprizéntətiv][1]	명 대표자, 대리인 형 대표적인	
1048 alleviate [əlí:vièit] ✔[2]	동 완화하다	
1049 insight [ínsàit]	명 통찰력, 이해	
1050 inhabitant [inhǽbətənt]	명 거주자, 서식 동물	
1051 obscure [əbskjúər] ✔[3]	형 애매한, 잘 알려지지 않은 동 모호하게 하다	

빈출 단어

1052 conservative [kənsə́:rvətiv]	형 보수적인
1053 intent [intént]	명 목적, 의도 형 전념하는, 몰두하는

1054 capitalism [kǽpətəlìzm]	명 자본주의	
1055 tempt [tempt][4]	동 유혹하다, 부추기다	
1056 perplex [pərpléks] ✔	동 당황하게 하다	
1057 eligible [élidʒəbl]	형 자격이 있는, 조건이 맞는 명 적임자, 적격자	
1058 erosion [iróuʒən]	명 침식, 부식	
1059 auction [ɔ́:kʃən]	명 경매	
1060 obsolete [à:bsəlí:t] ✔[5]	형 구식의	
1061 treaty [trí:ti][6]	명 조약	
1062 appraise [əpréiz]	동 평가하다, 감정하다	
1063 affirm [əfə́:rm] ✔	동 단언하다	
1064 apprehensive [æprihénsiv] ✔[7]	형 우려하는, 걱정되는	
1065 lure [luər]	동 유혹하다, 유인하다	
1066 fluent [flú:ənt] ✔	형 유창하게 말하는, 능수능란한	
1067 leftover [léftoùvər]	형 남은 명 남은 것	
1068 faultless [fɔ́:ltlis] ✔	형 흠잡을 데 없는, 틀림없는	

대표 기출 예문

1. **Representatives** from the union resisted the proposal presented by management.
   조합의 대표자들은 경영진이 제시한 제안에 저항했다.

2. Bringing presents for his daughter **alleviated** his guilt for not attending her recital.
   그의 딸에게 선물을 가져다주는 것은 딸의 연주회에 참석하지 못한 것에 대한 그의 죄책감을 완화했다.

3. Many **obscure** legal terms have been replaced to clarify the meaning.
   애매한 많은 법률 용어들이 의미를 명확하게 하기 위해서 대체되었다.

4. Despite the exam the next day, he was **tempted** to go to a movie instead.
   다음 날 시험에도 불구하고, 그는 대신에 영화를 보러 가는 것에 유혹되었다.

5. An alternative device might replace the cell phone and make it **obsolete**.
   다른 기기가 휴대전화를 대신하고 그것을 구식으로 만들 수도 있다.

6. Disagreements over the **treaty** arose among the leaders.
   그 조약에 대한 의견 불일치가 지도자들 사이에서 일어났다.

7. The journalist was **apprehensive** to report the story without evidence.
   그 기자는 증거 없이 그 이야기를 보도하는 것에 대해 우려했다.

8. The brushwork is **consistent with** other works by Rembrandt.
   그 붓놀림은 렘브란트의 다른 작품들과 일치한다.

빈출 숙어

1069 □□□	**due to**	~ 때문에, ~에 기인하는
1070 □□□	**in case (of)**	~의 경우, 만약 ~ 한다면
1071 □□□	**make use of**	~을 사용하다
1072 □□□	**consistent with** 🌿⁸	~과 일치하는
1073 □□□	**for the time being**	당분간
1074 □□□	**fall short of**	~에 못 미치다

완성 어휘

1075 □□□	**radiation**	몡 방사능, 방사선
1076 □□□	**pompous** 🌿	혱 거만한, 화려한, 과시하는
1077 □□□	**officious** 🌿	혱 참견하기 좋아하는
1078 □□□	**parasitic** 🌿	혱 기생하는
1079 □□□	**inland**	혱 내륙에 있는
1080 □□□	**abrogate** 🌿	됭 폐지하다
1081 □□□	**probe**	됭 조사하다 몡 조사
1082 □□□	**relent** 🌿	됭 (마음이) 누그러지다
1083 □□□	**forerunner**	몡 전신, 선구자
1084 □□□	**positivity**	몡 확실함
1085 □□□	**inaudible**	혱 들리지 않는
1086 □□□	**grandiose**	혱 (너무) 거창한
1087 □□□	**incredulous**	혱 믿지 않는
1088 □□□	**efficacy**	몡 효험
1089 □□□	**maximization** 🌿	몡 극대화
1090 □□□	**savory**	혱 풍미 있는
1091 □□□	**vibrancy** 🌿	몡 진동, 공명
1092 □□□	**wary**	혱 경계하는
1093 □□□	**disparity**	몡 차이, 격차

1094 □□□	**inviolate**	혱 존중되어야 할
1095 □□□	**sanctity**	몡 존엄성, 신성함
1096 □□□	**disorientation**	몡 방향 감각 상실
1097 □□□	**shareholder**	몡 주주
1098 □□□	**disgrace**	몡 수치, 불명예
1099 □□□	**occult**	혱 신비로운, 초자연적인
1100 □□□	**fabulously**	뷕 엄청나게, 굉장히
1101 □□□	**policing**	몡 치안 유지 활동
1102 □□□	**bulk**	몡 대부분, 부피
1103 □□□	**fastidious**	혱 세심한, 꼼꼼한
1104 □□□	**fathom**	됭 (의미 등을) 헤아리다
1105 □□□	**paradox**	몡 역설
1106 □□□	**segregate**	됭 차별하다, 구분하다
1107 □□□	**autobiography**	몡 자서전
1108 □□□	**retrospective**	혱 회상하는
1109 □□□	**frantic**	혱 제정신이 아닌, 광기의
1110 □□□	**zero in on** 🌿	~에 집중하다, 초점을 맞추다
1111 □□□	**cover letter**	자기소개서
1112 □□□	**pros and cons**	장단점
1113 □□□	**put forward**	제안하다, 제기하다
1114 □□□	**dust down**	(먼지를) 털다
1115 □□□	**by any means**	어떻게 해서든
1116 □□□	**draw up**	~을 작성하다
1117 □□□	**strive for**	~을 얻으려고 노력하다
1118 □□□	**angle for**	~을 노리다
1119 □□□	**thumb through**	~을 급히 훑어보다
1120 □□□	**make up one's mind**	결심하다

⏱ 1초 Quiz

1. put forward _____
2. abrogate _____
3. incredulous _____
4. 차이, 격차 _____
5. 장단점 _____
6. 인식, 지각 _____

정답 | 1. 제안하다, 제기하다 2. 폐지하다 3. 믿지 않는 4. disparity 5. pros and cons 6. perception

Day 15

Day 15 음성 바로 듣기

최빈출 단어

1121	**organism** [ɔ́ːrɡənìzm]	명 생명체, 유기체
1122	**characteristic** ✔ [kæriktərístik]	명 특징 형 특유의
1123	**status** [stéitəs]	명 (사회적) 지위, 신분 명 상황, 사정
1124	**extensive** [iksténsiv] ✔	형 폭넓은, 광대한
1125	**era** [íərə]	명 시대, 시기
1126	**infer** [infɔ́ːr]	동 추론하다 동 뜻하다, 암시하다
1127	**imitate** [ímətèit] ✔[1]	동 모방하다, 본뜨다
1128	**prohibit** [prouhíbit]	동 금지하다 동 방해하다
1129	**inadequate** [inǽdikwət][2]	형 불충분한, 부적절한
1130	**faculty** [fǽkəlti]	명 교수진, (대학의) 학부 명 (특정한) 능력, 재능

빈출 단어

1131	**occasional** [əkéiʒənəl] ✔	형 가끔의, 때때로의
1132	**uncertainty** [ʌnsɔ́rtənti]	명 불확실성
1133	**realm** [relm]	명 영역, 범위 명 왕국
1134	**supernatural** [sùpərnǽtʃərəl] ✔	형 초자연적인, 불가사의한 명 초자연적 존재

1135	**ponder** [pɑ́ːndər] ✔	동 (곰곰이) 생각하다, 숙고하다
1136	**navigate** [nǽvəgèit]	동 길을 찾다 동 항해하다
1137	**proliferation** [prəlìfəréiʃən] ✔[3]	명 확산, 만연
1138	**assimilate** [əsíməlèit] ✔[4]	동 동화시키다, 동화되다 동 완전히 이해하다, 받아들이다
1139	**align** [əláin]	동 나란히 정렬시키다 동 손을 잡게 하다, 제휴하게 하다
1140	**embody** [imbɑ́ːdi]	동 포함하다, 담다 동 구현하다, 구체화하다
1141	**flock** [flɑːk]	동 모이다, 떼를 짓다 명 무리, 떼
1142	**verify** [vérəfài][5]	동 확인하다, 입증하다
1143	**correlation** [kɔ̀ːrəléiʃən]	명 상관관계
1144	**intersection** [ìntərsékʃən]	명 교차로, 교차 지점
1145	**predecessor** [prédəsèsər] ✔	명 전임자, 이전 것
1146	**lethal** [líːθəl][6]	형 치명적인
1147	**pivotal** [pívətl] ✔	형 중추적인, 중요한
1148	**fragment** [frǽgmənt]	명 파편, 조각
1149	**coalition** [kòuəlíʃən] ✔[7]	명 연합, 연합체

대표 기출 예문

1. Chinese pottery was **imitated** by Persian ceramicists.
   중국의 도자기는 페르시아의 도예가들에 의해 모방되었다.

2. Traditional education policies are **inadequate** in bringing about major social changes.
   전통적인 교육 정책은 주요 사회적 변화를 일으키는데 있어서 불충분하다.

3. The public feared the results of the **proliferation** of nuclear arms.
   대중은 핵무기 확산의 결과를 두려워했다.

4. The government's goal was to naturally **assimilate** immigrants into society.
   정부의 목표는 이민자들을 자연스럽게 사회에 동화시키는 것이었다.

5. An active listener **verifies** information by asking questions.
   적극적인 경청자는 질문함으로써 정보를 확인한다.

6. Ants release a yellow substance that is **lethal** for the attacker.
   개미는 공격자에게 치명적인 노란 물질을 방출한다.

7. Richard found himself faced by a **coalition** of enemies.
   Richard는 적들의 연합을 마주한 자신을 발견했다.

8. We need to listen and speak up **in order to** communicate well.
   우리는 소통을 잘하기 위해서 듣고 큰 소리로 말할 필요가 있다.

빈출 숙어

1150 ☐☐☐	**in order to**[8]	~하기 위해서
1151 ☐☐☐	**dependent on** 🌱	~에 의존하는
1152 ☐☐☐	**pay ~ off**	~을 지불하다, 청산하다; 성공하다, 성과를 내다
1153 ☐☐☐	**to date**	지금까지, 현재까지
1154 ☐☐☐	**come down with**	(병에) 걸리다

완성 어휘

1155 ☐☐☐	**tract**	명 지역, 지대
1156 ☐☐☐	**mainland**	명 중심지, 본토
1157 ☐☐☐	**patriotism**	명 애국심
1158 ☐☐☐	**modeling**	명 모형 제작, 조형
1159 ☐☐☐	**trade-off**	명 (서로 대립하는 요소의) 균형
1160 ☐☐☐	**meander** 🌱	동 (정처 없이) 거닐다
1161 ☐☐☐	**override**	동 무시하다, 우선하다
1162 ☐☐☐	**aspiring**	형 포부가 있는
1163 ☐☐☐	**waterlogged**	형 침수된
1164 ☐☐☐	**domestically**	부 국내에서, 가정적으로
1165 ☐☐☐	**spokesperson**	명 대변인
1166 ☐☐☐	**enormity**	명 막대함, 무법성
1167 ☐☐☐	**corruptible** 🌱	형 부패할 수 있는
1168 ☐☐☐	**embark**	동 승선하다, 승선시키다
1169 ☐☐☐	**omen**	명 징조, 조짐
1170 ☐☐☐	**thoroughness**	명 철두철미함
1171 ☐☐☐	**disinflation**	명 인플레이션 완화
1172 ☐☐☐	**incessant** 🌱	형 끊임없는, 쉴 새 없는
1173 ☐☐☐	**protract**	동 (시간을) 오래 끌다

1174 ☐☐☐	**chatter**	동 수다를 떨다
1175 ☐☐☐	**electron**	명 전자
1176 ☐☐☐	**imperturbability**	명 침착, 냉정
1177 ☐☐☐	**blink**	동 (눈을) 깜빡이다
1178 ☐☐☐	**nostalgia**	명 향수, 그리움
1179 ☐☐☐	**commonality**	명 공통성
1180 ☐☐☐	**amicable**	형 우호적인, 원만한
1181 ☐☐☐	**moist**	형 촉촉한, 습기 찬
1182 ☐☐☐	**harmonious** 🌱	형 조화로운
1183 ☐☐☐	**bequeath**	동 물려주다, 남기다
1184 ☐☐☐	**sizable**	형 상당한 크기의
1185 ☐☐☐	**infuriate** 🌱	동 격노하게 하다
1186 ☐☐☐	**cavalier** 🌱	형 무신경한
1187 ☐☐☐	**bounce back**	다시 회복되다
1188 ☐☐☐	**a piece of cake**	식은 죽 먹기
1189 ☐☐☐	**out of the blue** 🌱	갑자기, 난데없이
1190 ☐☐☐	**put up** 🌱	내걸다, 제시하다
1191 ☐☐☐	**go aloft**	죽다, 천당에 가다
1192 ☐☐☐	**bail out**	~를 보석금으로 빼내다
1193 ☐☐☐	**by means of**	~을 써서, ~의 도움으로
1194 ☐☐☐	**(put) in a nutshell**	간단히 말해서
1195 ☐☐☐	**out of fashion**	구식의, 유행에 뒤떨어진
1196 ☐☐☐	**slip away**	사라지다, 죽다
1197 ☐☐☐	**sit on**	~을 쥐고 있다
1198 ☐☐☐	**pick up on**	~을 알아차리다
1199 ☐☐☐	**come out with**	~을 공표하다
1200 ☐☐☐	**speak for itself**	자명하다, 분명하다

⏱ 1초 Quiz

1. pivotal _____
2. incessant _____
3. out of blue _____
4. 대변인 _____
5. 조화로운 _____
6. ~에 의존하는 _____

정답 | 1. 중추적인, 중요한 2. 끊임없는, 쉴 새 없는 3. 갑자기, 난데없이 4. spokesperson 5. harmonious 6. dependent on

최빈출 단어

1201	**production** [prədʌ́kʃən]	명 생산, 제작
1202	**typically** [típikəli]	부 보통, 일반적으로
1203	**urban** [ə́:rbən]	형 도시의
1204	**grant** [grænt] [1]	동 수여하다, 부여하다 / 동 허가하다, 승인하다 / 명 (정부 등에서 주는) 보조금
1205	**investigate** [invéstəgèit] [2]	동 조사하다, 살피다
1206	**stock** [stɑːk]	명 주식, 주식자본 / 명 재고, 재고품
1207	**embarrass** [imbǽrəs]	동 당황하게 하다, 곤란하게 하다
1208	**retain** [ritéin]	동 유지하다 / 동 보유하다, 간직하다
1209	**admire** [ædmáiər]	동 존경하다, 동경하다 / 동 감탄하다
1210	**ministry** [mínəstri] [3]	명 (정부의 각) 부

빈출 단어

1211	**peak** [piːk]	명 절정, 정점
1212	**pronounce** [prənáuns]	동 발음하다 / 동 단언하다, 표명하다
1213	**overwhelming** [òuvərhwélmiŋ] [4]	형 굉장한, 압도적인
1214	**medieval** [mìːdiíːvəl]	형 중세의, 중세시대의

1215	**revise** [riváiz]	동 수정하다
1216	**static** [stǽtik]	형 고정된, 변화가 없는
1217	**attendance** [əténdəns]	명 출석, 출석률
1218	**appease** [əpíːz] [5]	동 달래다, 진정시키다
1219	**famine** [fǽmin]	명 기근, 흉작
1220	**enact** [inǽkt] [6]	동 제정하다, 법제화하다
1221	**contend** [kənténd]	동 주장하다 / 동 겨루다, 다투다
1222	**exhilarate** [igzílərèit]	동 아주 기쁘게 만들다, 기운을 북돋우다
1223	**streamline** [stríːmlàin]	동 능률화하다
1224	**questionnaire** [kwèstʃənɛ́ər]	명 설문지
1225	**plunge** [plʌndʒ] [7]	동 (어떤 상황에) 몰아넣다, 이르게 하다 / 동 급락하다 / 명 급락
1226	**antibody** [ǽntibàdi]	명 항체
1227	**patch** [pætʃ]	명 부분, 조각 / 명 작은 땅
1228	**vendor** [véndər]	명 판매 회사 / 명 노점상
1229	**presumptuous** [prizʌ́mptʃuəs]	형 주제넘은, 건방진

대표 기출 예문

1. Schools that **grant** free tuition to all students are rare.
   모든 학생에게 무료 등록금을 수여하는 학교는 드물다.

2. He **investigated** the problem and found a solution.
   그는 문제를 조사해서 해결책을 찾아냈다.

3. A research fund was given to the university by the **Ministry** of Education.
   연구 자금이 교육부에 의해 그 대학에 주어졌다.

4. Because of the **overwhelming** number of entries last year, they're making one contest change this year.
   작년의 굉장한 수의 참가자들로 인해, 그들은 올해 대회에 한 가지 변화를 만들었다.

5. She bought a gift to **appease** her son after forgetting his birthday.
   그녀는 자기 아들의 생일을 잊은 후로 그를 달래기 위한 선물을 샀다.

6. The president **enacted** the "Emergency Banking Act" to shut down bankrupt banks.
   대통령은 '긴급은행법'을 제정해 파산한 은행을 폐쇄했다.

7. The tragic asteroid hit **plunged** the world into a very dark winter.
   그 끔찍한 소행성 충돌은 세계를 매우 어두운 겨울로 몰아넣었다.

8. Some people **turn to** alternative medicine because they lost faith in doctors.
   어떤 사람들은 의사에 대한 신뢰감을 잃었기 때문에 대체 의학에 의지한다.

빈출 숙어

1230 □□□ **in other words**	다시 말해서, 달리 말하면
1231 □□□ **turn to** ✔[8]	~에 의지하다
1232 □□□ **account for** ✔	~을 설명하다
1233 □□□ **break in** ✔	침입하다
1234 □□□ **make it**	해내다, 성공하다

완성 어휘

1235 □□□ **interpersonal**	형 사람 사이의, 대인 관계의
1236 □□□ **contestant**	명 참가자
1237 □□□ **mainstream**	명 주류 형 주류의
1238 □□□ **predisposition** ✔	명 (질병의) 소인, 성향, 경향
1239 □□□ **heedless** ✔	형 부주의한
1240 □□□ **allure** ✔	명 매력 동 유혹하다
1241 □□□ **enslavement**	명 노예화
1242 □□□ **rigorous**	형 엄격한
1243 □□□ **hurdle** ✔	명 장애물
1244 □□□ **disproportionate**	형 불균형의
1245 □□□ **orientation**	명 성향, 방향
1246 □□□ **outback**	명 오지, 미개척지
1247 □□□ **overpower**	동 제압하다, 압도하다
1248 □□□ **jovial**	형 쾌활한
1249 □□□ **perishable** ✔	형 썩기 쉬운, 부패하기 쉬운
1250 □□□ **enrollee**	명 등록자
1251 □□□ **remembrance**	명 추억
1252 □□□ **omit**	동 생략하다
1253 □□□ **unattended**	형 주인이 없는

1254 □□□ **disperse** ✔	동 흩어지다
1255 □□□ **instill**	동 서서히 주입하다
1256 □□□ **sublime**	형 숭고한, 절묘한
1257 □□□ **chronological**	형 연대순의
1258 □□□ **acquiesce** ✔	동 묵인하다
1259 □□□ **sterile**	형 불임의, 불모의
1260 □□□ **benefactor**	명 후원자
1261 □□□ **scandalous**	형 수치스러운
1262 □□□ **collaborate**	동 협력하다
1263 □□□ **brutally**	부 야만스럽게
1264 □□□ **seizure**	명 압수, 장악
1265 □□□ **deplorable** ✔	형 비참한, 유감스러운
1266 □□□ **stuffy**	형 답답한, 딱딱한
1267 □□□ **provocative** ✔	형 도발적인, 화를 돋우는
1268 □□□ **unsightly**	형 보기 흉한
1269 □□□ **plucky** ✔	형 대담한, 용기 있는, 단호한
1270 □□□ **over the moon** ✔	너무나도 황홀한
1271 □□□ **around the corner** ✔	임박한, 바로, 곧
1272 □□□ **on behalf of**	~을 대신하여, ~을 대표하여
1273 □□□ **turn up**	나타나다
1274 □□□ **put emphasis on**	~을 강조하다
1275 □□□ **lag behind**	뒤처지다
1276 □□□ **pass over** ✔	제외하다, 무시하다
1277 □□□ **go far**	성공하다
1278 □□□ **chip away**	조금씩 잘라내다
1279 □□□ **trip over**	~에 발이 걸려 넘어지다
1280 □□□ **be better off**	(처지가) 더 낫다

🕐 1초 Quiz

1. enrollee _____
2. instill _____
3. on behalf of _____
4. 연대순의 _____
5. 협력하다 _____
6. 흩어지다 _____

정답 | 1. 등록자 2. 서서히 주입하다 3. ~을 대신하여, ~을 대표하여 4. chronological 5. collaborate 6. disperse

✔ = 어휘 영역 출제

Day 17

최빈출 단어

1281 **climate** [kláimit]	명 기후 명 분위기
1282 **forward** [fɔ́ːrwərd]	부 (위치가) 앞으로 형 앞으로 가는
1283 **collapse** [kəlǽps]	명 붕괴 동 무너지다, 쓰러지다
1284 **interpret** [intə́ːrprit]¹	동 해석하다, 이해하다 동 통역하다
1285 **bias** [báiəs]	명 편견, 성향 동 편견을 갖게 하다
1286 **delicate** [délikət]	형 섬세한, 정교한, 까다로운 형 연약한, 다치기 쉬운 형 우아한
1287 **immigrant** [ímigrənt]²	명 이민자, 이주민
1288 **substitute** [sʌ́bstətjùːt]³	명 대리인, 대용품 동 대체하다, 대신하다

빈출 단어

1289 **corrupt** [kərʌ́pt]	형 부패한 동 부패하게 만들다, 타락시키다
1290 **persistent** [pərsístənt]	형 지속적인 형 끈질긴, 집요한
1291 **pest** [pest]	명 해충

1292 **sensation** [senséiʃən]	명 감각, 느낌 명 센세이션[선풍을 일으키는 사람, 사건]
1293 **intuition** [ìntjuːíʃən]	명 직감, 직관
1294 **dispatch** [dispǽtʃ]⁴	동 파견하다, 보내다 명 파견, 발송
1295 **violation** [vàiəléiʃən]⁵	명 위법 행위, 위반
1296 **enterprise** [éntərpràiz]	명 기업
1297 **entertain** [èntərtéin]	동 즐겁게 해 주다
1298 **premise** [prémis]⁶	명 전제, 가정
1299 **benevolent** [bənévələnt]	형 자비로운, 친절한
1300 **utmost** [ʌ́tmòust]	형 최대한의, 최고의
1301 **prospective** [prəspéktiv]	형 유망한, 장래의
1302 **signify** [sígnəfài]	동 의미하다, 뜻하다
1303 **prevail** [privéil]	동 만연하다, 팽배하다 동 승리하다, 이기다
1304 **recurrent** [rikə́ːrənt]⁷	형 반복되는, 재발되는
1305 **shallow** [ʃǽlou]	형 얕은 형 얄팍한, 피상적인
1306 **flatten** [flǽtn]	동 평평하게 하다
1307 **nebulous** [nébjuləs]	형 모호한
1308 **impregnable** [imprégnəbl]	형 견고한, 난공불락의

대표 기출 예문

1. Almost everyone now **interprets** LOL in its 'laughing' sense.
   대부분의 사람이 이제는 LOL을 '웃다'의 의미로 해석한다.

2. Despite having a national census result, the nation failed to estimate the number of **immigrants**.
   국가 인구조사 결과를 가지고 있음에도 불구하고, 그 나라는 이민자 수를 추산하는 데 실패했다.

3. The team sent in a **substitute** player to replace the injured pitcher.
   그 팀은 부상당한 투수를 교체하기 위해 대체 선수를 보냈다.

4. United Nations representatives are **dispatched** to areas of tension around the world.
   국제 연합(UN)의 대표들은 전 세계의 갈등이 있는 지역으로 파견된다.

5. **Violation** of this rule may result in severe criminal penalties.
   이 법에 대한 위법 행위는 가혹한 형사적 처벌로 이어질 수 있다.

6. The professor refused to revise the student's paper because its basic **premise** was incorrect.
   그 교수는 학생의 논문을 수정하는 것을 거부했는데, 그것의 기본 전제가 틀렸기 때문이었다.

7. I am writing this e-mail to you concerning your **recurrent** late arrival.
   저는 당신의 반복되는 지각에 관해 이 이메일을 씁니다.

8. The marketing strategy appeals to consumers **accustomed** to paying by credit cards.
   그 마케팅 전략은 신용카드로 결제하는 것에 익숙한 소비자들에게 매력적이다.

빈출 숙어

1309 ☐☐☐	**work out**	(일이) 잘 풀리다, 해결하다 운동하다
1310 ☐☐☐	**accustomed to**[8]	~에 익숙한
1311 ☐☐☐	**prior to**	~에 앞서, 먼저
1312 ☐☐☐	**wipe out**	~을 완전히 없애 버리다, 파괴하다; ~를 녹초로 만들다, 기진맥진하게 만들다
1313 ☐☐☐	**make a remark**	발언을 하다
1314 ☐☐☐	**give ~ a ride[lift]**	태워주다

완성 어휘

1315 ☐☐☐	**gauge**	몡 측정기
1316 ☐☐☐	**maneuver**	동 조작하다, 책략을 짜다
1317 ☐☐☐	**terse**	혱 간결한
1318 ☐☐☐	**posture**	몡 자세
1319 ☐☐☐	**craving** 🌱	몡 갈망, 열망
1320 ☐☐☐	**colloquial**	혱 구어의
1321 ☐☐☐	**hideous**	혱 불쾌한, 꺼림칙한
1322 ☐☐☐	**polemic** 🌱	몡 격론, 논쟁
1323 ☐☐☐	**allusive** 🌱	혱 암시적인
1324 ☐☐☐	**entangled** 🌱	혱 얽기설기 얽힌
1325 ☐☐☐	**melancholy** 🌱	몡 우울감
1326 ☐☐☐	**nobility**	몡 귀족
1327 ☐☐☐	**autonomic**	혱 자율적인, 자치의
1328 ☐☐☐	**rivalry** 🌱	몡 경쟁, 경쟁의식
1329 ☐☐☐	**respectable** 🌱	혱 존경할 만한
1330 ☐☐☐	**materially**	뮈 실질적으로
1331 ☐☐☐	**worldly**	혱 세속적인
1332 ☐☐☐	**debunk** 🌱	동 틀렸음을 밝히다

1333 ☐☐☐	**kidnap**	동 납치하다
1334 ☐☐☐	**stance**	몡 입장
1335 ☐☐☐	**enshrine**	동 소중히 간직하다
1336 ☐☐☐	**ornate**	혱 화려하게 장식된
1337 ☐☐☐	**galvanize** 🌱	동 자극하다, 격려하다
1338 ☐☐☐	**doomy**	혱 불길한
1339 ☐☐☐	**caustic**	혱 부식성의, 신랄한
1340 ☐☐☐	**succinct** 🌱	혱 간단명료한
1341 ☐☐☐	**ludicrous**	혱 터무니없는
1342 ☐☐☐	**foe**	몡 적
1343 ☐☐☐	**stringent**	혱 엄중한
1344 ☐☐☐	**concord**	몡 화합
1345 ☐☐☐	**equanimity**	몡 침착, 평정
1346 ☐☐☐	**cautiously**	뮈 조심스럽게
1347 ☐☐☐	**fungus**	몡 균류, 곰팡이류
1348 ☐☐☐	**revocation**	몡 폐지, 철회
1349 ☐☐☐	**notification**	몡 알림, 통고
1350 ☐☐☐	**geography**	몡 지리학
1351 ☐☐☐	**be doomed to**	~하게 마련이다
1352 ☐☐☐	**be to blame for**	~에 대한 책임이 있다
1353 ☐☐☐	**at the last minute**	임박해서, 마지막 순간에
1354 ☐☐☐	**hang out**	어울리다
1355 ☐☐☐	**come into one's own**	명예·신용을 얻다
1356 ☐☐☐	**tune in**	맞춰 듣다, 귀 기울이다
1357 ☐☐☐	**in defiance of**	~에 대항하여
1358 ☐☐☐	**be cut out to be**	~의 자질이 있는
1359 ☐☐☐	**off hand**	준비 없이, 즉석에서
1360 ☐☐☐	**pull through** 🌱	회복하다

⏱ 1초 Quiz

1. benevolent _____
2. signify _____
3. maneuver _____
4. 갈망, 열망 _____
5. 화합 _____
6. 조심스럽게 _____

정답 | 1. 자비로운, 친절한 2. 의미하다, 뜻하다 3. 조작하다, 책략을 짜다 4. craving 5. concord 6. cautiously

---

🌱 = 어휘 영역 출제

Day 18

최빈출 단어

1361	**criticize** [krítəsàiz] ✔[1]	동 비판하다
1362	**proper** [prápər]	형 적절한, 알맞은
1363	**vary** [véri] ✔[2]	동 다르다, 달라지다
		동 바꾸다, 변경하다
1364	**crucial** [krúːʃəl] ✔	형 중대한, 결정적인
1365	**stable** [stéibl]	형 안정된, 안정적인
1366	**subtle** [sʌ́tl]	형 미묘한, 감지하기 힘든
		형 (감각이) 예민한, 섬세한
1367	**insomnia** [insɑ́ːmniə]	명 불면증
1368	**sensible** [sénsəbl] ✔	형 분별력 있는, 현명한
1369	**ethnic** [éθnik]	형 민족의, 인종의
1370	**optimistic** [àːptəmístik] ✔	형 낙관적인
1371	**medication** [mèdəkéiʃən]	명 약물치료

1377	**consecutive** [kənsékjutiv] ✔[5]	형 연이은, 잇따른
1378	**surveillance** [sərvéiləns]	명 감시
1379	**playwright** [pléiràit]	명 극작가
1380	**impediment** [impédəmənt] ✔[6]	명 장애, 장애물
1381	**downward** [dáunwərd]	형 하향의, 내려가는
1382	**formulate** [fɔ́ːrmjulèit]	동 고안하다, 만들어 내다
		동 공식으로 나타내다
1383	**blueprint** [blúːprìnt]	명 청사진, 계획
1384	**vertical** [vɔ́ːrtikəl]	형 수직의, 세로의
1385	**cosmic** [kázmik]	형 우주의
1386	**generalize** [dʒénərəlàiz]	동 일반화하다
1387	**replenish** [ripléniʃ] ✔[7]	동 보충하다, 다시 채우다
1388	**postulation** [pàstʃəléiʃən] ✔	명 전제 조건, 가정

빈출 단어

1372	**genuine** [dʒénjuin] ✔[3]	형 진정한, 진짜의
1373	**mine** [main]	명 광산
1374	**veteran** [vétərən]	명 참전 용사
		명 전문가
1375	**duplicate** 동[djúːpləkèit] ✔[4]	동 복제하다, 사본을 만들다
	명[djúːplikət]	명 사본
1376	**prosperous** [práspərəs]	형 성공한, 부유한

빈출 숙어

1389	**in terms of** ✔[8]	~의 측면에서
1390	**go through**	(과정·절차 등을) 거치다, 겪다; 면밀히 살피다
1391	**on the contrary**	반대로
1392	**pay attention to**	~에 관심을 기울이다
1393	**out of the question**	불가능한, 가당치 않은
1394	**in a row**	연달아

대표 기출 예문

1. I was often **criticized** for not sticking with plans.
   나는 계획을 충실히 따르지 않아서 종종 비판받았다.

2. Beliefs about maintaining ties with those who have died **vary** from culture to culture.
   죽은 사람들과의 유대 관계를 유지하는 것에 대한 생각은 문화마다 다르다.

3. He was gifted with a **genuine** talent.
   그는 진정한 재능을 타고났다.

4. The inventors made robots that could **duplicate** the actions of a person or animal.
   발명가들은 사람이나 동물의 행동을 복제할 수 있는 로봇을 만들었다.

5. She had a pain in her stomach for three **consecutive** days.
   그녀는 연이은 3일 동안 배에 통증이 있었다.

6. The celebrations in the street during the World Cup created **impediments** to traffic.
   월드컵 기간 동안 거리에서의 축하 행사는 교통 장애를 일으켰다.

7. Blood reserves constantly need to be **replenished**.
   예비 혈액들은 끊임없이 보충되어야 한다.

8. The United States and countries in Europe differ **in terms of** limits on government.
   미국과 유럽의 국가들은 정부에 대한 규제 측면에서 다르다.

1395 margin	명 여백	1418 corrosive	형 부식을 일으키는
1396 testify	동 증언하다, 증명하다	1419 capricious	형 변덕스러운
1397 problematic	형 문제가 있는	1420 timed	형 시기적절한
1398 baffle	동 당황하게 만들다	1421 dilapidated	형 다 허물어져 가는
1399 veto	명 거부권	1422 monopoly	명 독점, 전매
1400 composing	형 진정시키는	1423 staffer	명 직원
1401 pastime	명 취미	1424 composite	형 합성의
1402 mourn	동 애도하다	1425 coloration	명 착색, 천연색
1403 lust	명 욕망	1426 autocratic	형 독재의, 독재적인
1404 whim	명 (일시적인) 기분, 변덕	1427 dishonesty	명 부정직, 불성실
1405 outperform	동 능가하다	1428 bother with	~으로 걱정하게 하다
1406 averse	형 싫어하는	1429 reflect on	깊이 생각하다
1407 watchful	형 경계하는	1430 rack one's brain	머리를 짜내서 생각하다
1408 devilish	형 사악한, 악마 같은	1431 run off	달아나다, 피하다
1409 seasonally	부 계절 따라, 정기적으로	1432 take after	~를 닮다
1410 extraterrestrial	형 외계의; 명 외계인	1433 wrap up	(합의·회의 등을) 마무리 짓다
1411 emblem	명 상징, 표상	1434 get back on	~로 돌아오다
1412 enterprising	형 진취력이 있는	1435 in the wake of	~에 뒤이어
1413 oscillate	동 진동하다	1436 pull over	(차를) 길가에 대다
1414 unnerve	동 불안하게 만들다	1437 hinge on	~에 달려있다
1415 endemic	형 고유의, 고질적인	1438 have[take] pity on	~을 가엾게 여기다
1416 lineage	명 혈통	1439 under no circumstances	어떠한 경우에도
1417 cryptically	부 은밀히, 애매하게	1440 between the lines	넌지시, 암시적으로

 **1초 Quiz**

1. crucial _____
2. surveillance _____
3. baffle _____
4. 거부권 _____
5. 깊이 생각하다 _____
6. ~를 닮다 _____

정답 | 1. 중요한, 결정적인 2. 감시 3. 당황하게 만들다 4. veto 5. reflect on 6. take after

Day 19

최빈출 단어

1441	**specific** [spisífik]	형 특정한, 특별한 형 구체적인, 명확한
1442	**application** [æpləkéiʃən]	명 지원, 지원서 명 사용, 적용
1443	**dependent** [dipéndənt] ✔1	형 ~에 달려 있는 형 의존하는, 종속된
1444	**convert** [kənvə́:rt]	동 개조하다, 변환하다 동 전용하다, 유용하다
1445	**preference** [préfərəns]	명 선호, 애호
1446	**competent** [kámpətənt] ✔2	형 유능한, 능력 있는
1447	**arrangement** [əréindʒmənt]	명 배치, 구성 명 협정, 협의 명 준비, 마련
1448	**acquire** [əkwáiər]	동 얻다, 획득하다, 습득하다
1449	**devise** [diváiz] ✔	동 고안하다, 생각해 내다
1450	**curb** [kə:rb] ✔3	동 억제하다, 제한하다

빈출 단어

| 1451 | **modification** [mà:dəfikéiʃən] ✔ | 명 수정, 변경 |
| 1452 | **vicious** [víʃəs] | 형 악랄한, 타락한 |

1453	**rescue** [réskju:] ✔4	명 구출, 구조 동 구조하다, 구하다
1454	**coverage** [kʌ́vəridʒ]	명 보도, 취재
1455	**fist** [fist] ✔	명 주먹
1456	**racism** [réisizm]	명 인종 차별주의
1457	**popularize** [pá:pjuləràiz]	동 대중화하다
1458	**radiant** [réidiənt]	형 밝은, 빛나는
1459	**proclaim** [proukléim] ✔	동 선언하다
1460	**resilience** [rizíljəns] ✔5	명 회복력, 탄력성
1461	**emigrate** [émigrèit]	동 이민을 가다, 이주시키다
1462	**procure** [proukjúər] ✔6	동 구하다, 확보하다
1463	**maritime** [mǽrətàim]	형 해상의, 바다의, 해안가에 접한
1464	**inward** [ínwərd]	형 내면의, 마음속의 부 속으로, 안쪽에
1465	**prolific** [prəlífik]	형 다작의, 다산의, 열매를 많이 맺는 형 ~이 풍부한
1466	**verse** [və:rs]	명 연, 절, 운문
1467	**sanitary** [sǽnətèri] ✔7	형 위생적인, 위생의, 깨끗한
1468	**prodigal** [prá:digəl] ✔	형 사치스러운, 호탕한 형 ~이 아주 많은, 풍부한

대표 기출 예문

1. These days, many people find themselves too **dependent** on digital devices.
   오늘날, 많은 사람들이 그들 스스로가 디지털 기기에 너무 의존한다는 것을 깨닫는다.

2. What matters most to organizations is having **competent** managers.
   대다수의 기관에서 가장 중요한 것은 유능한 관리자를 두는 것이다.

3. Parents should **curb** their children's use of smartphones.
   부모들은 그들의 자녀들의 스마트폰 사용을 억제해야 한다.

4. **Rescue** workers put their lives and health in harm's way.
   구조대원들은 위험을 무릅쓰고 자신의 목숨과 건강을 바쳤다.

5. The human spirit has enormous **resilience** in the face of hardships.
   인간의 정신은 고난에 직면하더라도 엄청난 회복력을 가지고 있다.

6. It was difficult for construction companies to **procure** raw materials.
   건설회사들이 원자재를 구하는 것은 어려웠다.

7. Food inspectors make sure that commercial kitchens remain **sanitary**.
   식품 조사관들은 상업용 주방들이 위생적으로 유지되도록 한다.

8. After an inspection of the broken computer, the cause **turned out** to be a virus.
   그 고장 난 컴퓨터에 대한 점검 후에, 원인은 바이러스인 것으로 드러났다.

빈출 숙어

1469 ☐☐☐	turn out ✔[8]	~인 것으로 드러나다
1470 ☐☐☐	play a role (in)	역할을 하다, 한몫을 하다
1471 ☐☐☐	look into ✔	조사하다, 자세히 살피다
1472 ☐☐☐	come into existence	생기다, 나타나다
1473 ☐☐☐	lay over ✔	경유하다, 머무르다; 연기하다, 미루다
1474 ☐☐☐	wear out	마모되다, (낡아서) 떨어지다

완성 어휘

1475 ☐☐☐	salient ✔	형 두드러진, 중요한
1476 ☐☐☐	theatrical	형 연극의, 과장된
1477 ☐☐☐	foreshadow ✔	동 전조가 되다, 조짐을 보이다
1478 ☐☐☐	comply ✔	동 준수하다
1479 ☐☐☐	grimace ✔	동 얼굴을 찡그리다
1480 ☐☐☐	ravenous ✔	형 게걸스러운, 엄청난
1481 ☐☐☐	amenable ✔	형 순종하는
1482 ☐☐☐	enjoin ✔	동 (~을 하도록) 명하다
1483 ☐☐☐	mirthful ✔	형 유쾌한, 명랑한
1484 ☐☐☐	senator	명 상원 의원
1485 ☐☐☐	parsimony	명 인색함
1486 ☐☐☐	accredited	형 승인받은, 공인된
1487 ☐☐☐	drizzle	동 이슬비가 내리다
1488 ☐☐☐	kinfolk	명 친척, 친족
1489 ☐☐☐	beset	동 괴롭히다
1490 ☐☐☐	hypnosis	명 최면
1491 ☐☐☐	squad	명 (같은 일을 하는) 대, 조, 반
1492 ☐☐☐	subliminal	형 잠재의식의
1493 ☐☐☐	exhaustive	형 완전한, 철저한

1494 ☐☐☐	outsourcing	명 외주 제작, 외부 위탁
1495 ☐☐☐	erroneously	부 잘못되게
1496 ☐☐☐	logistical	형 수송의, 병참의
1497 ☐☐☐	tilt	동 기울어지다 명 기울기
1498 ☐☐☐	crackdown	명 엄중 단속, 탄압
1499 ☐☐☐	inadvertent	형 부주의한, 소홀한
1500 ☐☐☐	irretrievable	형 돌이킬 수 없는
1501 ☐☐☐	blandness ✔	명 맛이 없음, 무미건조함
1502 ☐☐☐	ancillary	형 보조적인, 부수적인
1503 ☐☐☐	constrict	동 수축되다, 위축시키다
1504 ☐☐☐	gallantry	명 용맹, 무용
1505 ☐☐☐	oath	명 맹세, 서약
1506 ☐☐☐	day-to-day	형 일상의, 나날의
1507 ☐☐☐	up-to-the-minute	형 최첨단의
1508 ☐☐☐	back down on ✔	철회하다, 패배를 인정하다
1509 ☐☐☐	black sheep ✔	골칫덩이, 말썽꾼
1510 ☐☐☐	be accused of	~으로 비난받다, 피소되다
1511 ☐☐☐	come forward	나서다
1512 ☐☐☐	scratch off ✔	~에서 지우다
1513 ☐☐☐	throw off	떨쳐 버리다
1514 ☐☐☐	slip off	벗겨지다
1515 ☐☐☐	in (a) ~ fashion	~한 방식으로
1516 ☐☐☐	push aside	옆으로 밀쳐내다
1517 ☐☐☐	date from	~부터 시작되다
1518 ☐☐☐	take a nap	낮잠을 자다
1519 ☐☐☐	no sooner	~하자마자
1520 ☐☐☐	in common	공동으로, 공통으로

Day 19

해커스공무원 영어 어휘

1초 Quiz

1. coverage _____

2. inadvertent _____

3. accredited _____

4. 준수하다 _____

5. 완전한, 철저한 _____

6. 선언하다 _____

정답 | 1. 보도, 취재 2. 부주의한, 소홀한 3. 승인받은, 공인된 4. comply 5. exhaustive 6. proclaim

Day 20

Day 20 음성 바로 듣기

최빈출 단어

1521 □□□	**diversity** [divə́ːrsəti] [1]	명 다양성, 포괄성
1522 □□□	**sequence** [síːkwəns]	명 순서, 차례, 서열 명 (연속적인) 일련의 사건들
1523 □□□	**excessive** [iksésiv]	형 과도한, 지나친
1524 □□□	**harsh** [hɑːrʃ]	형 거친, 가혹한
1525 □□□	**transport** 명[trǽnspɔːrt] 동[trænspɔ́ːrt]	명 수송, 운송 동 수송하다, 운반하다
1526 □□□	**multiple** [mʌ́ltəpl]	형 많은, 다수의, 다양한 명 배수
1527 □□□	**formal** [fɔ́ːrməl] [2]	형 공식적인, 정규의
1528 □□□	**myth** [miθ]	명 신화
1529 □□□	**given** [gívən]	형 특정한, (이미) 정해진 전 ~을 고려해 볼 때
1530 □□□	**nurture** [nə́ːrtʃər]	동 키우다, 양육하다 명 양육, 육성

빈출 단어

1531 □□□	**consent** [kənsént] [3]	명 동의, 합의, 인가 동 동의하다, 인가하다, 허락하다
1532 □□□	**prerequisite** [priːrékwəzət]	명 필요조건, 전제 조건
1533 □□□	**loyalty** [lɔ́iəlti]	명 충성심, 충실

1534 □□□	**prospect** [prɑ́spekt, prɔ́spekt]	명 가능성, 가망 동 탐사하다
1535 □□□	**superficial** [sùːpərfíʃəl]	형 피상적인, 표면적인
1536 □□□	**absurd** [æbsə́ːrd] [4]	형 터무니없는, 부조리한
1537 □□□	**glacier** [gléiʃər]	명 빙하
1538 □□□	**haunt** [hɔːnt]	동 괴롭히다, 계속 떠오르다 동 출몰하다, 나타나다
1539 □□□	**warrior** [wɔ́ːriər]	명 전사
1540 □□□	**prosecutor** [prɑ́ːsikjùːtər] [5]	명 검찰관, 기소자
1541 □□□	**imperative** [impérətiv] [6]	형 필수적인, 아주 중요한 형 명령조의, 단호한
1542 □□□	**predominantly** [pridɑ́ːmənəntli]	부 주로, 대부분
1543 □□□	**applaud** [əplɔ́ːd]	동 박수갈채를 보내다
1544 □□□	**gratitude** [grǽtətjùːd]	명 감사, 고마움
1545 □□□	**candid** [kǽndid]	형 솔직한, 숨김없는 형 공평한, 편견 없는
1546 □□□	**unfold** [ʌnfóuld]	동 펼치다, 펴다 동 (생각을) 밝히다, 나타내다
1547 □□□	**weave** [wiːv]	동 엮다, 짜다
1548 □□□	**proficient** [prəfíʃənt] [7]	형 능숙한

대표 기출 예문

1. There is enormous **diversity** among the languages of humans.
   인간의 언어 사이에는 거대한 다양성이 있다.

2. An election is a **formal** decision-making process for selecting a candidate for a public office.
   선거는 공직을 위한 후보자를 선택하는 공식적인 의사 결정 과정이다.

3. The doctors asked the patient to give **consent** for the surgery.
   의사들은 그 환자에게 수술을 위한 동의를 하도록 요청했다.

4. His marketing ideas can be **absurd**, but they sometimes work.
   그의 마케팅 아이디어들은 터무니없을 수도 있지만, 그것들이 때로는 효과가 있다.

5. **Prosecutors** worked hard to prove the illegal actions of the CEO.
   검찰관들은 그 최고 경영자의 불법 행위들을 증명하기 위해 노력했다.

6. Honesty is an **imperative** trait for good leaders.
   정직은 좋은 지도자들에게 필수적인 특성이다.

7. **Proficient** readers can make predictions while reading.
   능숙한 독자들은 책을 읽으면서 예측을 할 수 있다.

8. He **used to** work in the mental health care field.
   그는 정신 건강 관리 분야에서 일하곤 했다.

빈출 숙어

1549 □□□	used to ✔[8]	~하곤 했다
1550 □□□	point out	지적하다, 가리키다
1551 □□□	as though	마치 ~인 것처럼
1552 □□□	look to	~을 생각해보다, ~에 주의하다; 돌보다, 보살피다
1553 □□□	make out	알아보다, 분간하다; 증명하다
1554 □□□	at hand	당면한, 머지않은

완성 어휘

1555 □□□	Fahrenheit	형 화씨의 명 화씨
1556 □□□	resurgence ✔	명 부활, 재기
1557 □□□	theorist	명 이론가
1558 □□□	impertinent ✔	형 무례한, 관계없는
1559 □□□	recessive ✔	형 열성의, 퇴행의
1560 □□□	amiable ✔	형 상냥한, 다정한
1561 □□□	sanitize ✔	동 위생 처리하다
1562 □□□	condiment	명 양념, 조미료
1563 □□□	etch	동 선명히 그리다, 새기다
1564 □□□	onshore	형 육지의
1565 □□□	forecaster	명 기상 예보관
1566 □□□	bejeweled	형 보석으로 장식한
1567 □□□	misconception	명 오해, 오인
1568 □□□	acquaintance	명 지인, 친분
1569 □□□	cowardly	형 비겁한 부 비겁하게
1570 □□□	kinship	명 친족 관계, 유사성
1571 □□□	selfishness	명 이기적임, 제멋대로임
1572 □□□	futuristic	형 초현대적인, 미래의

1573 □□□	suspend ✔	동 매달다, 걸다, 보류하다
1574 □□□	fanatic	명 광신자
1575 □□□	venture	명 모험 동 과감히 해보다
1576 □□□	velocity	명 속도
1577 □□□	gnarled ✔	형 울퉁불퉁하고 비틀린
1578 □□□	magnanimous	형 너그러운
1579 □□□	flush	동 상기되다 명 홍조
1580 □□□	consequential	형 중대한, ~에 따른
1581 □□□	invigorating ✔	형 상쾌한, 격려하는
1582 □□□	perennial	형 계속 반복되는
1583 □□□	disband	동 해체하다, 해산하다
1584 □□□	covet	동 탐내다, 갈망하다
1585 □□□	summon	동 소환하다, 소집하다
1586 □□□	glucose	명 포도당
1587 □□□	opaque	형 불투명한, 불분명한
1588 □□□	scanty	형 얼마 안 되는, 빈약한
1589 □□□	in place	가동 준비가 된
1590 □□□	be assigned to	~에게 할당되다
1591 □□□	walk out	작업을 중단하다
1592 □□□	spell out	자세히 설명하다, 판독하다
1593 □□□	hang about with	~와 자주 어울리다
1594 □□□	in general terms	대체적으로
1595 □□□	have in mind	염두에 두다, 계획하다
1596 □□□	aside from	~ 이외에
1597 □□□	take by surprise	~를 깜짝 놀라게 하다
1598 □□□	be sensitive to	~에 민감한, (계절 등을) 타다
1599 □□□	speak up	강력히 변호하다
1600 □□□	be up to one's eyes in ✔	~에 몰두하다

⏱ 1초 Quiz

1. suspend _____
2. gratitude _____
3. summon _____
4. 거친, 가혹한 _____
5. 엮다, 짜다 _____
6. 오해, 오인 _____

정답 | 1. 매달다, 걸다, 보류하다 2. 감사 3. 소환하다, 소집하다 4. harsh 5. weave 6. misconception

✔ = 어휘 영역 출제

최빈출 단어

1601 perhaps [pərhǽps]	부 아마	
1602 detect [ditékt] [1]	동 감지하다	
1603 privilege [prívəlidʒ]	명 특권, 특혜 / 동 특권을 주다	
1604 exploit 동[iksplɔ́it] / 명[éksplɔit]	동 이용하다, 착취하다 / 명 위업, 공적	
1605 evaluate [ivǽljuèit] [2]	동 평가하다, 검토하다	
1606 inevitably [inévitəbli]	부 필연적으로, 불가피하게	
1607 ecosystem [íkousìstəm]	명 생태계	
1608 architecture [ɑ́ːrkitèktʃər]	명 건축물, 건축	
1609 preparation [prèpəréiʃən]	명 준비, 대비	
1610 overlook [òuvərlúk] [3]	동 간과하다, 눈 감아 주다 / 동 내려다보다	
1611 slightly [sláitli]	부 약간, 조금	

빈출 단어

1612 admission [ædmíʃən]	명 입장, 가입, 입학 / 명 (잘못에 대한) 시인, 인정
1613 hemisphere [hémisfiər]	명 반구
1614 prehistoric [prìhistɔ́rik]	형 선사 시대의
1615 automatically [ɔ̀ːtəmǽtikəli]	부 자동으로

1616 integral [íntigrəl] [4]	형 필수적인 / 형 (필요한 모든 부분이 갖춰져) 완전한
1617 narrative [nǽrətiv]	명 이야기, 설화 / 형 이야기체의, 설화의
1618 seize [siːz]	동 압수하다, ~을 빼앗다 / 동 장악하다, 점유하다 / 동 이해하다, 납득하다
1619 fallacy [fǽləsi]	명 오류, 틀린 생각
1620 withdraw [wiðdrɔ́ː] [5]	동 철수하다, 회수하다 / 동 (돈을) 인출하다
1621 groom [gruːm]	동 손질하다, 다듬다 / 명 신랑, 마부
1622 statesperson [stéitspə̀ːrsn]	명 정치인
1623 ratify [rǽtəfài] [6]	동 (조약 등을) 비준하다, 승인하다
1624 cuisine [kwizíːn]	명 요리, 음식
1625 construe [kənstrúː] [7]	동 이해하다, 해석하다
1626 standing [stǽndiŋ]	명 지위, 신분
1627 ransack [rǽnsæk]	동 샅샅이 뒤지다 / 동 약탈하다, 빼앗다
1628 confidential [kɑ̀ːnfədénʃəl]	형 기밀의 / 형 신용 있는, 믿을만한

대표 기출 예문

1. Some animals can **detect** the coming of an earthquake.
어떤 동물들은 지진이 오는 것을 감지할 수 있다.

2. In **evaluating** my progress, the coach considered my performance and attitude.
나의 발전을 평가하는 데 있어서, 코치는 나의 성과와 태도를 고려했다.

3. It's easy to **overlook** errors when you are too focused on a task.
당신이 한 가지 일에 너무 집중했을 때에는 오류를 간과하기 쉽다.

4. Knowing what people don't eat forms an **integral** part of our understanding of them.
사람들이 무엇을 먹지 않는지에 대해 아는 것은 그들을 이해하는 데 필수적인 부분을 형성한다.

5. India became an independent country after the British **withdrew**.
영국이 철수한 후에 인도는 독립 국가가 되었다.

6. The people **ratified** the Constitution, making it illegal to discriminate against foreign people.
사람들은 외국인을 차별하는 것을 불법으로 규정하면서, 헌법을 비준했다.

7. Information stored in the brain can influence how people **construe** new information.
뇌에 저장되어 있는 정보는 사람들이 새로운 정보를 어떻게 이해하는지에 영향을 줄 수 있다.

8. The power of a court cannot **be subject to** the desires of one person.
법원의 권위는 한 사람의 요구의 대상이 될 수 없다.

빈출 숙어

1629 as a result (of)		그 결과, 결과적으로
1630 be subject to[8]		~의 대상이다
1631 specialize in		~을 전문으로 하다, 전공하다
1632 get over		~을 극복하다
1633 be engaged in		~에 관여되다, 연루되다
1634 look out		조심하다; 바라보다

완성 어휘

1635 abdomen	명	복부
1636 threshold	명	한계점, 기준점
1637 recess	명	휴식 기간
1638 blatantly	부	주제넘게, 뻔뻔스럽게
1639 proxy	명	대리인, 대용물
	형	대리의
1640 mitigating	형	완화하는, 가볍게 하는
1641 opportune	형	적절한
1642 massacre	명	대학살
1643 sarcastic	형	비꼬는, 풍자적인
1644 scour	동	샅샅이 뒤지다
1645 unprincipled	형	지조 없는, 부도덕한
1646 advisable	형	바람직한
1647 drowsy	형	졸리는
1648 knack	명	재주
1649 prudence	명	신중함, 알뜰함, 간소
1650 grapple	동	붙잡다, 잡다, 격투하다
1651 firsthand	부	직접
1652 ephemeral	형	수명이 짧은
1653 verge	명	길가

1654 refract	동	굴절시키다
1655 optical	형	시각적인
1656 underway	형	진행 중인
1657 detergent	명	세제
1658 momentous	형	중대한
1659 subsequent	형	그다음의
1660 imperturbable	형	차분한
1661 mutable	형	잘 변하는
1662 foolproof	형	실패할 염려가 없는
1663 abstruse	형	난해한
1664 swamp	명	습지
1665 hospitality	명	환대, 접대
1666 ironic	형	역설적인, 비꼬는
1667 under the weather		몸이 좋지 않은
1668 over and above		~에 덧붙여, ~ 위에
1669 shut off		차단하다
1670 in proportion to		~에 비례하여
1671 hear out		(이야기를) 끝까지 듣다
1672 go with		~에 포함되다
1673 wind up		마무리 짓다
1674 have a minute		시간이 나다
1675 in matters of		~에 관해서는
1676 bottom out		바닥을 치다
1677 have yet to		아직 ~하지 않았다
1678 a drop in		~의 하락
1679 throw in		~을 덤으로 주다
1680 be the first to		솔선하여 ~하다

1초 Quiz

1. confidential _____
2. fallacy _____
3. mitigating _____
4. 진행 중인 _____
5. 환대, 접대 _____
6. 그다음의 _____

정답 | 1. 기밀인; 신뢰 받는, 친밀한 2. 오류, 틀린 생각 3. 완화하는, 가볍게 하는 4. underway 5. hospitality 6. subsequent

Day 22

최빈출 단어

1681 □□□ **replace** [ripléis] 1	통	대체하다, 대신하다
1682 □□□ **minister** [mínəstər]	명 명	장관, 각료 / 성직자, 목사
1683 □□□ **absorb** [æbsɔ́ːrb]	통	흡수하다
1684 □□□ **encounter** [inkáuntər] 2	통 명	직면하다, 맞닥뜨리다 / 만남, 조우
1685 □□□ **perspective** [pərspéktiv]	명 명	관점, 시각, 전망 / 원근법, 투시법
1686 □□□ **strive** [straiv] 3	통	노력하다, 애쓰다
1687 □□□ **realistic** [rìːəlístik]	형	현실적인
1688 □□□ **abundant** [əbʌ́ndənt]	형	풍부한
1689 □□□ **alert** [əlɔ́ːrt]	형 명	경계하는, 조심하는 / 경계, 경보
1690 □□□ **output** [áutpùt]	명	생산량, 산출량, 출력

빈출 단어

1691 □□□ **ambiguous** [æmbígjuəs] 4	형	모호한, 애매한
1692 □□□ **shed** [ʃed]	통 통 명	(허물 등을) 벗다 / (피·눈물 등을) 흘리다, 발산하다 / 허물
1693 □□□ **voyage** [vɔ́iidʒ]	명 통	항해, 여행 / 항해하다, 여행하다

1694 □□□ **readily** [rédəli]	부 부	손쉽게, 순조롭게 / 선뜻, 기꺼이
1695 □□□ **conviction** [kənvíkʃən]	명 명	신념, 확신 / 유죄 판결
1696 □□□ **luxurious** [lʌgzúəriəs]	형	호화로운, 사치스러운
1697 □□□ **plummet** [plʌ́mit] 5	통 명	급락하다, 폭락하다 / 급락, 폭락
1698 □□□ **hierarchy** [háiərɑ̀ːrki]	명 명	계층, 계급 / (사상 등의) 체계
1699 □□□ **wholly** [hóulli]	부	전적으로, 완전히
1700 □□□ **maze** [meiz]	명	미로
1701 □□□ **linger** [língər] 6	통 통	남아 있다, 계속되다 / 오래 머물다
1702 □□□ **prestige** [prestíːʒ]	명 형	위신, 명망 / 위신 있는, 명망 있는
1703 □□□ **rebuild** [ribíld]	통	재건하다, 다시 세우다
1704 □□□ **intricate** [íntrikət]	형	복잡한, 뒤얽힌
1705 □□□ **encompass** [inkʌ́mpəs]	통	포함하다, 아우르다
1706 □□□ **punctual** [pʌ́ŋktʃuəl] 7	형	(시간을) 지키는, 엄수하는
1707 □□□ **contradictory** [kàːntrədíktəri]	형	모순된, 상반된
1708 □□□ **reputable** [répjətəbəl]	형	평판이 좋은, 이름 높은

대표 기출 예문

1. Human cloning may one day make it possible to **replace** damaged organs.
   인간 복제는 언젠가는 손상된 장기를 대체할 수 있게 될지 모른다.

2. Even highly motivated learners **encounter** challenges in language learning.
   심지어 매우 동기 부여된 학습자들도 언어 학습에서 문제들을 직면한다.

3. People these days are **striving** to get a stable job.
   요즘 사람들은 안정적인 직장을 얻기 위해 노력하고 있다.

4. An **ambiguous** term's context can help clearly indicating the intention.
   모호한 용어의 문맥은 의도를 명확하게 나타내는 것을 도울 수 있다.

5. The population of one village **plummeted** from 2,000 to fewer than 40.
   한 마을의 인구는 2,000명에서 40명 미만으로 급락했다.

6. When stress **lingers**, you may find yourself struggling.
   스트레스가 남아 있으면, 당신은 스스로가 힘겨워하는 것을 발견할 수 있다.

7. Being **punctual** is a good habit everyone has to have.
   시간을 지키는 것은 누구나 지녀야 할 좋은 습관이다.

8. He explained **in detail** how to repair the printer.
   그는 프린터를 수리하는 방법을 자세히 설명했다.

빈출 숙어

1709 □□□	be made of	~으로 만들어지다
1710 □□□	go on	계속 진행되다, 계속하다
1711 □□□	be concerned with	~에 관련이 있다; ~에 관심이 있다
1712 □□□	pay ~ back	~에게 (돈을) 갚다
1713 □□□	in detail [8]	자세히, 상세히
1714 □□□	not to mention	~은 말할 것도 없고

완성 어휘

1715 □□□	falsehood	명 거짓말
1716 □□□	hail	명 우박 동 맞이하다
1717 □□□	throne	명 왕좌
1718 □□□	telescope	명 망원경
1719 □□□	zealous	형 열성적인
1720 □□□	reckon	동 (~이라고) 생각하다
1721 □□□	exceptive ✔	형 예외적인
1722 □□□	mounting	형 증가하는
1723 □□□	windfall ✔	명 (우발적인) 소득, 낙과
1724 □□□	contentious ✔	형 논쟁을 초래하는
1725 □□□	imprudent ✔	형 경솔한, 무분별한
1726 □□□	reimburse ✔	동 배상하다, 변제하다
1727 □□□	calamity	명 재난, 재앙
1728 □□□	weasel	동 회피하다 명 교활한 사람
1729 □□□	monsoon	명 우기
1730 □□□	afloat	형 (물에) 뜬
1731 □□□	dysfunction	명 기능 장애
1732 □□□	landholding	명 소유하고 있는 토지
1733 □□□	transparency ✔	명 투명(성), 명백함

1734 □□□	incensed ✔	형 몹시 화난, 격분한
1735 □□□	easygoing	형 태평한, 느긋한
1736 □□□	fiscal	형 재정상의
1737 □□□	pathetic	형 애처로운
1738 □□□	viable	형 실행 가능한
1739 □□□	shelve ✔	동 보류하다
1740 □□□	overland	형 육로의
1741 □□□	unrelenting	형 끊임없는
1742 □□□	brag ✔	동 자랑하다 명 자랑
1743 □□□	foremost	형 가장 중요한
1744 □□□	bodiless	형 실체가 없는
1745 □□□	antidote	명 해독제
1746 □□□	salvage	명 구조, 인양
1747 □□□	antagonistic ✔	형 적대적인
1748 □□□	cutback	명 삭감, 감축
1749 □□□	outspoken	형 노골적으로 말하는
1750 □□□	play down ✔	경시하다
1751 □□□	at one's discretion ✔	재량에 따라
1752 □□□	fritter away ✔	낭비하다
1753 □□□	as to	~에 관해서는
1754 □□□	make a case for ✔	~이라고 주장하다, 의견을 진술하다
1755 □□□	factor in	~을 고려하다
1756 □□□	range from A to B	A에서 B까지 이르다
1757 □□□	step down	(지위에서) 물러나다
1758 □□□	destined to	~할 운명인
1759 □□□	in some way	어떤 점에서는
1760 □□□	sort out	해결하다, 정리하다

⏱ 1초 Quiz

1. strive _____
2. reimburse _____
3. transparency _____
4. 재정상의 _____
5. 실행 가능한 _____
6. 경시하다 _____

정답 | 1. 노력하다, 애쓰다 2. 배상하다, 변제하다 3. 투명(성), 명백함 4. fiscal 5. viable 6. play down

✔ = 어휘 영역 출제

Day 23

최빈출 단어

1761 **feed** [fiːd]	통 공급하다, 먹이다	
	명 먹이	
1762 **expansion** [ikspǽnʃən] [1]	명 확대, 발전	
1763 **alter** [ɔ́ːltər] [2]	통 바꾸다, 변경하다, 달라지다	
	통 쇠약해지다, 늙다	
1764 **frustrated** [frʌ́streitid]	형 좌절감을 느끼는, 실망한	
1765 **reference** [réfərəns]	명 참고 문헌, 참조	
	명 문의, 조회; 추천서	
1766 **passive** [pǽsiv]	형 수동적인, 소극적인	
1767 **distort** [distɔ́ːrt] [3]	통 (사실 등을) 왜곡하다	
1768 **philosophical** [filəsá:fikəl]	형 철학적인, 철학의	
1769 **patent** [pǽtnt]	명 특허	
	통 특허를 얻다	
1770 **abstract** 형 [ǽbstrǽkt] 명 [ǽbstrækt]	형 추상적인, 관념적인	
	명 추상화	

빈출 단어

1771 **tangible** [tǽndʒəbl] [4]	형 실체가 있는, 만질 수 있는	
	형 분명한, 명백한	
1772 **solitary** [sá:lətèri]	형 단일의, 혼자 하는; 고독한	
1773 **flip** [flip]	통 젖혀지다, (책장 등을) 휙휙 넘기다	
	통 (손가락으로) 튕기다, 탁 치다	

1774 **caregiver** [kɛ́ərgìvər]	명 돌보는 사람, 간병인	
1775 **introvert** [íntrəvə̀ːrt]	명 내성적인 사람	
	형 내성적인	
1776 **drift** [drift] [5]	통 떠다니다, 표류하다	
	통 ~하게 되다	
1777 **namely** [néimli]	부 즉, 다시 말해	
1778 **imaginative** [imǽdʒənətiv]	형 상상으로 만든, 가공의	
	형 상상력이 풍부한	
1779 **enclose** [inklóuz]	통 동봉하다	
	통 에워싸다, 둘러싸다	
1780 **constructive** [kənstrʌ́ktiv]	형 건설적인	
1781 **preventive** [privéntiv] [6]	형 예방을 위한, 예방의	
1782 **decode** [diːkóud]	통 (의미를) 이해하다, 해독하다	
1783 **countenance** [káuntənəns]	통 지지하다, 동의하다	
	명 (얼굴) 표정	
1784 **punctuate** [pʌ́ŋktʃuèit]	통 중단시키다, 구두점을 찍다	
	통 강조하다	
1785 **hazardous** [hǽzərdəs]	형 위험한	
1786 **reclaim** [rikléim]	통 되찾다	
	통 개간하다, 개척하다	
1787 **accentuate** [ækséntʃuèit]	통 강조하다	
1788 **reiterate** 통 [riːítəreit] [7] 형 [riːítərət]	통 (요구·발언 따위를) 반복하다	
	형 반복되는	

대표 기출 예문

1. The excessive stock market **expansion** resulted in the Great Depression.
   과도한 증권 시장의 확대는 대공황을 초래했다.

2. Many of the wounds can **alter** the cell's abilities.
   그 상처 중 많은 것들이 세포의 능력을 바꿀 가능성이 있다.

3. She felt that his essay wasn't accurate, as it **distorted** many historical facts.
   많은 역사적 사실을 왜곡했기 때문에, 그녀는 그의 글이 정확하지 않다고 느꼈다.

4. In some ways, material possessions are **tangible** evidence of people's abilities.
   어떤 면에서, 물질적 소유는 사람들의 능력에 대한 실체가 있는 증거이다.

5. The increased amount of plastic bags **drifting** in the ocean are threatening jellyfish.
   바다를 떠다니는 플라스틱 봉지의 늘어난 양은 해파리를 위협하고 있다.

6. **Preventive** visits to the clinic dropped as people delayed medical care.
   사람들이 건강 관리를 미룸에 따라 예방을 위한 병원 방문은 줄어들었다.

7. The audience was bored because the speaker continued to **reiterate** the same information.
   연설자가 계속해서 같은 내용을 반복했기 때문에 청중들은 지루해했다.

8. We will **go over** the plans to make sure there are no errors.
   우리는 실수가 없도록 계획을 검토할 것이다.

빈출 숙어

1789 ☐☐☐ **derive from**	~으로부터 비롯되다, ~에서 얻다
1790 ☐☐☐ **set off** ✔	유발하다, 일으키다
1791 ☐☐☐ **be inclined to**	~하는 경향이 있다
1792 ☐☐☐ **go over**[8]	검토하다, 조사하다; ~을 넘다
1793 ☐☐☐ **lay down**	~에 놓다, 두다; (규칙을) 정하다
1794 ☐☐☐ **make progress**	나아가다, 진전을 보이다

완성 어휘

1795 ☐☐☐ **matchless** ✔	형 독보적인
1796 ☐☐☐ **thwart**	동 좌절시키다
1797 ☐☐☐ **reconciliation**	명 화해, 조정, 조화, 일치
1798 ☐☐☐ **inanimately** ✔	부 생명이 없이
1799 ☐☐☐ **renounce** ✔	동 단념하다, 포기하다
1800 ☐☐☐ **worn-out**	형 닳아서 해진, 헌, 녹초가 된
1801 ☐☐☐ **herald** ✔	동 예고하다, 알리다, 발표하다
1802 ☐☐☐ **allay** ✔	동 가라앉히다, 진정시키다
1803 ☐☐☐ **mousy** ✔	형 소심한
1804 ☐☐☐ **harden**	동 경화되다, 단호해지다
1805 ☐☐☐ **cadence**	명 (말소리의) 억양
1806 ☐☐☐ **multicellular**	형 다세포의
1807 ☐☐☐ **airborne**	형 공수의, 공기로 운반되는
1808 ☐☐☐ **elevation**	명 승격
1809 ☐☐☐ **lateral**	형 측면의, 옆의
1810 ☐☐☐ **endanger**	동 위태롭게 하다
1811 ☐☐☐ **recapitulate** ✔	동 요약하다, 반복하다
1812 ☐☐☐ **animosity** ✔	명 적대감, 증오

1813 ☐☐☐ **troublesome** ✔	형 성가신, 귀찮은
1814 ☐☐☐ **vocational**	형 직업과 관련된
1815 ☐☐☐ **impartial**	형 공정한
1816 ☐☐☐ **profusion**	명 풍성함, 다량
1817 ☐☐☐ **verdict**	명 판결, 결정
1818 ☐☐☐ **egregious**	형 악명 높은, 지독한
1819 ☐☐☐ **arid**	형 무미건조한
1820 ☐☐☐ **solidify**	동 굳어지다, 확고해지다
1821 ☐☐☐ **antipathy**	명 (강한) 반감
1822 ☐☐☐ **avaricious**	형 탐욕스러운
1823 ☐☐☐ **decry**	동 매도하다
1824 ☐☐☐ **delicacy** ✔	명 정교함, 섬세함
1825 ☐☐☐ **overdose**	명 과다 복용
1826 ☐☐☐ **pollination**	명 (식물의) 수분
1827 ☐☐☐ **cordiality** ✔	명 진심, 성의
1828 ☐☐☐ **be taken in** ✔	속아 넘어가다
1829 ☐☐☐ **make light of** ✔	~을 가볍게 여기다
1830 ☐☐☐ **in the red** ✔	적자 상태로, 적자로
1831 ☐☐☐ **be capable of**	~할 수 있다
1832 ☐☐☐ **be on edge**	신경이 곤두서 있다
1833 ☐☐☐ **lean into**	(어려운 것을) 받아들이다
1834 ☐☐☐ **infringe on**	~을 침해하다
1835 ☐☐☐ **settle into**	자리 잡다
1836 ☐☐☐ **ups and downs**	기복, 성쇠
1837 ☐☐☐ **hollow out**	~의 속을 파내다
1838 ☐☐☐ **set about**	~에 착수하다
1839 ☐☐☐ **incompatible with**	~과 양립할 수 없는
1840 ☐☐☐ **keep one's chin up**	용기를 잃지 않다

Day 23
해커스공무원 영어 어휘

🕐 1초 Quiz

1. patent _____
2. reconciliation _____
3. allay _____
4. 건설적인 _____
5. 공정한 _____
6. ~을 침해하다 _____

정답 | 1. 특허; 특허를 얻다 2. 화해, 조정, 조화, 일치 3. 가라앉히다, 진정시키다 4. constructive 5. impartial 6. infringe on

✔ = 어휘 영역 출제

Day 24

Day 24 음성 바로 듣기

최빈출 단어

1841 □□□ **drop** [drɑ:p]	동 떨어지다 동 내려주다, 그만두다	
1842 □□□ **guarantee** [gærəntí:] [1]	동 보장하다, 확신하다 명 보증, 확약	
1843 □□□ **regard** [rigá:rd]	동 ~으로 여기다 명 관심, 고려	
1844 □□□ **undergo** [ʌ̀ndərgóu] [2]	동 (변화 등을) 겪다 동 견디다, 참다	
1845 □□□ **annual** [ǽnjuəl]	형 연간의, 연례의	
1846 □□□ **compromise** [kɑ́:mprəmàiz] [3]	명 타협 동 타협하다 동 위태롭게 하다, 손상하다	
1847 □□□ **retail** [rí:teil]	형 소매의, 소매상의 동 소매하다, 떼어 팔다	
1848 □□□ **tension** [ténʃən]	명 긴장, 갈등 명 팽팽함, 장력	
1849 □□□ **prevalent** [prévələnt]	형 널리 퍼진, 일반적인 형 우세한, 유력한	
1850 □□□ **approve** [əprú:v]	동 승인하다 동 찬성하다	
1851 □□□ **hypothesis** [haipáθəsis]	명 가설, 추정, 추측	

빈출 단어

1852 □□□ **charity** [tʃǽrəti]	명 자선 단체	
1853 □□□ **aggravate** [ǽgrəvèit] [4]	동 악화시키다	

1854 □□□ **absence** [ǽbsəns]	명 부재, 결석 명 결핍	
1855 □□□ **replicate** [répləkèit] [5]	동 복제하다, 모사하다	
1856 □□□ **remedy** [rémədi]	명 치료 방안, 해결책 동 치료하다	
1857 □□□ **portray** [pɔ:rtréi]	동 묘사하다, 그리다, 나타내다 동 (특정한 역할을) 연기하다	
1858 □□□ **deficit** [défəsit] [6]	명 적자, 결손 명 불리한 처지, 열세	
1859 □□□ **propel** [prəpél]	동 나아가게 하다, 추진하다	
1860 □□□ **repercussion** [rìpərkáʃən]	명 (보통 좋지 못한) 영향, 여파	
1861 □□□ **abnormality** [æbnɔ:rmǽləti]	명 이상, 기형	
1862 □□□ **disconnected** [dìskənéktid]	형 분리된, (연락이) 끊긴 형 일관성이 없는	
1863 □□□ **compass** [kʌ́mpəs]	명 나침반 명 (도달 가능한) 범위	
1864 □□□ **rebuke** [ribjú:k]	동 비난하다 명 비난	
1865 □□□ **brilliance** [bríljəns]	명 총명함, 탁월함 명 광명, 광채	
1866 □□□ **curtail** [kə:rtéil] [7]	동 줄이다, (비용을) 삭감하다 동 (권리 따위를) 박탈하다	
1867 □□□ **meager** [mí:gər]	형 불충분한, 빈약한 형 메마른	
1868 □□□ **potable** [póutəbl]	형 마셔도 되는	

대표 기출 예문

1. Religious freedom is **guaranteed** by law.
   종교적 자유는 법에 의해 보장된다.

2. Spinning objects **undergo** some changes to their shape.
   회전하는 물체는 그들의 모양에 몇몇 변화를 겪는다.

3. Both countries settled their differences through mutual agreement and **compromise**.
   양국은 상호 합의와 타협을 통해 서로의 차이를 해소했다.

4. The matter was **aggravated** when time and energy were wasted for arguing.
   논쟁으로 시간과 에너지가 낭비되고 있을 때, 그 문제는 악화되었다.

5. The virus uses the body cells to **replicate** itself.
   바이러스는 자신을 복제하는 데 체세포를 이용한다.

6. The government can decrease the **deficit** by raising taxes.
   정부는 세금을 올림으로써 적자를 줄일 수 있다.

7. The city hired more police officers in an effort to **curtail** crime.
   그 도시는 범죄를 줄이기 위해 더 많은 경찰관들을 고용했다.

8. I **look forward to** doing business with you as soon as possible.
   나는 가능하면 빨리 당신과 거래할 수 있기를 기대한다.

빈출 숙어

1869 □□□	**in addition to**	~ 이외에도; ~에 더하여
1870 □□□	**look forward to**[8]	~을 기대하다
1871 □□□	**as a whole**	전체적으로, 전체로서
1872 □□□	**take a good rest** 🌱	충분히 쉬다
1873 □□□	**in combination with** 🌱	~과 결합하여, 짝지어
1874 □□□	**break into** 🌱	침입하다, 몰래 잠입하다

완성 어휘

1875 □□□	**immunization**	몡 예방 접종, 면역 조치, 면역
1876 □□□	**transverse**	혱 가로지르는
1877 □□□	**timber**	몡 목재, 재목, 수목
1878 □□□	**torch**	몡 손전등 동 방화하다
1879 □□□	**culmination** 🌱	몡 정점, 최고조
1880 □□□	**inclusive** 🌱	혱 포괄적인, 폭넓은
1881 □□□	**repudiate** 🌱	동 거부하다
1882 □□□	**apparatus**	몡 기구, 장치
1883 □□□	**outgrow**	동 벗어나다, (몸이 커져) 옷 등이 맞지 않다
1884 □□□	**annul** 🌱	동 (법적으로) 취소하다, 무효화하다
1885 □□□	**self-contradictory**	혱 자기 모순적인
1886 □□□	**upkeep**	몡 유지, 양육
1887 □□□	**obediently**	붜 공손하게
1888 □□□	**amenity**	몡 생활 편의 시설
1889 □□□	**elongate**	동 길어지다, 길게 늘이다
1890 □□□	**disciplinary** 🌱	혱 징계의, 훈계의
1891 □□□	**reassuring** 🌱	혱 안심시키는
1892 □□□	**periodically** 🌱	붜 정기적으로

1893 □□□	**rescind** 🌱	동 철회하다, 폐지하다
1894 □□□	**disrespect** 🌱	몡 무례 동 실례를 하다
1895 □□□	**endow**	동 기부하다
1896 □□□	**idiosyncratic** 🌱	혱 특유의, 기이한
1897 □□□	**patrol**	동 순찰을 돌다
1898 □□□	**yearn**	동 갈망하다, 동경하다
1899 □□□	**bombard**	동 퍼붓다, 쏟아붓다
1900 □□□	**hereditary**	혱 유전적인, 세습되는
1901 □□□	**vigilant** 🌱	혱 바짝 경계하는
1902 □□□	**enlist**	동 요청하여 얻다
1903 □□□	**forfeit**	동 박탈당하다
1904 □□□	**surmount**	동 극복하다
1905 □□□	**impotent**	혱 무력한
1906 □□□	**recant**	동 철회하다
1907 □□□	**henceforth**	붜 이후로
1908 □□□	**veterinarian**	몡 수의사
1909 □□□	**grotesquely**	붜 기괴하게
1910 □□□	**retraction**	몡 철회
1911 □□□	**horizontally**	붜 수평으로
1912 □□□	**solvable**	혱 해결할 수 있는
1913 □□□	**culminate in**	결국 ~이 되다
1914 □□□	**be composed of**	~으로 구성되어 있다
1915 □□□	**in time**	이윽고
1916 □□□	**leave behind**	두고 가다
1917 □□□	**laced with**	~이 가미된
1918 □□□	**think of A as B**	A를 B로 생각하다
1919 □□□	**stand for**	~을 대표하다
1920 □□□	**look back on** 🌱	~을 뒤돌아보다

⏱ 1초 Quiz

1. hypothesis _____

2. propel _____

3. annul _____

4. 자선 단체 _____

5. 극복하다 _____

6. ~을 대표하다 _____

정답 | 1. 가설, 추정, 추측 2. 나아가게 하다, 추진하다 3. (법적으로) 취소하다, 무효화하다 4. charity 5. surmount 6. stand for

Day 25

최빈출 단어

1921 disaster [dizǽstər]	명 재해, 재난	
1922 mobile [móubəl]	형 이동식의, 기동성 있는	
1923 sustain [səstéin]¹	동 유지하다, 지탱하다	
1924 succeed [səksí:d]	동 성공하다 동 (자리·지위 등을) 잇다, 계승하다	
1925 immune [imjú:n]	형 면역의, 면역이 된	
1926 confidence [ká:nfədəns]	명 자신감 명 신뢰, 확신	
1927 barrier [bǽriər]	명 장벽, 장애물	
1928 proceed [prəsí:d]²	동 진행되다, 나아가다	
1929 pregnant [prégnənt]	형 임신한	
1930 reserved [rizə́:rvd]³	형 내성적인 형 예약한, 대절한 형 보류한, 따로 떼어둔, 예비의	
1931 suppress [səprés]	동 억제하다, 억누르다	

빈출 단어

1932 complement	동 [ká:mpləmènt] 명 [ká:mpləmənt]	동 보완하다, 덧붙이다 명 보완물, 보충물
1933 cooperative [kouá:pərətiv]	형 협력하는, 협동하는	
1934 contingent [kəntíndʒənt]⁴	형 ~에 달린, ~에 의존하는 명 대표단, 파견대	

1935 reciprocal [risíprəkəl]⁵	형 상호적인, 상호 간의	
1936 impudent [ímpjudnt]	형 무례한, 뻔뻔스러운	
1937 impede [impí:d]	동 방해하다, 지연시키다	
1938 portable [pɔ́:rtəbl]	형 휴대용의	
1939 validate [vǽlədèit]⁶	동 입증하다 동 인증하다, 승인하다	
1940 format [fɔ́:rmæt]	명 형식, 방식	
1941 puberty [pjú:bərti]	명 사춘기	
1942 formidable [fɔ́:rmidəbl]	형 어마어마한, 가공할 만한	
1943 timely [táimli]	형 시기적절한, 때맞춘	
1944 conscience [ká:nʃəns]	명 양심	
1945 mighty [máiti]	형 강력한	
1946 stumble [stʌ́mbl]	동 (발이 걸려) 휘청거리다 동 우연히 발견하다	
1947 approximation [əprà:ksəméiʃən]	명 근삿값	
1948 retaliate [ritǽlièit]⁷	동 보복하다, 앙갚음하다	

빈출 숙어

1949 take place⁸	개최되다, 열리다	
1950 regardless of	~과 상관없이	

대표 기출 예문

1. Water is the medium for most chemical reactions to **sustain** life.
   물은 생명을 유지하기 위한 대부분의 화학 반응의 매개물이다.

2. The scientific inquiry **proceeds** by creating a hypothesis.
   과학적 연구는 가설을 만들어냄으로써 진행된다.

3. **Reserved** people tend to keep their feelings hidden.
   내성적인 사람들은 그들의 감정을 숨기는 경향이 있다.

4. The offer is **contingent** on the individual passing a background check.
   그 제안은 개인이 신원조사를 통과하느냐에 달려 있다.

5. Kind people are more likely to be recipients of **reciprocal** kindness.
   친절한 사람들은 상호적인 호의의 수혜자가 되기 더 쉽다.

6. Plenty of evidence has arisen to help the scientist **validate** the theory.
   그 과학자가 이론을 입증하도록 돕는 풍부한 증거들이 나타났다.

7. After the attack, the army **retaliated** by taking the enemy's fortress.
   공격 이후에, 군인들은 적군의 요새를 함락시킴으로써 보복했다.

8. A historic public vote **took place** in the United Kingdom.
   역사적인 국민 투표가 영국에서 개최되었다.

1951 □□□ **contrary to**	~과 반대로
1952 □□□ **take advantage of**	~을 이용하다
1953 □□□ **spring up**	갑자기 생기다, 나타나다
1954 □□□ **on the move**	이리저리 이동하는, 분주한

완성 어휘

1955 □□□ **unrest**	몡 (사회·정치적인) 불안
1956 □□□ **rally**	몡 집회
1957 □□□ **deforestation**	몡 삼림 벌채, 삼림 파괴
1958 □□□ **menace**	동 위협하다 / 몡 위협
1959 □□□ **recollection**	몡 기억
1960 □□□ **rudimentary**	혱 기초의, 기본적인
1961 □□□ **debacle**	몡 대실패
1962 □□□ **asymmetrical**	혱 비대칭의
1963 □□□ **excurse**	동 거닐다, 소풍을 가다
1964 □□□ **muffle**	동 감싸다
1965 □□□ **self-deception**	몡 자기기만
1966 □□□ **inaction**	몡 휴지 상태
1967 □□□ **rail**	동 격분하다
1968 □□□ **assuage**	동 누그러뜨리다, 완화하다
1969 □□□ **archetypal**	혱 전형적인
1970 □□□ **empirical**	혱 실증적인
1971 □□□ **logicality**	몡 논리성, 논리적 타당성
1972 □□□ **impugnment**	몡 비난, 공격
1973 □□□ **prolix**	혱 장황한
1974 □□□ **unwilling**	혱 꺼리는

1975 □□□ **pavement**	몡 인도, 보도
1976 □□□ **annihilation**	몡 전멸, 소멸
1977 □□□ **ferment**	동 발효되다, 발효시키다
1978 □□□ **deafen**	동 귀를 먹먹하게 하다
1979 □□□ **accomplice**	몡 공범
1980 □□□ **editorial**	혱 편집의 / 몡 사설
1981 □□□ **elastic**	혱 탄성의, 융통성 있는
1982 □□□ **constancy**	몡 불변성, 절개
1983 □□□ **arduous**	혱 몹시 힘든, 고된
1984 □□□ **rightful**	혱 정당한
1985 □□□ **dodge**	동 회피하다
1986 □□□ **lap**	몡 한 바퀴; 동 찰싹 치다
1987 □□□ **wrecked**	혱 난파된, 망가진
1988 □□□ **hesitantly**	閂 주저하며
1989 □□□ **pasture**	몡 초원, 목초지
1990 □□□ **exactness**	몡 정확함
1991 □□□ **amount to**	~에 이르다
1992 □□□ **in tandem with**	나란히
1993 □□□ **be up and about**	상태가 호전되다
1994 □□□ **make it on time**	제시간에 가다
1995 □□□ **leave off**	중단하다, 멈추다
1996 □□□ **no later than**	늦어도 ~까지는
1997 □□□ **get across**	이해시키다
1998 □□□ **tear away from**	~에서 무리하게 떼어 놓다
1999 □□□ **at one's disposal**	~의 마음대로, ~의 처분 하에
2000 □□□ **from scratch**	처음부터

1초 Quiz

1. suppress _____
2. rightful _____
3. rudimentary _____
4. 양심 _____
5. 기억 _____
6. 처음부터 _____

정답 | 1. 억제하다, 억누르다 2. 정당한 3. 기초의, 기본적인 4. conscience 5. recollection 6. from scratch

최빈출 단어

2001 contribute [kəntríbju:t][1]	통 ~에 기여하다, 공헌하다 / 통 원인이 되다	
2002 station [stéiʃən]	통 배치하다, 주둔시키다 / 명 역, 정거장	
2003 universal [jùːnəvə́ːrsəl][2]	형 보편적인, 전 세계적인	
2004 candidate [kǽndidèit]	명 후보자	
2005 primitive [prímətiv]	형 원시적인, 초기의	
2006 self-esteem [selfistíːm]	명 자존감, 자부심	
2007 modify [máːdəfài]	통 변형하다, 수정하다	
2008 inflation [infléiʃən]	명 물가 상승, 통화 팽창 / 명 팽창, 부풀	
2009 comprehensive [kàːmprihénsiv]	형 종합적인, 포괄적인 / 형 이해하는, 이해력 있는	
2010 advancement [ædvǽnsmənt]	명 발전, 진보 / 명 승진, 출세	

빈출 단어

2011 adverse [ædvə́ːrs][3]	형 부정적인, 불리한 / 형 반대의	
2012 reckless [réklis]	형 무모한	
2013 magnificent [mægnífəsnt]	형 웅장한, 장엄한 / 형 대단한, 위대한	

2014 disabled [diséibld]	형 장애를 가진
2015 donate [dóuneit]	통 기부하다, 기증하다
2016 mediocre [mìːdióukər]	형 보통의, 평범한
2017 empathy [émpəθi][4]	명 공감, 감정 이입
2018 radical [rǽdikəl][5]	형 급진적인, 과격한 / 형 근본적인
2019 gear [giər]	명 장비, 복장 / 통 준비하다, 갖추다
2020 glare [glɛər]	통 노려보다, 쏘아보다 / 명 환한 빛, 섬광
2021 peculiar [pikjúːljər]	형 독특한, 기이한
2022 compile [kəmpáil][6]	통 (여러 자료를) 엮다, 편집하다 / 통 작성되다, 기록하다
2023 retrieve [ritríːv]	통 되찾아오다, 회수하다
2024 harbinger [háːrbindʒər]	명 전조, 조짐
2025 merge [məːrdʒ]	통 합치다, 통합하다
2026 definitive [difínətiv]	형 확정적인, 최종적인
2027 invalid [invǽlid][7]	형 무효한
2028 speedy [spíːdi]	형 빠른, 지체 없는

대표 기출 예문

1. Wearable computing devices can **contribute** to well-being.
   착용할 수 있는 컴퓨터 장치는 복지에 기여할 수 있다.

2. Pollution is now a **universal** problem all over the world.
   오염은 이제 세계적으로 보편적인 문제다.

3. With respect to **adverse** health effects, many species, especially humans, are dependent on natural body cycles.
   부정적인 건강 영향과 관련하여, 많은 종들, 특히 인간은 자연적인 신체 주기에 의존한다.

4. The governor asked the citizens to show **empathy** to the refugees arriving from the war zone.
   그 주지사는 시민들에게 전쟁 지역에서 도착하는 난민들에게 공감을 보일 것을 요청했다.

5. Dinosaurs could not adjust to the **radical** climate changes.
   공룡들은 급진적인 기후 변화에 적응하지 못했다.

6. When they **compiled** maps, imagination was as important as geographic reality.
   그들이 지도를 엮을 때, 상상력은 지리적 현실만큼이나 중요했다.

7. The constitutional court has declared the country's election **invalid**.
   헌법재판소는 국가 선거를 무효하다고 선언했다.

8. The Migrants Center helps migrant workers to be **integrated into** society.
   이주자 센터는 이주 노동자들이 사회에 통합될 수 있도록 돕는다.

빈출 숙어

2029 □□□	**instead of**	~대신에
2030 □□□	**all over** ✔	도처에서
2031 □□□	**refrain from**	~을 삼가다, 자제하다
2032 □□□	**integrate into**[8]	~에 통합되다
2033 □□□	**shut down**	멈추다, 정지하다; 문을 닫다
2034 □□□	**lay out**	~을 제시하다; ~을 펼치다, 배치하다

완성 어휘

2035 □□□	**dehydration**	명 탈수, 탈수증
2036 □□□	**rebut**	동 논박하다
2037 □□□	**render**	동 (어떤 상태가 되게) 만들다
2038 □□□	**toddler**	명 갓난아기
2039 □□□	**stifle**	동 억누르다
2040 □□□	**concretize**	동 구체화하다
2041 □□□	**inconclusive** ✔	형 결론에 이르지 못하는
2042 □□□	**sagacious** ✔	형 현명한, 영리한
2043 □□□	**augmentative** ✔	형 증가하는, 증대하는
2044 □□□	**apathetic** ✔	형 무관심한, 심드렁한
2045 □□□	**accountability**	명 책임, 의무
2046 □□□	**self-disciplined** ✔	형 자기 훈련이 된
2047 □□□	**assent**	명 찬성 동 찬성하다
2048 □□□	**outcast**	명 버림받은 사람
2049 □□□	**remission** ✔	명 차도, 완화
2050 □□□	**eviction** ✔	명 퇴거, 축출
2051 □□□	**enchanted**	형 매혹된
2052 □□□	**masculine**	형 남성의
2053 □□□	**blithe** ✔	형 태평스러운, 느긋한

2054 □□□	**rookie** ✔	명 신참, 초보자
2055 □□□	**frigid**	형 몹시 추운, 냉랭한
2056 □□□	**insipidness** ✔	명 무미건조함, 재미없음
2057 □□□	**decadence** ✔	명 타락, 퇴폐
2058 □□□	**indolence**	명 게으름, 나태
2059 □□□	**fallacious**	형 잘못된, 틀린
2060 □□□	**assiduous**	형 근면한, 끈기 있는
2061 □□□	**seductive**	형 유혹하는
2062 □□□	**discord**	명 불화, 다툼
2063 □□□	**refined**	형 정제된
2064 □□□	**inept**	형 서투른, 솜씨 없는
2065 □□□	**dope**	명 약물 동 약을 투여하다
2066 □□□	**abjure**	동 포기하다, 철회하다
2067 □□□	**come under fire** ✔	비난을 받다, 빈축을 사다
2068 □□□	**touch off** ✔	촉발하다
2069 □□□	**go along with**	~에 동의하다
2070 □□□	**be beset by**	~으로 곤란을 겪다
2071 □□□	**be in a flap about**	~에 대해 동요하다
2072 □□□	**supply chain**	공급망
2073 □□□	**walk on air** ✔	매우 기쁘다
2074 □□□	**put out**	~를 내쫓다, 해고하다
2075 □□□	**shy of**	~이 모자란, 부족한
2076 □□□	**leer at**	~을 힐끔거리다
2077 □□□	**plow into**	(일 등에) 달려들다
2078 □□□	**turn over (to)**	~에게 넘기다, 맡기다
2079 □□□	**yearn for**	~을 갈망하다, 동경하다
2080 □□□	**go into business**	사업에 나서다

1초 Quiz

1. modify _____
2. apathetic _____
3. eviction _____
4. 무모한 _____
5. 불화, 다툼 _____
6. ~에 동의하다 _____

정답 1. 변형하다, 수정하다 2. 무관심한, 심드렁한 3. 퇴거, 축출 4. reckless 5. discord 6. go along with

Day 27

최빈출 단어

2081 □□□ **concentrate** [ká:nsəntrèit] ✓1	통 집중하다 통 모으다	
2082 □□□ **evolve** [ivá:lv]	통 진화하다, 발달하다	
2083 □□□ **demonstrate** [démənstrèit] 2	통 보여주다, 증명하다 통 시위하다	
2084 □□□ **obstacle** [á:bstəkl]	명 장애물, 방해물	
2085 □□□ **cognitive** [ká:gnitiv]	형 인지의, 인식에 의한	
2086 □□□ **capability** [kèipəbíləti]	명 능력, 역량	
2087 □□□ **recipient** [risípiənt]	명 수취인, 수혜자	
2088 □□□ **reluctant** [rilʌ́ktənt] ✓	형 주저하는, 달갑지 않은	
2089 □□□ **equivalent** [ikwívələnt] ✓3	명 같은 것, 등가물 형 동일한, 동등한	

빈출 단어

2090 □□□ **undermine** [ʌ̀ndərmáin] ✓	통 기반을 약화시키다, 손상시키다	
2091 □□□ **discern** [disə́:rn] ✓4	통 파악하다, 분간하다	
2092 □□□ **intimate** [íntəmət]	형 친밀한, 사적인 형 정통한, 조예가 깊은 형 상세한	
2093 □□□ **incur** [inkə́:r]	통 초래하다, 발생시키다	

2094 □□□ **scheme** [ski:m]	명 제도, 계획 명 계략, 책략	
2095 □□□ **affection** [əfékʃən]	명 애정, 애착	
2096 □□□ **faithful** [féiθfəl]	형 충실한, 충직한	
2097 □□□ **hinder** [híndər] 5	통 방해하다, 저지하다	
2098 □□□ **implant** 통[implǽnt] 명[ímplænt]	통 이식하다, 심다 명 이식, (심는) 물질	
2099 □□□ **contradict** [kà:ntrədíkt] 6	통 모순되다 통 (어떤 주장을) 반박하다	
2100 □□□ **restrain** [ristréin] ✓	통 억제하다, 제지하다	
2101 □□□ **contempt** [kəntémpt]	명 무시, 개의치 않음 명 경멸, 멸시	
2102 □□□ **spontaneous** [spɑ:ntéiniəs]	형 자발적인, 마음에서 우러난 형 즉흥적인	
2103 □□□ **staple** [stéipl]	형 주된, 주요한 명 주요 산물	
2104 □□□ **renovation** [renəvéiʃən]	명 보수, 수리	
2105 □□□ **intrinsic** [intrínsik]	형 본질적인, 고유한	
2106 □□□ **aspire** [əspáiər]	통 열망하다, 염원하다	
2107 □□□ **intimidating** [intímədèitiŋ] ✓7	형 위협적인	
2108 □□□ **requisite** [rékwəzit] ✓	형 필수적인 명 필수 조건	

대표 기출 예문

1. Successful people are able to **concentrate** on one thing.
성공한 사람들은 한 가지 일에 집중할 수 있다.

2. Her work **demonstrates** her strong determination in life.
그녀의 작품은 삶에 있어서 그녀의 강한 결의를 보여 준다.

3. According to modern writers, clothes are the physical **equivalent** of remarks.
현대 작가들에 따르면 옷은 발언과 물리적으로 같은 것이다.

4. The operators should be able to **discern** trends among consumers.
경영자들은 소비자들 사이의 경향을 충분히 파악할 수 있어야 한다.

5. Low attention time can **hinder** learning later in life.
짧은 주의 지속 시간은 앞으로의 삶에서 학습을 방해할 수 있다.

6. The two witnesses' accounts of the accident **contradicted** each other.
그 사고에 대한 두 목격자의 이야기는 서로 모순되었다.

7. Too much eye contact can seem **intimidating**.
과도한 시선의 마주침은 위협적으로 보일 수 있다.

8. The Judge abandoned traditions **in favor of** new procedures.
그 판사는 새로운 절차들에 찬성하여 기존의 관례들을 폐지했다.

빈출 숙어

2109 at the same time	동시에, 함께	
2110 in favor of ✔8	~에 찬성하여, 지지하여	
2111 a couple of ✔	두세 개의, 몇 개의	
2112 come across	우연히 만나다	
2113 get along with	~와 잘 지내다	
2114 line up ✔	줄을 서다	

완성 어휘

2115 admittedly	분 인정하건대	
2116 multiplication ✔	명 증식, 증가, 곱셈	
2117 inconsiderately ✔	분 경솔하게	
2118 conciliatory ✔	형 회유적인, 달래는	
2119 miscarriage	명 유산	
2120 demographic	형 인구 통계의	
2121 decipher ✔	통 판독하다, 이해하다	
2122 expulsion ✔	명 추방, 제명	
2123 nosy ✔	형 참견하기 좋아하는	
2124 coherent	형 일관성 있는	
2125 satirical	형 풍자적인	
2126 armored	형 갑옷을 입은	
2127 endearment	명 애정을 담은 말	
2128 masterwork	명 걸작, 명품	
2129 snore	통 코를 골다	
2130 sanity	명 온전한 정신, 분별력	
2131 vex	통 성가시게 하다	
2132 polling	명 여론조사, 투표	
2133 garment	명 의복, 옷	

2134 pier	명 부두	
2135 abolish ✔	통 폐지하다	
2136 perpetuity	명 영속, 불멸	
2137 akin	형 ~과 유사한	
2138 wilderness	명 황무지	
2139 skim	통 걷어 내다, 훑다	
2140 flare	통 확 타오르다	
2141 fraction	명 부분	
2142 mend	통 고치다, 수리하다	
2143 solicit	통 간청하다	
2144 catalyst	명 촉매	
2145 sentient	형 지각이 있는	
2146 credulous	형 잘 믿는	
2147 dispersion	명 확산, 분산	
2148 patronage	명 후원	
2149 engulf	통 휩싸다	
2150 treadmill	명 러닝 머신	
2151 come in handy ✔	쓸모가 있다, 도움이 되다	
2152 at no charge	무료로	
2153 make a face ✔	얼굴을 찌푸리다	
2154 win hands down	쉽게 이기다	
2155 lend oneself to	~에 도움이 되다, 적합하다	
2156 go awry	실패하다	
2157 on track	제대로 진행되고 있는	
2158 make it a rule to	~하기로 정하다	
2159 leave out ✔	~을 빼다	
2160 pin one's faith on	~을 굳게 믿다	

⏱ 1초 Quiz

1. recipient _____
2. demographic _____
3. restrain _____
4. 부분 _____
5. 간청하다 _____
6. 무료로 _____

정답 | 1. 수령인, 수혜자 2. 인구 통계의 3. 억제하다, 제지하다 4. fraction 5. solicit 6. at no charge

Day 28

Day 28 음성 바로 듣기

최빈출 단어

2161 ground [graund] ✔1	명 이유, 근거 / 명 땅, 지면	
2162 largely [lá:rdʒli]	부 대체로, 주로 / 부 대규모로	
2163 foundation [faundéiʃən]	명 설립 / 명 토대, 기초, 기반 / 명 재단	
2164 recession [riséʃən] ✔	명 불경기, 불황 / 명 후퇴, 물러남	
2165 resolve [rizá:lv] ✔2	동 해결하다	
2166 prosperity [prɑːspérəti]	명 번영, 성공	
2167 mankind [mænkáind]	명 인류	
2168 conscious [ká:nʃəs]	형 의식적인, 의식이 있는	
2169 dominate [dá:mənèit]	동 지배하다	
2170 register [rédʒistər]	동 (정식으로) 등록하다, 기록하다 / 명 기록, 등록부	
2171 comprise [kəmpráiz]3	동 구성하다, 포함하다	

빈출 단어

2172 instinct [ínstiŋkt]	명 본능, 직감	
2173 disgust [disgÁst] ✔	명 역겨움, 혐오감 / 동 혐오감을 유발하다	
2174 sediment [sédəmənt]	명 침전물, 앙금	

2175 nocturnal [nɑːktə́:rnl] ✔	형 야행성의	
2176 dissolve [dizá:lv]	동 용해되다, 녹이다 / 동 해체시키다	
2177 denounce [dináuns] ✔4	동 맹렬히 비난하다, 고발하다 / 동 파기하다, 종료를 통고하다	
2178 inspect [inspékt] ✔5	동 점검하다, 검사하다	
2179 buoyant [bɔ́iənt]	형 부력이 있는, (물에) 뜰 수 있는 / 형 경기가 좋은, 활황인	
2180 vigorous [víɡərəs]6	형 활발한, 격렬한	
2181 deposit [dipá:zit]	동 예금하다 / 동 침전하다, 침전시키다 / 명 예금, 보증금	
2182 delegate [déligət] [déligèit]	명 대표, 사절단 / 동 (권한을) 위임하다	
2183 corroborate [kərá:bərèit] ✔	동 확증하다, (증거나 정보를) 제공하다	
2184 barter [bá:rtər]7	동 물물교환하다	
2185 lapse [læps] ✔	명 경과 / 동 쇠퇴하다	
2186 willpower [wílpauər]	명 의지력	
2187 affiliation [əfìliéiʃən]	명 소속, 가입 / 명 제휴	
2188 cardinal [ká:rdənl] ✔	형 기본적인, 아주 중요한 / 명 추기경	

대표 기출 예문

1. The company decided to stop the project on the **grounds** that funding was insufficient.
그 회사는 자금이 불충분하다는 이유로 그 프로젝트를 멈추기로 결정했다.

2. Scientists devoted a great deal of effort to **resolving** the problem.
과학자들은 문제를 해결하는 것에 많은 노력을 쏟았다.

3. The Renaissance movement **comprised** many different painting styles.
르네상스 운동은 많은 다양한 화풍을 구성했다.

4. The next day, the newspaper carried headlines that students had **denounced** the British professor.
다음날, 그 신문은 학생들이 영국인 교수를 맹렬히 비난했다는 헤드라인을 실었다.

5. City officials must **inspect** all new structures to ensure they meet current building codes.
시 공무원들은 현재의 건축 법규를 준수하는지 확실히 하기 위해 모든 새로운 건축물을 점검해야 한다.

6. Children and teens should get 60 minutes of **vigorous** physical activity every day.
어린이들과 청소년들은 매일 60분씩 활발한 신체 활동을 해야 한다.

7. When people **bartered**, they knew the values of the objects they exchanged.
사람들은 물물교환할 때, 자신들이 교환한 물건의 가치를 알았다.

8. Scientists warn that we cannot **take** our forests **for granted**.
과학자들은 우리가 우리의 숲을 당연히 여겨서는 안 된다고 경고한다.

빈출 숙어

2189 □□□	take on ✔	(일·책임을) 맡다, 지다; ~를 고용하다; 태우다, 싣다
2190 □□□	make up for ✔	만회하다, 보충하다
2191 □□□	take ~ for granted ✔[8]	~을 당연히 여기다
2192 □□□	let alone	~은 고사하고, ~은 커녕
2193 □□□	see eye to eye ✔	의견을 같이하다
2194 □□□	give off	(냄새·열·빛 등을) 내뿜다, 발산하다

완성 어휘

2195 □□□	pinpoint	통 딱 집어내다
2196 □□□	indistinguishable	형 구분하기 어려운
2197 □□□	vain	형 헛된, 소용없는
2198 □□□	derivative	형 파생된 명 파생 상품
2199 □□□	hindsight	명 뒤늦은 깨달음
2200 □□□	thrust	통 밀다, 찌르다
2201 □□□	declaim ✔	통 열변을 토하다
2202 □□□	beguile	통 (마음을) 끌다, 구슬리다
2203 □□□	condescending ✔	형 거들먹거리는, 생색을 내는
2204 □□□	explicate ✔	통 설명하다, 해명하다
2205 □□□	slander ✔	통 중상모략하다 명 모략, 비방
2206 □□□	intention	명 의도, 목적
2207 □□□	perish	통 소멸되다
2208 □□□	pseudo	형 허위의, 가짜의
2209 □□□	intermittent ✔	형 간헐적인
2210 □□□	metaphorical	형 비유의
2211 □□□	mindset	명 사고방식

2212 □□□	anguish ✔	명 괴로움
2213 □□□	fortitude	명 불굴의 용기
2214 □□□	trickery	명 속임수, 사기
2215 □□□	vociferous ✔	형 소리 높여 표현하는
2216 □□□	temporal	형 시간의, 속세의
2217 □□□	blizzard	명 눈보라
2218 □□□	covert ✔	형 비밀의, 은밀한
2219 □□□	subsidiary	형 부수적인
2220 □□□	predate	통 ~보다 앞서다
2221 □□□	congestion	명 혼잡
2222 □□□	counterfeit	형 위조의, 모조의
2223 □□□	volatile	형 휘발성의, 변덕스러운
2224 □□□	discriminating	형 안목 있는
2225 □□□	fickle	형 변덕스러운
2226 □□□	crooked	형 비뚤어진
2227 □□□	outlive	통 ~보다 더 오래 살다
2228 □□□	humidity	명 습도
2229 □□□	payoff	명 지불, 청산
2230 □□□	bilateral	형 쌍방의
2231 □□□	put in mind ✔	상기시키다
2232 □□□	deem to	~으로 여기다, 생각하다
2233 □□□	out of control	통제 불능의
2234 □□□	put one's feet up	누워서 쉬다
2235 □□□	lose sight of	~을 잊다, 망각하다
2236 □□□	out of reach	힘이 미치지 않는 곳에
2237 □□□	weigh down ✔	~을 짓누르다
2238 □□□	call up	~을 불러일으키다
2239 □□□	come into play	작동하기 시작하다
2240 □□□	had better	~하는 것이 좋다

Day 28

해커스공무원 영어 어휘

1초 Quiz

1. lapse _____
2. vain _____
3. explicate _____
4. 혼잡 _____
5. 지배하다 _____
6. 쌍방의 _____

정답 | 1. 경과하다; 사라지다 2. 헛된; 소용없는 3. 설명하다, 해명하다 4. congestion 5. dominate 6. bilateral

최빈출 단어

2241 **access** [ǽkses]	명 접근, 입장 / 동 접근하다, 접속하다
2242 **accumulate** [əkjúːmjulèit]	동 축적하다, 모으다
2243 **ethical** [éθikəl]	형 윤리적인, 도덕적인
2244 **protest** 명[próutest] 동[prətést]	명 항의, 반발 / 동 항의하다, 반발하다
2245 **remarkable** [rimáːrkəbl]	형 놀랄 만한, 주목할 만한
2246 **adjust** [ədʒʌ́st]	동 조정하다, 조절하다 / 동 적응하다
2247 **exceed** [iksíːd]	동 초과하다, 능가하다
2248 **organ** [ɔ́ːrgən]	명 장기, 기관
2249 **confront** [kənfrʌ́nt]	동 직면하다, 맞닥뜨리다 / 동 상황 등에 맞서다
2250 **deadly** [dédli]	형 치명적인, 생명을 앗아가는
2251 **electrical** [iléktrikəl]	형 전자의, 전기를 사용하는

빈출 단어

2252 **debris** [dəbríː]	명 잔해, 파편
2253 **highlight** [háilàit]	동 강조하다 / 명 가장 흥미로운 부분

2254 **perpetual** [pərpétʃuəl]	형 끊임없는, 계속되는
2255 **addiction** [ədíkʃən]	명 중독
2256 **reproduce** [rìprədús]	동 번식하다 / 동 복제하다, 모조하다 / 동 재생하다, 재현하다
2257 **gradual** [grǽdʒuəl]	형 점진적인
2258 **conspicuous** [kənspíkjuəs]	형 뚜렷한, 눈에 띄는
2259 **detain** [ditéin]	동 구금하다, 억류하다 / 동 지체하다
2260 **aerospace** [ɛ́rouspèis]	형 항공 우주의 / 명 항공 우주 산업
2261 **bewilder** [biwíldər]	동 당황하게 하다
2262 **misfortune** [misfɔ́rtʃən]	명 불운, 불행
2263 **shortly** [ʃɔ́ːrtli]	부 (~한지) 얼마 안 되어, 곧
2264 **reconstruct** [rìkənstrʌ́kt]	동 재건하다, 복원하다
2265 **desperate** [déspərət]	형 절박한, 필사적인
2266 **recurring** [rikə́ːriŋ]	형 반복되는, 되풀이되는
2267 **spurious** [spjúəriəs]	형 거짓된, 위조의
2268 **clandestine** [klændéstin]	형 비밀의, 은밀한

대표 기출 예문

1. It is easy to think of work simply as a means to **accumulate** money.
직업을 단순히 돈을 축적하기 위한 수단으로 생각하기 쉽다.

2. Social practices should be **adjusted** for the greater benefit of humanity.
사회의 관행들은 인류의 더 큰 이익을 위해 조정되어야 한다.

3. Some species become extinct when **confronted** with a sudden change to their environment.
어떤 종들은 자신의 환경에 대한 급격한 변화에 직면했을 때 멸종하게 된다.

4. Our mind **highlights** evidence that confirms what we already believe.
우리 마음은 우리가 이미 믿고 있는 것을 확인하는 증거를 강조한다.

5. The fall of the Roman Empire was a **gradual** process.
로마 제국의 몰락은 점진적인 과정이었다.

6. The suspect was **detained** at the airport and prevented from leaving the country.
그 용의자는 공항에서 구금되었고, 그 나라를 떠나는 것을 저지당했다.

7. There were **desperate** efforts to trace the last signals from the missing plane.
실종된 비행기로부터 나온 마지막 신호들을 추적하기 위한 절박한 노력들이 있었다.

8. Tests **ruled out** dirt and poor sanitation as causes of fever.
검사는 열의 원인으로 먼지와 열악한 위생을 배제했다.

빈출 숙어

2269	be interested in 🌱	~에 관심이 있다
2270	carry out 🌱	수행하다, 이행하다
2271	in an effort to	~하기 위한 노력으로
2272	rule out 🌱[8]	배제하다, 제외시키다
2273	for good 🌱	영원히
2274	take a day off 🌱	하루 쉬다

완성 어휘

2275	transient 🌱	형 일시적인, 순간적인
2276	depraved	형 타락한, 부패한
2277	afflict	동 피해를 입히다, 괴롭히다
2278	lofty 🌱	형 고귀한, 고결한
2279	irascible	형 화를 잘 내는
2280	deduction	명 공제, 추론
2281	infallible 🌱	형 확실한, 틀림없는
2282	specious	형 허울만 그럴듯한
2283	laid-back 🌱	형 느긋한, 태평스러운
2284	swirl	동 소용돌이치다
2285	nag	동 잔소리하다
2286	sequel	명 속편
2287	profuse	형 많은, 사치스러운
2288	dissemble	동 (감정·의도를) 숨기다
2289	connive	동 묵인하다
2290	epochal	형 획기적인
2291	advisory	형 조언하는, 자문의
2292	plenitude	명 풍부함, 완전함
2293	thrilled 🌱	형 신이 난, 흥분한

2294	admonition 🌱	명 책망, 경고
2295	glorious	형 영광스러운
2296	personnel	명 직원, 인사과
2297	blush	동 얼굴을 붉히다
2298	methodically	부 체계적으로
2299	subsist	동 근근이 살아가다
2300	intelligible	형 이해할 수 있는
2301	grieve	동 비통해하다
2302	hectic	형 정신없이 바쁜
2303	voracious	형 게걸스러운
2304	forestall	동 미연에 방지하다
2305	salvation	명 구원, 구조
2306	stomp	동 발을 구르다
2307	humming	명 콧노래
2308	peacemaking	명 조정, 중재
2309	live on	~으로 먹고 살다
2310	be treated with	치료를 받다
2311	an array of	~의 무리, 집합
2312	be fond of	~을 좋아하다
2313	take measure	조치를 취하다
2314	go for	~을 선택하다
2315	slam into	~에 쾅 하고 충돌하다
2316	do a good turn	남에게 친절하게 하다
2317	be survived by	~보다 먼저 죽다
2318	parcel out	(여러 부분으로) ~을 나누다
2319	stand up to	~에 맞서다
2320	stick up for	~를 변호하다, ~을 방어하다

⏱ **1초 Quiz**

1. exceed _____   2. hectic _____   3. afflict _____

4. 중독 _____   5. 비통해하다 _____   6. 조치를 취하다 _____

정답 | 1. 초과하다, 능가하다 2. 정신없이 바쁜 3. 피해를 입히다, 괴롭히다 4. addiction 5. grieve 6. take measure

Day 30

최빈출 단어

2321	convince [kənvíns]	통 설득하다, 확신시키다
2322	disorder [disɔ́:rdər]	명 장애 명 엉망, 어수선함
2323	incident [ínsədənt]	명 사건, 일
2324	portion [pɔ́:rʃən]	명 일부, 부분 통 나누다, 분배하다
2325	illegal [ilí:gəl] [1]	형 불법적인
2326	procedure [prəsí:dʒər]	명 과정, 절차
2327	elaborate [ilǽbərət]	형 정교한, 섬세한 형 화려한 통 자세히 설명하다
2328	hostile [há:stl]	형 적대적인
2329	celebrity [səlébrəti]	명 유명인
2330	fragile [frǽdʒəl] [2]	형 깨지기 쉬운, 취약한

빈출 단어

2331	ambivalent [æmbívələnt]	형 상반되는, 반대 감정이 엇갈리는 형 불확실한
2332	trivial [tríviəl] [3]	형 사소한, 하찮은
2333	trail [treil]	명 등산로, 오솔길 통 질질 끌다, 따라가다

2334	exclusive [iksklú:siv]	형 독점적인, 전용의
2335	revive [riváiv]	통 활기를 되찾게 하다, 소생시키다
2336	designate [dézignèit] [4]	통 지정하다, 임명하다 통 명시하다, 나타내다
2337	patience [péiʃəns]	명 인내심, 참을성
2338	recruit [rikrú:t] [5]	통 모집하다, (사람을) 뽑다 명 신병
2339	humble [hʌ́mbl]	형 겸손한 형 보잘것없는, 초라한
2340	affordable [əfɔ́:rdəbl] [6]	형 (가격이) 적당한, 알맞은
2341	shield [ʃi:ld] [7]	통 막다, 보호하다 명 방패, 보호막
2342	shrewd [ʃru:d]	형 기민한, 상황 판단이 빠른
2343	lifelong [láiflɔ̀:ŋ]	형 일생의, 평생 동안의
2344	aftermath [ǽftərmæ̀θ]	명 여파
2345	hospitable [há:spitəbl]	형 친절한 형 쾌적한, 지내기 좋은
2346	ripe [raip]	형 익은, 숙성한
2347	collateral [kəlǽtərəl]	명 담보물
2348	elucidate [ilú:sədèit]	통 설명하다, 해명하다

대표 기출 예문

1. The authorities have no measures to regulate **illegal** private tutoring by foreigners.
   당국은 외국인들의 불법 과외를 규제할 어떠한 조치도 가지고 있지 않다.

2. The product was considered too **fragile**.
   그 제품은 매우 깨지기 쉽다고 여겨졌다.

3. You might have failed to decide on priorities because of everyday **trivial** matters.
   당신은 매일의 사소한 문제들 때문에 우선순위를 결정하는 데 실패해 왔을 수도 있다.

4. The Taj Mahal was **designated** a UNESCO World Heritage Site in 1983.
   타지마할은 1983년에 유네스코 세계 문화유산 보호구역으로 지정되었다.

5. Most of the employees were **recruited** from the long-term unemployed.
   대부분의 직원들은 장기 실업자 중에서 모집되었다.

6. Plans to develop an **affordable** electric car were delayed.
   가격이 적당한 전기 자동차를 개발하려는 계획은 지연되었다.

7. Being bilingual can **shield** against dementia in old age.
   이중 언어를 사용하는 것은 노년에 치매를 막을 수 있다.

8. I **got rid of** old stuff when I moved to a new house.
   나는 새집으로 이사할 때 오래된 물건들을 처리했다.

빈출 숙어

2349 □□□	cope with ✔	대처하다
2350 □□□	go[do] without	~없이 지내다
2351 □□□	take off	이륙하다; (옷 등을) 벗다
2352 □□□	get rid of[8]	~을 처리하다, 없애다
2353 □□□	be far from	전혀 ~이 아닌
2354 □□□	long for	열망하다, 갈망하다

완성 어휘

2355 □□□	substandard	형 표준 이하의
2356 □□□	sovereignty	명 자주권, 통치권
2357 □□□	patronizing ✔	형 거만한, 거드름 피우는
2358 □□□	self-complacency	명 자아도취
2359 □□□	markup	명 가격 인상
2360 □□□	naughty ✔	형 버릇없는
2361 □□□	degenerate ✔	동 악화되다, 퇴보하다
2362 □□□	stark ✔	형 황량한, 음산한, 극명한
2363 □□□	side-by-side	형 나란히 있는
2364 □□□	derogatory ✔	형 경멸적인, 무례한
2365 □□□	lax ✔	형 허술한, 느슨한
2366 □□□	prejudge	동 속단하다
2367 □□□	serenity ✔	명 고요함
2368 □□□	rehabilitate	동 갱생시키다, 복구하다
2369 □□□	refutation ✔	명 반박, 논박
2370 □□□	pique	동 화나게 하다, 화내다
2371 □□□	expel	동 쫓아내다, 추방하다
2372 □□□	middling	형 중간의, 중간급의
2373 □□□	strangle	동 억압하다, 묵살하다

2374 □□□	muddle ✔	동 뒤죽박죽을 만들다
2375 □□□	acclaim	동 칭찬하다
2376 □□□	philanthropist	명 자선가
2377 □□□	cascade	동 폭포처럼 흐르다
2378 □□□	transfusion	명 수혈
2379 □□□	bid	명 입찰, 입찰가격
2380 □□□	gullible	형 잘 속아 넘어가는
2381 □□□	impenitent	형 부끄러워하지 않는
2382 □□□	abrupt	형 돌연한, 갑작스런
2383 □□□	pendulous	형 축 늘어져 대롱거리는
2384 □□□	incontrovertible	형 반박의 여지가 없는
2385 □□□	renewed	형 재개된, 새로워진
2386 □□□	ailment	명 질병
2387 □□□	idiomatic	형 관용구의
2388 □□□	make a fortune	재산을 모으다
2389 □□□	go green	친환경적이 되다
2390 □□□	weigh on	압박하다, 괴롭히다
2391 □□□	rush into	급하게 ~하다
2392 □□□	bear out	지지하다, 증명하다
2393 □□□	be in progress	진행 중이다
2394 □□□	take precedence	우선권을 얻다
2395 □□□	go under	파산하다, 가라앉다
2396 □□□	root for	~를 응원하다
2397 □□□	get ~ off the hook	곤경을 면하다
2398 □□□	get by	그럭저럭 해 나가다
2399 □□□	be in league with	~와 한통속인
2400 □□□	in the absence of	~이 없을 때에

Day 30

해커스공무원 영어 어휘

1초 Quiz

1. hostile ＿＿＿＿＿＿＿

2. sovereignty ＿＿＿＿＿＿＿

3. ailment ＿＿＿＿＿＿＿

4. 여파 ＿＿＿＿＿＿＿

5. 대처하다 ＿＿＿＿＿＿＿

6. 돌연한, 갑작스런 ＿＿＿＿＿＿＿

정답 | 1. 적대적인 2. 자주권, 통치권 3. 질병 4. aftermath 5. cope with 6. abrupt

Day 31

Day 31 음성 바로 듣기

최빈출 단어

2401 □□□ **project** 명[prɑ́dʒekt] 동[prədʒékt]	명	사업, 계획
	동	비추다, 투영하다
	동	예상하다, 추정하다
2402 □□□ **emerge** [imə́ːrdʒ] [1]	동	나타나다, 부상하다
2403 □□□ **profession** [prəféʃən]	명	직종, 직업
2404 □□□ **amendment** [əméndmənt]	명	수정 조항, 개정
2405 □□□ **legislation** [lèdʒisléiʃən] [2]	명	(제정된) 법안
	명	법률 제정, 입법 행위
2406 □□□ **judicial** [dʒuːdíʃəl]	형	사법의, 재판의
2407 □□□ **chronic** [krɑ́ːnik]	형	만성의, 장기적인
2408 □□□ **profitable** [prɑ́ːfitəbl]	형	이익이 되는, 수익성이 있는
2409 □□□ **simultaneously** [sàiməltéiniəsli]	부	동시에, 일제히
2410 □□□ **mitigate** [mítəgèit] [3]	동	완화하다, 경감시키다

빈출 단어

2411 □□□ **counterpart** [káuntərpɑ̀ːrt]	명	대응하는 것, 상대
2412 □□□ **mandatory** [mǽndətɔ̀ːri]	형	의무적인, 강제적인
2413 □□□ **dismiss** [dismís] [4]	동	해산시키다, 해고하다
	동	묵살하다, 무시하다
2414 □□□ **starvation** [stɑːrvéiʃən]	명	굶주림, 기아

2415 □□□ **futile** [fjúːtl]	형	소용없는, 헛된
2416 □□□ **refine** [rifáin] [5]	동	정제하다, 제련하다
	동	개선하다, 개량하다
2417 □□□ **allowance** [əláuəns]	명	용돈
2418 □□□ **humility** [hjuːmíləti]	명	겸손
2419 □□□ **revenge** [rivéndʒ]	명	복수, 보복
	동	복수하다
2420 □□□ **agenda** [ədʒéndə]	명	의제, 안건
2421 □□□ **squander** [skwɑ́ːndər] [6]	동	낭비하다, 허비하다
2422 □□□ **sturdy** [stə́ːrdi]	형	견고한, 확고한
2423 □□□ **oversight** [óuvərsàit] [7]	명	감독, 관리
	명	(못 보고 지나쳐서 생긴) 실수, 간과
2424 □□□ **aloft** [əlɔ́ːft]	부	공중에, (하늘) 높이
2425 □□□ **deleterious** [dèlitíəriəs]	형	해로운, 유해한
2426 □□□ **pending** [péndiŋ]	형	미결인, 미정인
	형	임박한
2427 □□□ **subsidy** [sʌ́bsədi]	명	보조금, 장려금
2428 □□□ **complacent** [kəmpléisnt]	형	자기 만족적인, 현실에 안주하는

대표 기출 예문

1. She **emerged** as the clear choice for the newest board member.
   그녀는 신임 임원 자리에 대해 확실하게 선택될 자격이 있는 사람으로 나타났다.

2. The lawmakers introduced **legislation** that prevents sports team owners from profiting excessively.
   입법자들은 스포츠 구단주들이 과도하게 이윤을 내는 것을 금지하는 법안을 도입했다.

3. The government should **mitigate** economic inequality.
   정부는 경제적 불균형을 완화해야 한다.

4. The government **dismissed** the parliament after an argument over the financial crisis.
   정부는 경제 위기에 대한 논쟁 이후에 의회를 해산시켰다.

5. The company learned how to test and **refine** chemicals.
   그 회사는 화학 물질들을 시험하고 정제하는 법을 배웠다.

6. He **squandered** all of his savings on a bad investment.
   그는 불량 투자에 그의 모든 저축금을 낭비했다.

7. Much has been done to arrange strict **oversight** of the financial sector.
   금융 부문에 대한 엄격한 감독을 마련하기 위해 많은 것들이 실행되어왔다.

8. The details are complicated, but the **bottom line** is that he lied to us.
   세부 사항은 복잡하지만, 핵심은 그가 우리에게 거짓말을 했다는 것이다.

빈출 숙어

2429	work on		~에 공을 들이다, 애쓰다
2430	be open to		~에 열린 마음을 가지다; ~에 개방되어 있다, ~의 여지가 있다
2431	take down ✔		콧대를 꺾다; ~을 낮추다, 내리다
2432	and the like		~ 같은 것, 기타 등등
2433	bottom line ✔⁸		핵심, 요지; 순이익
2434	at first glance		언뜻 보기에는, 처음에는

완성 어휘

2435	sincerity	명	성실, 정직
2436	professed	형	공공연한, 공언된
2437	deterrent	명 형	제지 제지하는
2438	rationale	명	이유, 근거
2439	delusion ✔	명	망상, 착각
2440	intrepid ✔	형	두려움을 모르는
2441	propagate	통	선전하다
2442	revelation	명	폭로
2443	run-down	형	황폐한
2444	skittish	형	변덕스러운, 겁이 많은
2445	solitude	명	고독
2446	destitute ✔	형	빈곤한, 가난한
2447	underscore	통	강조하다, ~에 밑줄을 긋다
2448	solicitude ✔	명	배려, 걱정
2449	downplay	통	경시하다
2450	smack	통	(손바닥으로) 때리다
2451	boon ✔	명	혜택, 이익
2452	fertilization	명	비옥화, (생물의) 수정

2453	omnivorous ✔	형	잡식성의
2454	carnivore	명	육식동물
2455	contender	명	경쟁자, 도전자
2456	astute	형	약삭빠른, 영악한
2457	leniently ✔	부	관대하게, 인자하게
2458	pictorial	형	그림의, 그림 같은
2459	cede	통	넘겨주다, 양도하다
2460	delectable ✔	형	아주 맛있는
2461	turbulence	명	난기류
2462	bygone	형	지나간, 옛날의
2463	adamant	형	견고한, 단호한
2464	solemn	형	엄숙한, 진지한
2465	supersede	통	대체하다
2466	feasibility	명	실행 가능성
2467	impassable	형	지나갈 수 없는
2468	penitence ✔	명	뉘우침, 참회
2469	turn down ✔		~을 거절하다
2470	iron out ✔		해결하다, 다림질하다
2471	lose one's temper		화를 내다
2472	at loose ends ✔		하는 일 없이
2473	lose track of		~을 놓치다
2474	come into force		효력을 발생하다
2475	meet the needs		요구를 충족시키다
2476	fool into		속여서 ~하게 시키다
2477	mark off		구별하다
2478	lift the ban on		~에 대한 금지를 없애다
2479	rip across		둘로 자르다, 쪼개다
2480	put ~ in one's shoes		~의 입장에 처하게 하다

Day 31

해커스공무원 영어 어휘

1초 Quiz

1. humility _____

2. chronic _____

3. subsidy _____

4. 경시하다 _____

5. 실행 가능성 _____

6. ~을 거절하다 _____

✔ = 어휘 영역 출제

Day 32

Day 32 음성 바로 듣기

최빈출 단어

2481 **completely** [kəmplíːtli]	뷔 완전히, 철저히	
2482 **facility** [fəsíləti]	몡 시설, 기관	
2483 **suspect** 됭[səspékt] [1] 몡[sʌspekt]	동 의심하다 / 몡 용의자, 요주의 인물	
2484 **instrument** [ínstrəmənt]	몡 악기 / 몡 기구, 도구	
2485 **constitute** [káːnstətjùːt]	동 구성하다, 이루다 / 동 제정하다	
2486 **satellite** [sǽtəlàit]	몡 인공위성, 위성 / 혱 인공위성의, 위성의	
2487 **relevant** [réləvənt]	혱 관련 있는, 적절한	
2488 **distract** [distrǽkt] [2]	동 산만하게 하다	
2489 **challenging** [tʃǽlindʒiŋ]	혱 힘든, 도전적인	
2490 **solely** [sóulli]	뷔 오로지, 단독으로	

빈출 단어

2491 **grab** [græb]	동 붙잡다, 움켜잡다 / 동 관심을 끌다	
2492 **endeavor** [indévər]	몡 시도, 노력 / 동 노력하다, 애쓰다	
2493 **companion** [kəmpǽnjən]	몡 (마음이 맞는) 친구, 벗, 동반자	
2494 **defect** [díːfekt]	몡 결함, 흠	

2495 **ample** [ǽmpl]	혱 충분한, 풍만한	
2496 **council** [káunsəl] [3]	몡 의회	
2497 **stubborn** [stʌ́bərn]	혱 고집이 센, 완고한 / 혱 다루기 힘든	
2498 **altruism** [ǽltruːìzm]	몡 이타심, 이타주의	
2499 **parallel** [pǽrəlèl]	혱 평행한, 평행의 / 동 유사하다 / 몡 위도선	
2500 **skeptical** [sképtikəl] [4]	혱 회의적인, 의심 많은 / 혱 무신론자의	
2501 **dissemination** [disèmənéiʃən]	몡 보급, 전파	
2502 **reconcile** [rékənsàil] [5]	동 중재하다, 화해시키다 / 동 받아들이다	
2503 **devastation** [dèvəstéiʃən]	몡 파괴, 황폐화	
2504 **sporadic** [spərǽdik] [6]	혱 산발적인, 이따금 발생하는	
2505 **damp** [dæmp]	혱 습기 찬, 축축한	
2506 **literacy** [lítərəsi]	몡 (글을) 읽고 쓸 줄 아는 능력	
2507 **confirmed** [kənfə́ːrmd]	혱 (버릇 등이) 상습적인 / 혱 확고한, 굳어진	
2508 **agitate** [ǽdʒitèit] [7]	동 뒤흔들다, 휘젓다	
2509 **supercilious** [sùːpərsíliəs]	혱 거만한, 남을 얕보는	

대표 기출 예문

1. The students were **suspected** of cheating on the exam because they had identical answers.
   학생들은 그들의 정답이 동일했기 때문에 시험에서 부정행위를 한 의심을 받았다.

2. He was so **distracted** by his daughter's question that he exceeded the speed limit.
   그는 딸의 질문에 산만해져서 속도 제한을 초과했다.

3. Systems of government range from a **council** of elders to a democracy.
   정부의 체제는 원로 의회에서 민주주의까지 다양하다.

4. The president was **skeptical** about the agreement.
   대통령은 그 협정에 대해 회의적이었다.

5. Society should **reconcile** the needs of the individual and those of the community.
   사회는 개인과 공동체의 요구를 중재해야 한다.

6. **Sporadic** revolutions continued until the collapse of the Soviet Union.
   소련이 붕괴되기 전까지 산발적인 혁명이 계속되었다.

7. Sea foam forms when the ocean is **agitated** by waves.
   바다 거품은 바다가 파도에 의해 뒤흔들릴 때 형성된다.

8. The policy **shored up** the social safety net.
   그 정책은 사회 안전망을 강화했다.

빈출 숙어

2510	**as opposed to**	~과는 반대로, ~과는 대조적으로
2511	**fall on** 🌱	~의 책임이다, ~에 해당하다
2512	**try out**	시험 삼아 사용해 보다
2513	**shore up** 🌱[8]	강화하다, 떠받치다
2514	**fill up** 🌱	차다, 채우다

완성 어휘

2515	**monotony**	명 단조로움
2516	**subservient**	형 굴종하는
2517	**disobedient** 🌱	형 복종하지 않는, 반항하는
2518	**delude** 🌱	동 속이다
2519	**intractable** 🌱	형 고집 센, 다루기 힘든
2520	**ramification** 🌱	명 파문, (좋지 못한) 결과
2521	**bracket**	명 (소득의) 구분, 계층
2522	**fervor**	명 열의, 열정
2523	**tactful**	형 요령 있는
2524	**sermon**	명 설교
2525	**monument**	명 기념물, 기념비적인 것
2526	**soundly**	부 곤히, 깊이
2527	**plausible**	형 그럴듯한
2528	**authoritative**	형 권위 있는, 믿을 만한
2529	**exponential**	형 급격한, 기하급수적인
2530	**mischievous**	형 짓궂은, 해를 끼치는
2531	**slack** 🌱	형 느슨한, 느린
2532	**high-end**	형 고급의
2533	**dominion**	명 지배, 지배권, 영토
2534	**listless**	형 열의가 없는, 무기력한

2535	**interplay**	명 상호 작용
2536	**pigment**	명 색소, 안료
2537	**chromosome**	명 염색체
2538	**nonchalance**	명 태연함, 아랑곳하지 않음
2539	**acquit**	동 석방하다, 면제하다
2540	**coarse**	동 조악한, 조잡한
2541	**stagnate**	동 침체되다
2542	**grudge**	명 원한
2543	**collide**	동 충돌하다, 상충하다
2544	**adoptive**	형 입양으로 맺어진
2545	**laborious**	형 힘든
2546	**erudite**	형 학식 있는, 박식한
2547	**noteworthy**	형 주목할 만한, 현저한
2548	**imperil**	동 위태롭게 하다
2549	**penury**	명 가난, 궁핍
2550	**keep one's feet on the ground**	현실적이다
2551	**tender age**	(경험이 없는) 어린 나이
2552	**be intent on**	~에 열중하다
2553	**turn back**	되돌아오다, 되돌리다
2554	**be chained to** 🌱	~에 속박당하다, 묶이다
2555	**stay in shape**	건강을 유지하다
2556	**hold back**	억제하다, 막다
2557	**make believe**	~인 체하다, 믿게 만들다
2558	**think back to**	~을 회상하다
2559	**boast of**	~을 뽐내다
2560	**be on the verge of**	~하기 직전에

Day 32

해커스공무원 영어 어휘

1초 Quiz

1. constitute _____

2. tactful _____

3. endeavor _____

4. 결함, 흠 _____

5. 그럴듯한 _____

6. 원한 _____

정답 | 1. 구성하다, 이루다; 제정하다 2. 요령 있는 3. 시도, 노력 4. defect 5. plausible 6. grudge

🌱 = 어휘 영역 출제

Day 33

최빈출 단어

2561 conduct [kəndʌkt]¹	통 실시하다, (특정한 활동을) 하다	
2562 satisfy [sǽtisfài]	통 충족시키다, 만족시키다	
2563 violence [váiələns]	명 폭력, 폭행 / 명 격렬함, 맹렬함	
2564 interfere [ìntərfíər]²	통 개입하다, 간섭하다 / 통 방해하다	
2565 prime [praim]	형 주된, 주요한 / 형 제1의, 최초의	
2566 neglect [niglékt]	통 등한시하다, 무시하다 / 명 방치, 소홀	
2567 steadily [stédili]³	부 꾸준히, 한결같이	
2568 cultivate [kʌ́ltəvèit]	통 재배하다, 경작하다 / 통 (재능 등을) 기르다, 함양하다	
2569 diminish [dimíniʃ]	통 떨어뜨리다, 줄어들다 / 통 약해지다, 약화시키다	
2570 deserve [dizə́ːrv]	통 ~을 받을 자격이 있다	

빈출 단어

2571 surrender [səréndər]⁴	통 항복하다, 굴복하다 / 통 (권리 등을) 포기하다, 내주다	
2572 immense [iméns]	형 엄청난, 어마어마한 / 형 헤아릴 수 없는	

2573 reverse [rivə́ːrs]	명 반대, 반전 / 통 뒤집다, 뒤바꾸다 / 형 반대의, 뒤집힌	
2574 precise [prisáis]	형 정확한, 정밀한	
2575 scramble [skrǽmbl]	통 애쓰다 / 통 쟁탈하다 / 명 쟁탈, 쟁탈전	
2576 corruption [kərʌ́pʃən]	명 부패	
2577 toil [tɔil]	명 노력 / 통 애쓰다, 열심히 일하다	
2578 amid [əmíd]	전 (~하는) 가운데에서, ~의 한복판에서	
2579 ignite [ignáit]	통 ~에 불을 붙이다	
2580 undertaking [ʌ̀ndərtéikiŋ]	명 (중요한) 일, 사업 / 명 약속, 동의	
2581 obsess [əbsés]⁵	통 사로잡다, ~에 집착하게 하다	
2582 domesticate [dəméstikèit]	통 길들이다, 사육하다, 재배하다	
2583 disparage [dispǽridʒ]⁶	통 폄하하다, 헐뜯다	
2584 nutrient [njúːtriənt]	명 영양소	
2585 gratify [grǽtifài]	통 기쁘게 하다	
2586 convoluted [kάːnvəlùːtid]	형 복잡한, 대단히 난해한 / 형 나선형의, 구불구불한	
2587 coincidence [kouínsidəns]	명 우연의 일치	

대표 기출 예문

1. An experiment was **conducted** with a group who had low satisfaction in life.
   실험은 삶의 만족도가 낮은 무리를 대상으로 실시되었다.

2. The police are unwilling to **interfere** in family problems.
   경찰은 집안 문제에 대해서 개입하기를 꺼린다.

3. Gun crimes have **steadily** increased over the last three decades.
   총기 범죄는 지난 30년 동안 꾸준히 증가해왔다.

4. Carthage **surrendered** to Rome in the end.
   카르타고는 결국 로마에 항복했다.

5. It's pointless to be **obsessed** with something that doesn't affect your life.
   당신의 인생에 영향을 미치지 않는 무언가에 사로잡히는 것은 무의미하다.

6. The tax cut was **disparaged** by senators from both parties.
   세금 감면은 양당의 상원 의원들에 의해 폄하되었다.

7. The increasing price of food is a signal that a severe global food crisis is **imminent**.
   식량 가격 상승은 심각한 국제적 식량 위기가 임박해 있다는 신호다.

8. TV and radio stations will have to **abide by** new standards.
   TV와 라디오 방송국은 새로운 기준을 준수해야 할 것이다.

2588 □□□ **burnout** [bə́:rnàut]	명 극도의 피로, 쇠진	
2589 □□□ **imminent** [ímənənt][7]	형 임박한, 목전의 형 절박한	

빈출 숙어

2590 □□□ **get up**	(앉거나 누워 있다가) 일어나다, 깨우다; (바다·바람이) 거세지다	
2591 □□□ **by no means**	결코 ~이 아닌	
2592 □□□ **be eager to**	간절히 ~하고 싶어 하다	
2593 □□□ **at the expense of** 🌱	~의 희생으로, ~을 대가로	
2594 □□□ **abide by** 🌱[8]	준수하다, 지키다	

완성 어휘

2595 □□□ **dictatorship**	명 독재 정권
2596 □□□ **dormant** 🌱	형 휴면기의, 활동을 멈춘
2597 □□□ **stake** 🌱	명 이해관계, 지분
2598 □□□ **decisively**	부 단호하게, 결정적으로
2599 □□□ **enduring**	형 오래가는, 지속되는
2600 □□□ **bustle** 🌱	동 바삐 움직이다
2601 □□□ **allege**	동 혐의를 제기하다
2602 □□□ **statutory** 🌱	형 법에 명시된, 법령에 의한
2603 □□□ **malice**	명 악의
2604 □□□ **suppleness** 🌱	명 유연함, 유순함
2605 □□□ **rebellion**	명 반란, 반대
2606 □□□ **bask**	동 (햇볕을) 쪼이다
2607 □□□ **obstruction** 🌱	명 방해, 차단
2608 □□□ **misbehave**	동 못되게 굴다
2609 □□□ **startle**	동 깜짝 놀라게 하다
2610 □□□ **appalling** 🌱	형 끔찍한

2611 □□□ **zenith** 🌱	명 정점, 천장
2612 □□□ **pillar**	명 기둥
2613 □□□ **compress**	동 압축하다
2614 □□□ **drearily**	부 황량하게, 쓸쓸히
2615 □□□ **hybrid** 🌱	명 혼합물, 합성물
2616 □□□ **overcast**	형 구름이 뒤덮인
2617 □□□ **automation**	명 자동화
2618 □□□ **infamous**	형 악명 높은
2619 □□□ **homogeneous**	형 동종의
2620 □□□ **villain**	명 악당
2621 □□□ **unwarranted**	형 부적절한
2622 □□□ **frost**	명 서리
2623 □□□ **precedented** 🌱	형 전례가 있는
2624 □□□ **impetuosity**	명 격렬, 맹렬
2625 □□□ **photosynthesis**	명 광합성
2626 □□□ **notwithstanding**	전 ~에도 불구하고
2627 □□□ **unaffected**	형 꾸밈없는, 자연스러운
2628 □□□ **shoplift**	동 가게 물건을 훔치다
2629 □□□ **incubate**	동 (알을) 품다, 배양하다
2630 □□□ **have the guts** 🌱	~할 용기가 있다
2631 □□□ **made of money** 🌱	아주 부자인
2632 □□□ **take one's toll**	피해를 주다, 타격을 주다
2633 □□□ **be adept at**	~에 능숙하다
2634 □□□ **set aside**	따로 떼어 두다
2635 □□□ **pass away**	사망하다
2636 □□□ **figure as**	~의 역할을 하다
2637 □□□ **a series of**	연속의, 일련의
2638 □□□ **let go of** 🌱	버리다, 포기하다
2639 □□□ **look the other way**	못 본 척하다
2640 □□□ **step into one's shoes**	~의 후임이 되다

Day 33

해커스공무원 영어 어휘

⏱ 1초 Quiz

1. corruption _____
2. set aside _____
3. infamous _____
4. 기쁘게 하다 _____
5. 방해, 차단 _____
6. 압축하다 _____

정답 | 1. 부패 2. 따로 떼어 두다 3. 악명 높은 4. gratify 5. obstruction 6. compress

최빈출 단어

2641 intelligence [intélədʒəns]	명 지능 명 기밀, 정보요원	
2642 sophisticated [səfístəkèitid]¹	형 정교한, 복잡한 형 세련된, 교양 있는	
2643 discipline [dísəplin]	명 규율, 훈육	
2644 detective [ditéktiv]	명 형사	
2645 deliberate 형[dilíbərət]² [dilíbərèit]	형 의도적인, 고의의 형 신중한, 사려 깊은 통 숙고하다, 심의하다	
2646 utility [ju:tíləti] ✔	명 (가스·수도 등의) 공공시설 명 유용성, 효용	
2647 sanction [sǽŋkʃən] ✔³	명 제재 명 허가, 인가 통 허가하다, 인가하다	
2648 physiological [fìziəládʒikəl] ✔	형 생리적인, 생리학의	
2649 province [prá:vins]	명 지역, 지방 명 (학문 등의) 분야, 영역	
2650 literally [lítərəli]	부 문자 그대로 부 (강조하여) 완전히, 정말	

2653 sting [stiŋ]	명 (곤충 따위의) 침, 찌르기 통 찌르다, 쏘다	
2654 imprison [imprízn]	통 투옥하다 통 ~를 가두다, 감금하다	
2655 accomplishment [əká:mpliʃmənt]	명 업적, 완수	
2656 ignorant [ígnərənt]⁴	형 모르는, 무지한	
2657 fake [feik] ✔	형 가짜의	
2658 passionate [pǽʃənət] ✔	형 열정적인	
2659 arguably [á:rgjuəbli]	부 거의 틀림없이, 주장하건대	
2660 antibiotic [æntibaiá:tik]⁵	명 항생제, 항생물질 형 항생의	
2661 submerge [səbmə́:rdʒ]	통 (물속에) 잠기다, 담그다	
2662 tuition [tju:íʃən]	명 등록금, 학비 명 수업, 교습	
2663 entice [intáis] ✔⁶	통 유인하다, 유혹하다	
2664 residue [rézədjù:]	명 잔여물, 잔류물	
2665 alternate 통[ɔ́:ltərnèit] 형[ɔ́:ltərnət]	통 번갈아 나오게 하다, 　대체하다 형 번갈아 하는	
2666 state-of-the-art [stéitəvðiá:rt]	형 최첨단의, 최신의	
2667 down-to-earth [dauntuə:rθ] ✔⁷	형 현실적인, 세상 물정에 밝은	
2668 surreptitious [sə̀:rəptíʃəs] ✔	형 은밀한, 남몰래 슬쩍 하는 형 부정한	

빈출 단어

2651 extension [iksténʃən]	명 연장, 확장	
2652 drain [drein] ✔	통 물을 빼다, 배수하다	

대표 기출 예문

1. The more **sophisticated** the brain of an animal is, the greater its role becomes.
동물의 뇌가 정교할수록, 그 역할은 더 커진다.

2. My brother said it was an accident, but I think destroying my picture was **deliberate**.
오빠는 그것이 사고라고 했지만, 나는 내 사진을 망가뜨린 것은 의도적이었다고 생각한다.

3. Financial **sanctions** are necessary to prevent nuclear terrorism.
핵무기 테러를 막기 위해 재정적 제재가 필요하다.

4. Many people are **ignorant** about what other cultures are really like.
많은 사람들은 다른 문화들이 정말 어떠한지에 대해 모른다.

5. After people realized the idea of germs, scientists invented **antibiotics**.
사람들이 병균이라는 개념을 깨닫고 나서, 과학자들은 항생제를 발명했다.

6. These flowers **entice** birds and bees who come for the nectar.
이 꽃들은 과즙을 얻기 위해 오는 새와 벌들을 유인한다.

7. The financial manager gave **down-to-earth** advice to his client.
그 재무 관리자는 자신의 고객에게 현실적인 조언을 했다.

8. People with lung conditions may be more **susceptible** to air pollution.
폐 질환을 가진 사람들은 대기 오염에 더 민감할 수 있다.

빈출 숙어

2669 take in ✔	흡수하다, 섭취하다; 속이다	
2670 go into ✔	~을 시작하다; ~을 논하다	
2671 be rooted in	근거를 두다, ~에 원인이 있다	
2672 susceptible to ✔⁸	~에 민감한, 취약한	
2673 preoccupied with	~에 집착하는, ~에 사로잡혀 있는	
2674 be around	존재하다, 부근에 있다	

완성 어휘

2675 diplomatic	형 외교의
2676 solidity	명 견고함
2677 impermissible	형 용납할 수 없는
2678 swarm	명 무리, 떼 동 떼를 짓다
2679 cramp ✔	명 경련, 쥐 동 방해하다
2680 tenacity ✔	명 끈기, 고집
2681 ardent ✔	형 열렬한
2682 incinerate	동 태우다, 소각하다
2683 preclude ✔	동 못하게 하다
2684 strident ✔	형 귀에 거슬리는
2685 occupation	명 직업
2686 customize	동 주문 제작하다
2687 proactive	형 (상황을) 앞서서 주도하는
2688 benchmark	명 기준
2689 normality	명 정상 상태
2690 taint	동 더럽히다
2691 restless	형 침착하지 못한, 불안한

2692 industrious	형 근면한
2693 hue	명 빛깔, 색조
2694 hilarious	형 아주 우스운
2695 pious	형 경건한
2696 aggrandizement ✔	명 권력 강화
2697 parallelism	명 유사성
2698 banal	형 따분한
2699 optimization	명 최적화
2700 impetuous	형 성급한
2701 radiate	동 내뿜다
2702 germane	형 밀접한 관련이 있는
2703 spawn	동 알을 낳다
2704 overdue	형 기한이 지난
2705 shortfall	명 부족, 부족분
2706 implore	동 간청하다
2707 jurisdiction	명 사법권
2708 fetus	명 태아
2709 calumny ✔	명 비방, 명예훼손
2710 give way to	~을 못 이기다
2711 in no way ✔	결코 ~ 않다
2712 be tired of	~에 싫증이 나다
2713 tear ~ down	해체하다, 헐다
2714 be fettered by ✔	속박을 당하다
2715 drop off	잠들다
2716 be meant to	~할 셈이다
2717 figure out ✔	알아내다
2718 be told to	당부받다
2719 keep an eye on	~을 주시하다, 계속 지켜보다
2720 on the ground	현장에서

1초 Quiz

1. extension _____

2. discipline _____

3. be around _____

4. 주문 제작하다 _____

5. 더럽히다 _____

6. 알아내다 _____

정답 | 1. 연장, 확장 2. 훈육 3. 존재하다, 부근에 있다 4. customize 5. taint 6. figure out

✔ = 어휘 영역 출제

Day 35

최빈출 단어

2721 obvious [ɑ́:bviəs]	형	분명한, 확실한
2722 stereotype [stériətàip] [1]	명	고정관념, 정형화된 생각
	동	고정관념을 만들다, 정형화하다
2723 finding [fáindiŋ]	명	(조사·연구 등의) 결과, 발견
2724 distribution [dìstrəbjú:ʃən]	명	분배, 배포, 배급
	명	분포, 유통
2725 exaggerate [igzǽdʒərèit]	동	과장하다, 허풍떨다
	동	악화시키다
2726 psychology [saikɑ́:lədʒi]	명	심리학
2727 strain [strein] [2]	명	부담, 긴장, 압박
	명	염좌, 좌상
	동	잡아당기다
2728 attachment [ətǽtʃmənt]	명	애착
	명	믿음, 지지
2729 equip [ikwíp] [3]	동	장비를 갖추다
2730 aesthetic [esθétik]	형	미적인, 심미적인
	명	미학

빈출 단어

2731 longevity [lɑ:ndʒévəti]	명	장수, 수명
2732 lodge [lɑ:dʒ]	명	오두막, 산장
	동	제기하다

2733 underpin [ə̀ndərpín] [4]	동	뒷받침하다, 근거를 주다
	동	(벽을) 보강하다, 지지물을 받치다
2734 inactive [inǽktiv]	형	활동하지 않는, 소극적인
2735 strand [strænd]	명	(한) 가닥, 끈
	동	오도 가도 못하게 하다
2736 drawback [drɔ́bæ̀k]	명	단점, 결점
2737 nomadic [noumǽdik]	형	유목의, 방랑의
2738 bestow [bistóu] [5]	동	부여하다, 주다
2739 respectively [rispéktivli]	부	각각, 각자
2740 exacerbate [igzǽsərbèit] [6]	동	악화시키다
	동	(사람을) 격분시키다
2741 setback [sétbæ̀k]	명	실패, 차질
2742 ambassador [æmbǽsədər] [7]	명	대사, 대표
2743 antiquity [æntíkwəti]	명	고대, 아주 오래됨
	명	유물
2744 discreet [diskrí:t]	형	신중한, 사려 깊은
2745 illegible [ilédʒəbl]	형	알아볼 수 없는, 읽기 어려운
2746 sap [sæp]	동	약화시키다
2747 frank [fræŋk]	형	솔직한
2748 surrogate [sə́:rəgèt]	명	대리인
	형	대리의, 대용의

대표 기출 예문

1. A classic **stereotype** is that men are better at math than women.
   고전적인 고정관념은 남자가 여자보다 수학을 잘한다는 것이다.

2. Domesticated animals took the **strain** off the human back and arms.
   가축은 사람의 허리와 팔에서 부담을 덜어 주었다.

3. The solution to assist travel agents is to **equip** them with computer technology.
   여행사 직원들을 돕기 위한 해결책은 그들에게 컴퓨터 기술로 장비를 갖추어 주는 것이다.

4. Myths **underpinned** many of the ceremonies that were performed by kings and priests in ancient Greece.
   신화들은 고대 그리스에서 왕과 사제들에 의해 행해진 많은 의식들을 뒷받침했다.

5. The Person of the Year award was **bestowed** on the company's accounting manager.
   올해의 인물상은 회사의 회계 책임자에게 부여되었다.

6. A decrease in fertile lands caused by global warming could **exacerbate** existing conflicts.
   지구온난화로 인한 비옥한 토지의 감소는 기존의 갈등을 악화시킬 수 있다.

7. The Embassy of Spain invited people to a dinner to welcome the new **ambassador**.
   스페인 대사관은 신임 대사를 환영하기 위한 만찬에서 사람들을 초대했다.

8. Ingredients in coffee can **give rise to** some diseases in our bodies.
   커피의 몇몇 재료는 우리 신체에 몇몇 질병을 일으킬 수 있다.

빈출 숙어

2749 □□□	**rely on**	의존하다
2750 □□□	**give rise to** ✔8	~을 일으키다, 유발하다
2751 □□□	**have no choice but to**	~할 수밖에 없다
2752 □□□	**make a point of** ✔	강조하다, 중요시하다; 반드시 ~하다, ~하기로 정하다
2753 □□□	**pave the way**	길을 마련하다, 상황을 조성하다
2754 □□□	**make do with** ✔	~으로 견디다, 임시변통하다

완성 어휘

2755 □□□	**unflinching** ✔	형 위축되지 않는, 단호한
2756 □□□	**tackle**	동 다루다, ~에게 덤벼들다
2757 □□□	**rambling**	명 횡설수설
2758 □□□	**demeanor** ✔	명 처신, 행실, 품행
2759 □□□	**irredeemable** ✔	형 바로잡을 수 없는
2760 □□□	**stroll**	동 산책하다, 거닐다
2761 □□□	**unearth**	동 발굴하다, 파내다
2762 □□□	**fixate**	동 정착시키다
2763 □□□	**obliging**	형 친절한, 도와주는
2764 □□□	**simulated** ✔	형 가장된
2765 □□□	**overhear**	동 엿듣다
2766 □□□	**derelict** ✔	형 버려진, 태만한 명 노숙자
2767 □□□	**hallmark**	명 특징, 품질 보증
2768 □□□	**nuance**	명 미묘한 차이, 뉘앙스
2769 □□□	**textual**	형 원문의, 본문의
2770 □□□	**pessimism**	명 비관주의
2771 □□□	**statute**	명 법령
2772 □□□	**angst**	명 불안

2773 □□□	**hygiene**	명 위생
2774 □□□	**favorable** ✔	형 호의적인, 유리한
2775 □□□	**delinquent**	형 비행의, 범죄 성향을 보이는
2776 □□□	**biography**	명 전기, 일대기
2777 □□□	**blur**	동 흐릿하게 만들다
2778 □□□	**converge**	동 수렴하다, 모이다
2779 □□□	**insolvent**	형 파산한
2780 □□□	**beneficent**	형 친절한, 선행을 하는
2781 □□□	**congenial**	형 마음이 맞는
2782 □□□	**germinate**	동 싹트다, 시작되다
2783 □□□	**procrastinate**	동 미루다, 질질 끌다
2784 □□□	**placid** ✔	형 차분한
2785 □□□	**defenseless**	형 무방비의
2786 □□□	**arousal**	명 각성, 자극
2787 □□□	**impoverish**	동 빈곤하게 하다
2788 □□□	**categorically**	부 절대로, 단호하게
2789 □□□	**lucid** ✔	형 명료한
2790 □□□	**far-flung**	형 먼, 멀리 떨어진
2791 □□□	**object to**	~에 반대하다
2792 □□□	**mingle with**	~와 섞다, 어울리다
2793 □□□	**mull ~ over** ✔	~에 대해 숙고하다
2794 □□□	**on the fast track**	고속 승진하는
2795 □□□	**a slew of**	많은
2796 □□□	**play havoc with**	~을 아수라장으로 만들다
2797 □□□	**out of one's wits**	제정신을 잃고
2798 □□□	**in praise of**	~을 칭찬하여
2799 □□□	**have difficulty ~ing**	~을 하는 데 곤란을 느끼다
2800 □□□	**follow in ~ footsteps**	~의 뒤를 잇다

1초 Quiz

1. frank _____

2. tackle _____

3. mull ~ over _____

4. 실패, 차질 _____

5. 위생 _____

6. ~에 반대하다 _____

정답 | 1. 솔직한 2. 다루다, ~에게 덤벼들다 3. ~에 대해 숙고하다 4. setback 5. hygiene 6. object to

✔ = 어휘 영역 출제

Day 35

해커스공무원 영어 어휘

최빈출 단어

2801	**adapt** [ədǽpt]	동 적응하다 동 맞추다, 조정하다
2802	**separate** 동 [sépərèit] 형 [sépərət]	동 분리하다, 나누다 형 분리된, 별개의
2803	**fundamental** [fʌ̀ndəméntl] [1]	형 근본적인, 본질적인 형 핵심적인, 필수적인
2804	**declare** [diklέər]	동 선언하다, 선포하다
2805	**fatal** [féitl]	형 치명적인, 죽음을 초래하는 형 돌이킬 수 없는
2806	**attraction** [ətrǽkʃən]	명 매력, 끌림 명 명소
2807	**resemble** [rizémbl] [2]	동 닮다, 유사하다
2808	**port** [pɔːrt]	명 항구
2809	**colonial** [kəlóuniəl]	형 식민지의, 식민지 시대의

빈출 단어

2810	**refugee** [rèfjudʒíː]	명 난민
2811	**compelling** [kəmpéliŋ]	형 설득력 있는 형 강력한, 아주 흥미로운
2812	**exotic** [igzάːtik]	형 외국산의, 이국적인, 외국의
2813	**theoretical** [θìːərétikəl]	형 이론적인, 이론상의
2814	**undoubtedly** [ʌndáutidli]	부 의심할 여지 없이, 확실히

2815	**lurk** [ləːrk]	동 숨어 있다, 도사리다 명 잠복, 밀행
2816	**scarcely** [skέərsli] [3]	부 거의 ~하지 않다, 겨우
2817	**affluent** [ǽfluənt] [4]	형 부유한, 풍족한, 풍부한 명 지류
2818	**multitude** [mʌ́ltətjùːd]	명 다량, 다수
2819	**exile** [égzɑil]	명 유배, 추방, 망명 동 추방하다, 유배하다
2820	**supplementary** [sʌ̀pləméntəri] [5]	형 추가의, 보충의
2821	**incumbent** [inkʌ́mbənt] [6]	명 현직자, 재직자 형 재임 중인
2822	**aristocrat** [ərístəkræt]	명 귀족
2823	**inferior** [infíəriər]	형 못한, 열등한 형 질이 떨어지는, 열악한
2824	**attentive** [ətέntiv] [7]	형 주의를 기울이는
2825	**taciturn** [tǽsətə̀ːrn]	형 말수가 적은
2826	**souvenir** [sùːvəníər]	명 기념품, 선물
2827	**excavate** [ékskəvèit]	동 발굴하다, 파다
2828	**disintegration** [disìntəgréiʃən]	명 붕괴, 분열
2829	**desultory** [désəltɔ̀ːri]	형 두서없는, 일관성 없는
2830	**merger** [mə́ːrdʒər]	명 합병

대표 기출 예문

1. **Fundamental** happiness depends upon a friendly interest in people and things.
   근본적인 행복은 사람들과 사물에 대한 우호적인 관심에 달려있다.

2. She closely **resembles** her mother.
   그녀는 자신의 어머니를 똑 닮았다.

3. The basic design of the car has **scarcely** changed in 20 years.
   그 자동차의 기본 디자인은 20년 동안 거의 변하지 않았다.

4. His father was **affluent** enough to support his education.
   그의 아버지는 그의 교육을 지원해 줄 정도로 충분히 부유했다.

5. The National Assembly passed a **supplementary** budget bill to boost the economy.
   국회가 경제를 부양하기 위해 추가 예산안을 통과시켰다.

6. The **incumbent**, who has been mayor for years, is expected to lose the election.
   수년간 시장이었던 그 현직자는 이번 선거에서 질 것으로 예상된다.

7. The hotel's staff are **attentive** to the needs of all of their guests.
   그 호텔의 직원들은 그들의 손님 모두의 요구에 주의를 기울인다.

8. He couldn't **make ends meet** so he asked his parents to pay his rent.
   그는 먹고 살 만큼 벌 수 없었기 때문에 부모님에게 그의 집세를 내달라고 부탁했다.

빈출 숙어

2831	**be the case**	실제로 그러하다
2832	**bring oneself to** 🌱	~할 마음이 나다, ~으로 이끌다
2833	**make ends meet** 🌱8	먹고 살 만큼 벌다, 간신히 연명하다
2834	**cross one's mind** 🌱	생각이 나다, 생각이 떠오르다

완성 어휘

2835	**infiltration** 🌱	명 침입, 침투
2836	**illicit**	형 불법의
2837	**deploy**	동 (전략적으로) 배치하다
2838	**itinerant** 🌱	형 떠돌아다니는
2839	**stupendous** 🌱	형 거대한, 굉장한
2840	**taxation**	명 세금, 조세
2841	**cautionary**	형 경고의
2842	**flimsy**	형 조잡한, 얇은
2843	**odium** 🌱	명 증오, 비난
2844	**simultaneous**	형 동시의
2845	**paralyze**	동 마비시키다
2846	**ecstatic**	형 황홀한 명 무아지경
2847	**prod**	동 찌르다, 자극하다
2848	**expiable**	형 보상할 수 있는
2849	**fawn**	동 아첨하다, 비위 맞추다
2850	**objection**	명 이의
2851	**unleash**	동 불러일으키다, 해방하다
2852	**prolong**	동 연장하다, 연기하다
2853	**vaccinate**	동 예방 접종을 하다
2854	**clientele**	명 고객, 소송 의뢰인

2855	**revolutionize**	동 혁신을 일으키다
2856	**detention**	명 구금
2857	**predicate**	동 단정하다
2858	**commuter**	명 통근자
2859	**cramped**	형 비좁은
2860	**interlock**	동 서로 맞물리다
2861	**cumbersome**	형 크고 무거운, 다루기 힘든
2862	**enunciate**	동 (생각을 명확히) 밝히다
2863	**auditory**	형 청각의
2864	**inverted**	형 반대의, 거꾸로 된
2865	**deciduous**	형 매년 잎이 떨어지는
2866	**faceless**	형 익명의, 정체불명의
2867	**impunity**	명 처벌을 받지 않음
2868	**pliancy**	명 유순함
2869	**reign**	동 다스리다 명 통치 기간
2870	**anecdote**	명 일화
2871	**oversee**	동 감독하다
2872	**at odds** 🌱	다투는, 불화하는
2873	**get cold feet** 🌱	무서워하다, 갑자기 초조해지다
2874	**bring down** 🌱	~을 줄이다, 붕괴시키다
2875	**be serviceable to**	~에 도움이 되다
2876	**screw up**	~을 망치다, 고정시키다
2877	**be prepared for** 🌱	~을 각오하고 있다
2878	**get through**	~을 빠져나가다
2879	**fed up with**	~에 진저리가 난
2880	**be disposed of**	처리되다

🕐 1초 Quiz

1. reign _____

2. declare _____

3. deploy _____

4. 합병 _____

5. 마비시키다 _____

6. 난민 _____

정답 | 1. 다스리다, 통치 기간 2. 선언하다, 선언하다 3. (전략적으로) 배치하다 4. merger 5. paralyze 6. refugee

Day 37

최빈출 단어

2881 variety [vəráiəti]
명 다양성, 여러 가지
명 종류, 품종

2882 imply [implái] [1]
동 암시하다, 시사하다
동 의미하다

2883 perceive [pərsíːv]
동 감지하다, 인식하다
동 ~으로 여기다

2884 seemingly [síːmiŋli]
부 겉보기에는

2885 emission [imíʃən]
명 배출

2886 versatile [və́ːrsətl] [2]
형 다재다능한, 다용도의

2887 arrogant [ǽrəgənt]
형 거만한

2888 lest [lest]
접 ~할까 봐, ~하지 않도록

2889 pioneer [pàiəníər]
명 개척자, 선구자
동 개척하다

빈출 단어

2890 consistent [kənsístənt] [3]
형 한결같은, 일관된
형 (의견 따위가) 일치하는, 양립하는

2891 individualistic [ìndəvìdʒuəlístik]
형 개인주의의

2892 uphold [ʌphóuld] [4]
동 지지하다, 격려하다
동 받치다, 들어 올리다

2893 provoke [prəvóuk]
동 유발하다
동 화나게 하다, 도발하다

2894 revolve [riváːlv]
동 (축을 중심으로) 돌다, 회전하다
동 순환하다, 주기적으로 되풀이하다

2895 allocate [ǽləkèit] [5]
동 분배하다, 할당하다

2896 blend [blend]
동 섞이다, 어우러지다

2897 expire [ikspáiər] [6]
동 만료되다, 만기 되다
동 숨을 거두다, 죽다

2898 deteriorate [ditíəriərèit]
동 악화되다

2899 timid [tímid]
형 소심한, 자신감이 없는

2900 enlighten [inláitn]
동 깨우치게 하다, 계몽하다

2901 communal [kəmjúːnəl]
형 공동의, 공동체의

2902 mutation [mjuːtéiʃən]
명 돌연변이

2903 pause [pɔːz]
명 멈춤, 휴지
동 잠시 멈추다, 정지하다

2904 torment 동 [tɔːrmént] 명 [tɔ́ːrment]
동 고통을 주다, 괴롭히다
명 고통, 괴로움

2905 esteem [istíːm]
명 존경
동 높이 평가하다, 존경하다

2906 combat 동 [kəmbǽt] 명 [kámbæt]
동 싸우다, 전투를 벌이다
명 전투, 싸움

2907 exhort [igzɔ́ːrt] [7]
동 촉구하다, 열심히 권하다

2908 detest [ditést]
동 혐오하다, 몹시 싫어하다

2909 misguided [misgáidid]
형 잘못 판단한, 엉뚱한

대표 기출 예문

1. Certifications **imply** that a process of evaluation was carried out to guarantee certain skills.
증명서는 특정 기술을 보증하기 위해 검토 절차가 수행되었다는 것을 암시한다.

2. This camera is so **versatile** that it can be used for any type of shootings.
이 카메라는 아주 다재다능해서 그 어떠한 종류의 촬영에도 사용될 수 있다.

3. Sarah's **consistent** efforts in her studies have resulted in excellent grades throughout the semester.
Sarah의 학업에 대한 한결같은 노력은 그 학기 내내 우수한 성적으로 이어졌다.

4. The Supreme Court **upheld** the right of states to regulate guns.
대법원은 총기를 규제하기 위한 주의 권리를 지지했다.

5. Fairness is important in **allocating** access to a university.
공정성은 대학에 접근할 기회를 분배하는 데 있어서 중요하다.

6. Since the warranty had **expired**, the repairs were not free.
보증기간이 만료되었기 때문에, 수리는 무료가 아니었다.

7. Doctors **exhort** overweight people to go on diets.
의사들은 과체중인 사람들에게 다이어트를 할 것을 촉구한다.

8. **No doubt** his ability to listen contributed to his capacity to write.
그의 경청하는 능력이 분명 그의 집필 능력에 기여했을 것이다.

빈출 숙어

2910 □□□	no doubt[8]	분명 ~할 것이다, 틀림없는
2911 □□□	at the moment	바로 지금, 그때
2912 □□□	over the course of	~ 동안
2913 □□□	heat up	가열되다; (분위기 등이) 달아오르다
2914 □□□	melt away	차츰 사라지다

완성 어휘

2915 □□□	quell	동 진압하다
2916 □□□	improbable	형 사실 같지 않은
2917 □□□	marital	형 결혼의, 부부의
2918 □□□	upend	동 뒤집다, 거꾸로 세우다
2919 □□□	guild	명 조합, 협회
2920 □□□	disorganize	동 무질서하게 하다
2921 □□□	deride ✔	동 조롱하다
2922 □□□	adhere	동 부착되다
2923 □□□	submissive ✔	형 순종적인, 고분고분한
2924 □□□	ceaseless ✔	형 끊임없는, 끝이 없는
2925 □□□	template ✔	명 본보기
2926 □□□	malicious	형 악의적인
2927 □□□	blast	명 폭발
2928 □□□	flammable	형 불에 잘 타는, 가연성의
2929 □□□	offset	동 상쇄하다, 벌충하다
2930 □□□	magnitude	명 규모
2931 □□□	stagnant	형 고여 있는
2932 □□□	belongings	명 소유물, 재산
2933 □□□	denial	명 부인, 부정
2934 □□□	devour	동 게걸스레 먹다

2935 □□□	rapture	명 황홀감, 환희
2936 □□□	concurrent	형 동시에 발생하는
2937 □□□	jaunty	형 의기양양한, 쾌활한
2938 □□□	hustle	동 거칠게 밀다 / 명 소동
2939 □□□	frugal	형 절약하는, 간소한
2940 □□□	copious	형 엄청난, 방대한
2941 □□□	quest ✔	명 탐색, 추구 / 동 탐구하다
2942 □□□	hostage	명 인질
2943 □□□	immovable	형 고정된, 요지부동인
2944 □□□	authorship	명 원저자, 원작자
2945 □□□	effuse	동 발산시키다
2946 □□□	polarize	동 양극화하다
2947 □□□	breach	동 위반하다 / 명 위반
2948 □□□	burrow	동 파고들다
2949 □□□	pin down	꼼짝 못 하게 하다
2950 □□□	drop by	잠깐 들르다
2951 □□□	run for	~에 입후보하다
2952 □□□	in the face of	~에 직면하여
2953 □□□	in harm's way	위험에 처한, 위험을 무릅쓰고
2954 □□□	all the rest	그 밖의 모든 것
2955 □□□	side with	~의 편에 서다
2956 □□□	broadly speaking	대체로, 대략 말하자면
2957 □□□	stave off ✔	(안 좋은 일을) 피하다
2958 □□□	get one's feet wet	(처음) 해보다, 시작하다
2959 □□□	as a matter of fact	사실은
2960 □□□	to good purpose	아주 효과적으로

1초 Quiz

1. offset _____
2. enlighten _____
3. submissive _____
4. 배출 _____
5. 잠깐 들르다 _____
6. ~의 편에 서다 _____

정답 | 1. 상쇄하다, 벌충하다 2. 깨우치게 하다, 계몽하다 3. 순종적인, 고분고분한 4. emission 5. drop by 6. side with

Day 38

최빈출 단어

2961	**mainly** [méinli]	图 주로, 대개
2962	**recall** [rikɔ́ːl] ✔[1]	图 떠올리다, 기억해 내다
2963	**democratic** [dèməkrǽtik]	图 민주주의의, 민주주의적인
2964	**classify** [klǽsəfài] [2]	图 분류하다, 등급별로 나누다 图 (공문서 따위를) 기밀 취급하다
2965	**permanent** [pə́ːrmənənt]	图 영구적인, 불변의
2966	**innovation** [ìnəvéiʃən]	图 혁신, 쇄신
2967	**shortage** [ʃɔ́ːrtidʒ]	图 부족, 결핍
2968	**flourish** [flə́ːriʃ]	图 잘 자라다, 번성하다 图 번창하다, 성공하다
2969	**anticipate** [æntísəpèit]	图 예상하다, 예측하다 图 기대하다, 고대하다
2970	**supplement** 图[sʌ́pləmənt] 图[sʌ́pləmènt]	图 보충제, 보충물 图 보충하다, 추가하다

빈출 단어

2971	**assure** [əʃúər] [3]	图 보장하다, 장담하다
2972	**induce** [indjúːs] [4]	图 유발하다, 유도하다
2973	**discrimination** ✔ [diskrìmənéiʃən]	图 차별 图 식별, 판별
2974	**vanish** [vǽniʃ]	图 사라지다, 없어지다

2975	**evaporate** [ivǽpərèit] ✔	图 증발하다
2976	**traumatic** [trəmǽtik]	图 정신적 충격을 주는
2977	**frivolous** [frívələs] ✔	图 경박한, 경솔한
2978	**robust** [roubʌ́st]	图 튼튼한, 강건한 图 (견해·의지가) 확고한
2979	**flee** [fliː]	图 도피하다, 도망치다
2980	**disposition** [dìspəzíʃən]	图 성향, 기질 图 의향, 경향
2981	**flattering** [flǽtəriŋ] ✔	图 아첨하는
2982	**consistency** [kənsístənsi]	图 일관성, 한결같음
2983	**cradle** [kréidl]	图 요람 图 발상지
2984	**scorn** [skɔːrn] [5]	图 경멸하다, 멸시하다 图 경멸, 멸시
2985	**dilute** [dilúːt] ✔[6]	图 약화시키다, 희석하다
2986	**compassionate** ✔ [kəmpǽʃənət]	图 동정적인, 연민 어린
2987	**nadir** [néidər] ✔	图 최악의 순간, 밑바닥
2988	**upright** [ʌ́pràit]	图 수직의, 똑바른 图 (사람이) 강직한, 곧은

대표 기출 예문

1. Many believe that sudden memory loss causes the inability to **recall** one's identity.
   많은 사람들은 갑작스런 기억상실이 누군가의 정체를 떠올리지 못하게 한다고 믿는다.

2. Some scholars **classify** human beings into a handful of types.
   몇몇 학자들은 인간을 소수의 유형으로 분류한다.

3. The safe disposal of nuclear waste should be **assured**.
   핵폐기물의 안전한 처분이 보장되어야 한다.

4. Some toxic materials have a chance of **inducing** cancer.
   어떤 독성 물질들은 암을 유발할 가능성을 가지고 있다.

5. Families with old wealth **scorned** the newly rich industrialists and speculators.
   유서 깊은 부를 가진 가문들은 새로이 등장한 부유한 기업가들과 투기꾼들을 경멸했다.

6. The votes of minority groups will be **diluted** by those of the majority unless protected by law.
   법에 따라 보호받지 않으면, 소수 집단의 표가 대다수의 표에 의해 약화될 것이다.

7. Can you **hand in** the report as soon as possible?
   보고서를 가능한 한 빨리 제출해 줄 수 있나요?

8. I was told to **pore over** the computer printouts to check for errors.
   나는 오류 사항을 확인하기 위해서 컴퓨터 출력물을 세세히 보라는 지시를 받았다.

빈출 숙어

2989 ☐☐☐ **get to**	~에 이르다	
2990 ☐☐☐ **make sure**	반드시 ~하다	
2991 ☐☐☐ **in particular**	특히	
2992 ☐☐☐ **hand in** [7]	~을 제출하다, 건네주다	
2993 ☐☐☐ **pay tribute to** 🌱	~에게 경의를 표하다	
2994 ☐☐☐ **pore over** 🌱 [8]	세세히 보다	

완성 어휘

2995 ☐☐☐ **asthma**	명 천식	
2996 ☐☐☐ **sumptuousness**	명 호화로움, 화려함	
2997 ☐☐☐ **surly**	형 못된, 무례한	
2998 ☐☐☐ **articulate**	형 논리 정연한 / 동 분명히 표현하다	
2999 ☐☐☐ **inanimate**	형 무생물의, 죽은	
3000 ☐☐☐ **morose** 🌱	형 침울한, 시무룩한	
3001 ☐☐☐ **unrivaled**	형 무적의, 비할 데가 없는	
3002 ☐☐☐ **extol**	동 칭찬하다, 격찬하다	
3003 ☐☐☐ **toxicant** 🌱	명 독약, 독극물 / 형 유독한	
3004 ☐☐☐ **unify**	동 통일하다, 통합하다	
3005 ☐☐☐ **compute**	동 계산하다, 산출하다	
3006 ☐☐☐ **conglomerate**	명 집단, 대기업	
3007 ☐☐☐ **kindle**	동 불을 붙이다, 부추기다	
3008 ☐☐☐ **fracture**	동 균열되다 / 명 균열	
3009 ☐☐☐ **otherworldly** 🌱	형 내세의, 저승의	
3010 ☐☐☐ **snobbish** 🌱	형 속물적인	
3011 ☐☐☐ **petal**	명 꽃잎	
3012 ☐☐☐ **naive**	형 순진한	

3013 ☐☐☐ **dauntless**	형 불굴의, 용감한	
3014 ☐☐☐ **attenuate**	동 약화시키다	
3015 ☐☐☐ **inauguration**	명 취임식	
3016 ☐☐☐ **majesty**	명 장엄함, 폐하	
3017 ☐☐☐ **limb**	명 팔다리	
3018 ☐☐☐ **rash**	명 (피부의) 발진	
3019 ☐☐☐ **deference**	명 존중, 경의	
3020 ☐☐☐ **uptake**	명 섭취	
3021 ☐☐☐ **diffuse**	동 퍼지다, 발산하다	
3022 ☐☐☐ **limp**	동 절뚝거리다	
3023 ☐☐☐ **impulsive**	형 충동적인	
3024 ☐☐☐ **scenic**	형 경치가 좋은	
3025 ☐☐☐ **aviation**	명 항공, 항공술	
3026 ☐☐☐ **retribution**	명 응징, 징벌	
3027 ☐☐☐ **influx**	명 쇄도, 밀어닥침	
3028 ☐☐☐ **hungrily**	부 탐욕스럽게	
3029 ☐☐☐ **on the fence** 🌱	애매한 태도를 취하여	
3030 ☐☐☐ **run into**	~를 맞닥뜨리다	
3031 ☐☐☐ **keep ~ posted**	~에게 최신 정보를 전하다	
3032 ☐☐☐ **hold off** 🌱	~을 미루다	
3033 ☐☐☐ **on the face of it**	겉으로 보기에는	
3034 ☐☐☐ **with open arms**	쌍수를 들고, 대환영하여	
3035 ☐☐☐ **rest with**	~의 책임이다	
3036 ☐☐☐ **in fits and starts**	간헐적으로	
3037 ☐☐☐ **shake up**	~를 일깨우다	
3038 ☐☐☐ **at the height of**	~의 절정에	
3039 ☐☐☐ **bustle in and out** 🌱	사방으로 돌아다니다	
3040 ☐☐☐ **beat around the bush**	둘러대다, 요점을 피하다	

Day 38
해커스공무원 영어 어휘

⏱ **1초 Quiz**

1. shortage _____   2. uptake _____   3. deference _____

4. 증발하다 _____   5. 순진한 _____   6. ~을 미루다 _____

정답 | 1. 부족, 결핍 2. 섭취 3. 존중, 경의 4. evaporate 5. naive 6. hold off

최빈출 단어

3041	**efficient** [ifíʃənt] 🌱	형 효율적인, 능률적인
3042	**extent** [ikstént] [1]	명 규모, 정도
3043	**mutual** [mjú:tʃuəl]	형 상호 간의, 서로의
3044	**welfare** [wélfɛər]	명 복지, 후생 명 (개인·단체의) 안녕, 행복
3045	**compound** [kámpaund] [kəmpáund]	명 혼합물, 화합물 동 혼합하다 동 악화시키다
3046	**retirement** [ritáiərmənt] 🌱	명 은퇴, 퇴직
3047	**territory** [térətɔ̀:ri] 🌱	명 영토, 영역
3048	**habitat** [hǽbitæt]	명 서식지, 거주지
3049	**governor** [gʌ́vərnər]	명 주지사, 총독
3050	**accommodate** [əká:mədèit] [2]	동 수용하다, 공간을 제공하다 동 적응시키다, 조절하다
3051	**resign** [rizáin]	동 체념하다, 감수하다 동 사임하다, 물러나다

빈출 단어

3052	**implicit** [implísit] 🌱	형 내포된, 암시적인 형 절대적인, 무조건적인
3053	**infrastructure** [ìnfrəstrʌ́ktʃər]	명 공공 기반 시설
3054	**vanity** [vǽnəti]	명 허영심, 자만심

3055	**assign** [əsáin] 🌱 [3]	동 배정하다, 할당하다
3056	**audacious** [ɔ:déiʃəs] 🌱	형 대담한
3057	**indulge** [indʌ́ldʒ] 🌱 [4]	동 푹 빠지다
3058	**augment** [ɔ:gmént]	동 늘리다, 증가시키다
3059	**generosity** [dʒènərá:səti]	명 관대함, 너그러움
3060	**turmoil** [tə́:rmɔil] [5]	명 혼란, 소란
3061	**tow** [tou]	동 견인하다, 끌다
3062	**authentic** [ɔ:θéntik]	형 진짜의, 진품인
3063	**disseminate** [disémənèit] [6]	동 전파하다, 퍼뜨리다
3064	**needy** [ní:di] 🌱	형 어려운, 궁핍한
3065	**exemplary** [igzémpləri] 🌱 [7]	형 모범적인, 전형적인
3066	**discordant** [diskɔ́:rdənt] 🌱	형 일치하지 않는, 조화되지 않는
3067	**outgoing** [áutgòuiŋ]	형 외향적인
3068	**immaculate** [imǽkjulət] 🌱	형 티 하나 없이 깔끔한

빈출 숙어

3069	**so far**	지금까지, 현재까지
3070	**at times**	때때로
3071	**settle down** [8]	정착하다; 진정하다
3072	**by nature**	천성적으로, 본래

대표 기출 예문

1. The **extent** of her knowledge on various subjects astounds me.
그녀가 여러 가지 주제에 대해 가진 지식의 규모가 나를 놀라게 한다.

2. The newly built conference room **accommodates** fewer people than the old one.
새로 지어진 회의실은 이전 것보다 더 적은 사람을 수용한다.

3. The hotel manager rejected the man, refusing to **assign** him a room.
그 호텔 지배인은 그에게 방을 배정하는 것을 거부하며 그를 받아주지 않았다.

4. Once people start smoking, they are likely to **indulge** in it.
사람들은 한 번 흡연하기 시작하면, 그것에 푹 빠지기 쉽다.

5. The global economic **turmoil** caused a decline in sales for the automobile industry.
국제적인 경제 혼란은 자동차 산업에서의 매출 하락을 유발했다.

6. European artists **disseminated** Dadaist ideas into American culture.
유럽의 예술가들이 다다이즘 사상을 미국 문화에 전파했다.

7. The student did an **exemplary** job on the test, receiving a perfect score.
그 학생은 완벽한 점수를 받으며 시험에서 모범적인 일을 보였다.

8. After selling his farm, he **settled down** with his family in England.
그의 농장을 판 후에, 그는 자신의 가족과 함께 영국에 정착했다.

3073 move on to		~으로 넘어가다
3074 persist in ✔		~을 계속하다

완성 어휘

3075 obsequious ✔	형	아부하는
3076 tout ✔	동	선전하다, 장점을 내세우다
3077 untapped	형	손대지 않은, 미개척의
3078 upscale	형	평균 이상의, 상위의
3079 variant	형 명	다른 / 변형
3080 balmy	형	아늑한, 훈훈한
3081 trite	형	진부한
3082 markedly ✔	부	현저하게, 뚜렷하게
3083 considerate ✔	형	사려 깊은, 배려하는
3084 frail	형	노쇠한
3085 selfhood	명	자아
3086 jubilance	명	환희
3087 legality	명	합법성
3088 consortium	명	연합
3089 snuff	동	끄다
3090 devout ✔	형	독실한
3091 suffuse ✔	동	가득 차게 하다
3092 rigid	형	엄격한, 융통성 없는
3093 prairie	명	대초원
3094 illumination	명	빛, 조명
3095 fling	동	내던지다

3096 roam	동	돌아다니다
3097 raucous	형	귀에 거슬리는, 시끄러운
3098 petty	형	사소한, 옹졸한
3099 portent	명	징후
3100 fallout	명	낙진, 부산물
3101 salutary	형	유익한
3102 demolish	동	철거하다
3103 ego	명	자부심, 자아
3104 custody	명	유치, 구류, 양육권
3105 gratuitous	형	쓸데없는
3106 avid	형	열심인
3107 spooky	형	으스스한
3108 loathing	명	혐오감, 증오
3109 bliss	명	더없는 행복
3110 out in left field ✔		별난, 이상한
3111 pass a bill		법안을 통과시키다
3112 catch ~ out ✔		~를 곤란하게 만들다
3113 hit ~ hard		~를 심하게 치다
3114 fret over		걱정하다
3115 make one's way		나아가다
3116 place a strain on		~에 부담을 가하다
3117 go on the air		방송되다
3118 under one's nose		코앞에서
3119 get through with		~을 끝내다, 완료하다
3120 in the least		조금도 ~않다

1초 Quiz

1. mutual _____
2. pass a bill _____
3. augment _____
4. 돌아다니다 _____
5. 영토, 영역 _____
6. 혐오감, 증오 _____

정답 | 1. 상호 간의, 서로의 2. 법안을 통과시키다 3. 늘리다, 증가시키다 4. roam 5. territory 6. loathing

✔ = 어휘 영역 출제

Day 40

최빈출 단어

3121 **highly** [háili]	图 아주, 매우 图 높이 평가하여	
3122 **confirm** [kənfə́:rm] ✔ [1]	图 (사실임을) 확인하다, 보여주다 图 (결심·습관 등을) 굳히다	
3123 **contemporary** [kəntémpərèri]	图 현대의 图 동시대의 图 동시대 사람	
3124 **regulation** [règjuléiʃən]	图 규제, 규정	
3125 **complexity** [kəmpléksəti]	图 복잡함	
3126 **apparent** [əpǽrənt]	图 명백한, 눈에 띄는 图 ~인 것처럼 보이는, 여겨지는	
3127 **urgent** [ə́:rdʒənt] [2]	图 시급한, 긴급한	
3128 **respiratory** [réspərətɔ̀:ri]	图 호흡기관의	
3129 **postpone** [poustpóun] ✔	图 미루다, 연기하다	
3130 **committee** [kəmíti]	图 위원회	
3131 **asset** [ǽset]	图 재산, 자산	

빈출 단어

3132 **condemn** [kəndém] ✔	图 비난하다	
3133 **thrive** [θraiv]	图 번성하다, 번영하다	
3134 **repetition** [rèpətíʃən]	图 반복	

3135 **conform** [kənfɔ́:rm] [3]	图 (행동이나 의견을) 같이하다 图 (규칙·법 등에) 따르다, 순응하다	
3136 **incidence** [ínsədəns] [4]	图 발생률, 발병률	
3137 **energize** [énərdʒàiz]	图 활력을 북돋다 图 동력을 공급하다	
3138 **scatter** [skǽtər] ✔	图 뿌리다, 분산시키다	
3139 **ruling** [rú:liŋ]	图 우세한, 지배하는 图 판결, 결정	
3140 **evade** [ivéid] ✔ [5]	图 피하다, 모면하다 图 떠오르지 않다	
3141 **noticeable** [nóutisəbl] ✔	图 뚜렷한, 눈에 잘 띄는	
3142 **pacify** [pǽsəfài] ✔	图 진정시키다, 달래다	
3143 **divulge** [divʌ́ldʒ] ✔ [6]	图 폭로하다, 누설하다	
3144 **assault** [əsɔ́:lt]	图 폭행, 공격 图 폭행하다	
3145 **diverge** [daivə́:rdʒ]	图 나뉘다, 갈라져 나오다	
3146 **nominate** [nɑ́:mənèit] [7]	图 지명하다, 추천하다	
3147 **dictate** [díkteit]	图 지시하다, 명령하다 图 받아쓰게 하다	
3148 **migrant** [máigrənt] ✔	图 이주자 图 이주하는	
3149 **uncanny** [ʌ́nkæni] ✔	图 이상한, 묘한	

대표 기출 예문

1. The cause of the fire was not **confirmed**.
   화재의 원인은 확인되지 않았다.

2. **Urgent** action is needed to encourage people to have more children.
   사람들이 더 많은 아이를 갖도록 장려하기 위해서 시급한 조치가 필요하다.

3. The tendency to follow the actions of others can occur because individuals prefer to **conform**.
   사람들은 행동을 같이하는 것을 선호하기 때문에 다른 사람들의 행동을 따르려는 경향이 발생할 수 있다.

4. The city shows a low **incidence** of heart disease.
   그 도시는 낮은 심장병 발생률을 보인다.

5. The suspect **evaded** capture, despite police officers' best efforts.
   용의자는 경찰관들의 최선의 노력에도 불구하고 포획을 피했다.

6. The horrific crime scenes were enough to **divulge** what had happened.
   그 끔찍한 범죄 현장은 무슨 일이 있었는지를 폭로하기에 충분했다.

7. The politician missed being **nominated** for vice president by a few votes.
   그 정치인은 몇 표 차이로 부통령에 지명되지 못했다.

8. Residents of the building **put up with** the construction noise for 8 months.
   그 건물의 거주자들은 8달 동안 공사 소음을 참았다.

빈출 숙어

3150 □□□	**be designed to**	~하도록 설계되다
3151 □□□	**put up with** ✔8	~을 참다
3152 □□□	**come about**	일어나다, 발생하다
3153 □□□	**fit into**	~에 꼭 들어맞다, 적합하다
3154 □□□	**inside out**	철저하게, 안팎으로; (안팎을) 뒤집어

완성 어휘

3155 □□□	**discontent**	명 불만
3156 □□□	**inversion**	명 도치, 전도
3157 □□□	**inclusivity**	명 포용력, 포용 정책
3158 □□□	**underestimate** ✔	통 과소평가하다 명 과소평가
3159 □□□	**monarch**	명 군주, 황제
3160 □□□	**falsification**	명 위조, 반증
3161 □□□	**laconic** ✔	형 말수가 적은, 간결한
3162 □□□	**transcribe**	통 기록하다, 베끼다
3163 □□□	**decidedly**	부 확실히, 단호히
3164 □□□	**swindle** ✔	통 속이다
3165 □□□	**fondness**	명 취미, 애호
3166 □□□	**gruesome**	형 끔찍한, 섬뜩한
3167 □□□	**overload**	명 과부하
3168 □□□	**garner**	통 모으다, 얻다
3169 □□□	**stipend** ✔	명 급료, 봉급, 장학금
3170 □□□	**instantaneous**	형 즉각적인, 순간적인
3171 □□□	**pejorative** ✔	형 경멸적인
3172 □□□	**civility**	명 예의, 공손함
3173 □□□	**functionary** ✔	명 공무원

3174 □□□	**somber** ✔	형 칙칙한
3175 □□□	**dim**	형 어둑한
3176 □□□	**flop**	통 드러눕다
3177 □□□	**palate**	명 미각
3178 □□□	**sedentary**	형 앉아서 하는
3179 □□□	**barbarity**	명 만행
3180 □□□	**indelible**	형 잊을 수 없는
3181 □□□	**execution**	명 사형, 실행
3182 □□□	**expediency**	명 편의
3183 □□□	**malevolent**	형 악의적인
3184 □□□	**sewage**	명 하수, 오수
3185 □□□	**haughty**	형 거만한
3186 □□□	**garrulous**	형 수다스러운
3187 □□□	**unassertive**	형 내성적인, 단정적이 아닌
3188 □□□	**inclement**	형 좋지 못한
3189 □□□	**rise up**	봉기하다, 일어서다
3190 □□□	**put ~ into action**	~을 실행에 옮기다
3191 □□□	**pace oneself** ✔	속도를 유지하다
3192 □□□	**cater to** ✔	~의 구미에 맞추다
3193 □□□	**take charge of**	맡다, ~의 책임을 지다
3194 □□□	**opt for**	~을 선택하다
3195 □□□	**delve into** ✔	~을 철저하게 조사하다
3196 □□□	**in sync with**	~과 맞춰서
3197 □□□	**teem with**	~으로 풍부하다
3198 □□□	**cling to**	~을 고수하다
3199 □□□	**that said**	그렇긴 하지만
3200 □□□	**ease into**	~에 친숙해지다

1초 Quiz

1. stipend ＿＿＿＿＿＿＿
2. postpone ＿＿＿＿＿＿＿
3. cater to ＿＿＿＿＿＿＿
4. 복잡함 ＿＿＿＿＿＿＿
5. 비난하다 ＿＿＿＿＿＿＿
6. 모으다, 얻다 ＿＿＿＿＿＿＿

정답 | 1. 급료, 봉급, 장학금 2. 미루다, 연기하다 3. ~의 구미에 맞추다 4. complexity 5. condemn 6. garner

Day 41

최빈출 단어

3201 sentence [séntəns]	명 문장 / 명 선고, 형벌 / 동 선고하다	
3202 priority [praiɔ́:rəti][1]	명 우선 사항, 우선권	
3203 variation [vɛəriéiʃən]	명 차이, 변화 / 명 변이, 변주곡	
3204 humanity [hju:mǽnəti]	명 인류	
3205 assist [əsíst]	동 돕다, 도움이 되다	
3206 trigger [trígər][2]	동 유발하다, 일으키다 / 명 (어떤 일을 촉발한) 계기	
3207 ritual [rítʃuəl]	명 의식, 의례 / 형 의식 절차상의	
3208 voluntary [vɑ́:ləntèri]	형 자발적인 / 형 자원봉사로 하는	
3209 overwhelm [òuvərhwélm][3]	동 압도하다, 뒤엎다	

빈출 단어

3210 pulse [pʌls]	명 맥박, 맥 / 동 맥박치다, 고동치다
3211 compatible [kəmpǽtəbl][4]	형 (뜻이) 잘 맞는, 양립될 수 있는 / 형 호환이 되는
3212 usage [jú:sidʒ]	명 용법, 사용법

3213 shrink [ʃriŋk][5]	동 줄어들다, 줄어들게 하다
3214 translation [trænsléiʃən]	명 번역, 번역물 / 명 해석
3215 analogous [ənǽləgəs]	형 유사한
3216 credibility [krèdəbíləti]	명 신뢰도, 신뢰성
3217 benign [bináin]	형 상냥한, 유순한 / 형 (종양 등이) 양성의
3218 optimal [ɑ́ptəməl][6]	형 최적의, 최상의
3219 nonexistent [nɑ̀nəgzístənt]	형 존재하지 않는
3220 vague [veig]	형 모호한
3221 preposterous [pripɑ́stərəs]	형 터무니없는
3222 inventory [ínvəntɔ̀:ri]	명 목록
3223 divergent [divə́:rdʒənt][7]	형 (의견 등이) 다른 / 형 갈라지는, 나뉘는
3224 impetus [ímpətəs]	명 추진력, 자극
3225 eccentric [ikséntrik]	형 별난, 괴짜인
3226 omnipresent [àmniprézənt]	형 편재하는, 어디에나 있는
3227 unerring [ʌné:riŋ]	형 정확한, 틀림이 없는
3228 diffident [dífidənt]	형 조심스러운, 소심한

대표 기출 예문

1. Protecting the health of everyone in the facility is the first **priority**.
   시설 내에 있는 모두의 건강을 보호하는 것이 첫 번째 우선 사항이다.

2. One person's yawn can **trigger** yawning among an entire group.
   한 사람의 하품은 전체 집단의 하품을 유발할 수 있다.

3. Many people are **overwhelmed** by financial difficulties and other personal problems.
   많은 사람들이 경제적 어려움과 다른 개인적 문제들에 의해 압도된다.

4. They found they were **compatible** and began to date.
   그들은 서로 잘 맞는다는 것을 알고 만나보기 시작했다.

5. The poverty rate **shrunk** to 22 percent, due to gains made in the economy.
   빈곤율은 경제에서 얻은 이익 때문에 22퍼센트로 줄어들었다.

6. Greenhouses provide the **optimal** growing conditions for crops all year round.
   온실은 일 년 내내 농작물에 최적의 재배 조건을 제공한다.

7. The two rivals had **divergent** opinions about what policies should be supported.
   그 두 경쟁자들은 어떤 정책이 지지되어야 할지에 대해 다른 의견을 가지고 있었다.

8. Some people have neurological problems that inhibit proper brain function **with regard to** speech.
   몇몇 사람들은 말하기와 관련한 뇌의 적절한 작동을 방해하는 신경계 문제들을 가지고 있다.

빈출 숙어

3229	suffer from	~으로 고통받다
3230	go wrong	(일이) 잘못되다, 잘못하다
3231	with regard to ✔️⁸	~과 관련해서
3232	keep abreast of ✔️	~에 뒤떨어지지 않게 하다
3233	be hard on	~에게 매정하게 굴다, ~를 심하게 대하다; ~에 나쁘다
3234	stay away from	~을 끊다, 가까이하지 않다

완성 어휘

3235	fume	뗑 연기 동 연기가 나다
3236	lawsuit	뗑 소송, 고소
3237	systemicity ✔️	뗑 체계성, 계통성
3238	sniff	동 냄새를 맡다
3239	insatiable ✔️	혱 만족시킬 수 없는
3240	ascetic ✔️	혱 금욕적인 뗑 금욕주의자
3241	exempt ✔️	혱 면제된 동 면제하다
3242	disassemble	동 분해하다
3243	regression	뗑 퇴행, 퇴보
3244	thereafter	튀 그 후에
3245	following ✔️	혱 그다음의
3246	initiative	뗑 주도권, 진취성
3247	treacherous ✔️	혱 신뢰할 수 없는
3248	expound ✔️	동 자세히 설명하다
3249	contravention	뗑 위반
3250	completion	뗑 완료, 완성
3251	flamboyant	혱 눈부신, 이색적인

3252	incite	동 조장하다
3253	heir	뗑 상속인
3254	blue-collar	혱 육체노동자의
3255	diagnose	동 진단하다
3256	refuge	뗑 피난처
3257	rejection	뗑 거절, 폐기
3258	pitfall	뗑 함정, 위험
3259	liability	뗑 법적 책임
3260	downfall	뗑 몰락
3261	recondite	혱 많이 알려지지 않은
3262	captive	혱 사로잡힌
3263	responsive ✔️	혱 즉각 반응하는
3264	heed	동 주의를 기울이다
3265	infancy	뗑 유아기, 초창기
3266	incursion	뗑 급습
3267	prosecution	뗑 기소, 소추
3268	majestic	혱 장엄한
3269	contestation	뗑 논쟁, 주장
3270	throw away	버리다
3271	out of curiosity	호기심에서
3272	to some extent	어느 정도까지, 얼마간
3273	do without ✔️	없이 견디다
3274	ring a bell ✔️	들어본 적이 있는 것 같다
3275	feel blue	우울하다
3276	come through	(메시지 등이) 들어오다
3277	at the cost of	~을 희생하여
3278	emerge from	~에서 벗어나다
3279	cast doubt on	의구심을 제기하다
3280	put one's finger on	~을 확실히 지적하다

1초 Quiz

1. credibility _____
2. variation _____
3. exempt _____
4. 모호한 _____
5. 진단하다 _____
6. 조장하다 _____

정답 | 1. 신뢰도, 신빙성 2. 차이, 변화 3. 면제된; 면제하다 4. vague 5. diagnose 6. incite

Day 42

최빈출 단어

3281	**citizen** [sítəzən]	몡 시민, 주민
3282	**literature** [lítərətʃər]	몡 문학
3283	**transfer** 통[trænsfə́:r]¹ 몡[trǽnsfər]	통 옮기다, 이동하다 / 몡 이동, 이전
3284	**apparently** [əpǽrəntli]	뷔 분명히, 명백히 / 뷔 보기에, 외견상으로는
3285	**via** [váiə]	젠 (특정한 매개를) 통해, 거쳐
3286	**distinctive** [distíŋktiv]	혱 독특한, 특색 있는
3287	**remote** [rimóut]	혱 외딴, 외진 / 혱 멀리 떨어진, 먼
3288	**bargain** [bá:rgən]	몡 합의, 흥정 / 몡 할인 상품, 이득을 본 매입 / 통 협상하다, 흥정하다
3289	**sympathy** [símpəθi]²	몡 동정, 연민 / 몡 동조, 공감
3290	**intact** [intǽkt]	혱 온전한, 완전한

빈출 단어

3291	**transparent** [trænspέərənt]³	혱 명백한, 알기 쉬운 / 혱 투명한, 속이 비치는
3292	**renewable** [rinjú:əbl]	혱 재생 가능한
3293	**sibling** [síbliŋ]	몡 형제자매
3294	**nutritious** [nju:tríʃəs]	혱 영양분이 많은

3295	**avert** [əvə́:rt]	통 (고개를) 돌리다, 외면하다 / 통 피하다, 방지하다
3296	**occurrence** [əkə́:rəns]	몡 존재, 나타남, 발생하는 것
3297	**disastrous** [dizǽstrəs]	혱 끔찍한, 처참한
3298	**enrich** [inrítʃ]	통 질을 높이다, 부유하게 만들다
3299	**entail** [intéil]⁴	통 수반하다
3300	**constraint** [kənstréint]	몡 제약, 제한
3301	**glimpse** [glimps]	몡 짧은 경험, 잠깐 봄 / 통 언뜻 보다, 흘깃 보다
3302	**aboard** [əbɔ́:rd]	젠 ~을 타고 / 뷔 탑승한, 승차하여
3303	**escalate** [éskəlèit]⁵	통 증가되다, 확대되다
3304	**bilingual** [bailíŋgwəl]	혱 이중 언어를 사용하는
3305	**intensify** [inténsəfài]	통 심화시키다, 강화하다
3306	**degrade** [digréid]⁶	통 (질을) 저하시키다, (평판을) 떨어뜨리다 / 통 분해하다, 분해되다
3307	**proscribe** [prouskráib]	통 금지하다, 배척하다
3308	**indefinitely** [indéfənitli]	뷔 무기한으로
3309	**turbulent** [tə́:rbjulənt]	혱 격동의, 사납게 요동치는 / 혱 난기류의
3310	**efface** [iféis]	통 삭제하다, 지우다

대표 기출 예문

1. He received notice that he should **transfer** to the branch office in Brussels.
   그는 브뤼셀에 있는 지사로 옮겨야 한다는 통지를 받았다.

2. The news coverage about the flood that devastated the country aroused **sympathy**.
   그 나라를 황폐화한 홍수에 대한 뉴스 보도는 동정을 불러일으켰다.

3. The lawsuit was a **transparent** attempt by the company to silence its critics.
   그 소송은 비평가들을 조용하게 만들기 위한 그 회사의 명백한 시도였다.

4. The techniques appeal to students because they do not **entail** training.
   이 기술들은 훈련을 수반하지 않기 때문에 학생들에게 매력적이다.

5. The cost of building nuclear power plants **escalated** as the price of materials rose.
   원자재 가격이 오르면서 원전 건설 비용이 증가되었다.

6. Cutting down forests **degraded** the soil by enabling erosion.
   삼림을 베는 것은 침식을 가능하게 함으로써 토양의 질을 저하시켰다.

7. Jazz **originated from** other styles of popular music.
   재즈는 대중음악의 다른 양식들에서 비롯되었다.

8. She **stood up for** him when he was being blamed for the mistake.
   그녀는 그가 실수에 대해 비난받을 때 그를 두둔했다.

빈출 숙어

3311 ☐☐☐	**originate from[in]** [7]	~에서 비롯되다, ~이 원인이다
3312 ☐☐☐	**attend to**	~을 돌보다, 시중들다 ~에 전념하다
3313 ☐☐☐	**with ease**	쉽게
3314 ☐☐☐	**stand up for** ✔ [8]	두둔하다, 옹호하다

완성 어휘

3315 ☐☐☐	**rack**	동 괴롭히다, 고통을 주다
3316 ☐☐☐	**stroke**	명 뇌졸중, 타격, 치기
3317 ☐☐☐	**nursery**	명 양육실, 양성소
3318 ☐☐☐	**doctrine**	명 교리, 원칙
3319 ☐☐☐	**libel** ✔	명 명예훼손
3320 ☐☐☐	**sanctuary**	명 보호 구역, 안식처
3321 ☐☐☐	**spectator**	명 관중
3322 ☐☐☐	**carelessness**	명 부주의, 경솔함
3323 ☐☐☐	**telltale**	명 숨길 수 없는
3324 ☐☐☐	**utilitarian**	형 실용적인, 공리주의의
3325 ☐☐☐	**digress** ✔	동 주제에서 벗어나다
3326 ☐☐☐	**quarrelsome**	형 다투기 좋아하는
3327 ☐☐☐	**discernment**	명 안목
3328 ☐☐☐	**unquenchable** ✔	형 충족시킬 수 없는
3329 ☐☐☐	**peerless**	형 (뛰어나기가) 비할 데 없는
3330 ☐☐☐	**payee**	명 수취인
3331 ☐☐☐	**parched**	형 몹시 건조한
3332 ☐☐☐	**meritorious**	형 칭찬할 만한
3333 ☐☐☐	**vocation**	명 천직, 소명
3334 ☐☐☐	**invoice**	명 청구서

3335 ☐☐☐	**sake**	명 동기, 목적
3336 ☐☐☐	**immortal**	형 죽지 않는
3337 ☐☐☐	**precarious**	형 불안정한
3338 ☐☐☐	**gist**	명 요지
3339 ☐☐☐	**remuneration**	명 보수, 보상
3340 ☐☐☐	**detractor**	명 중상자, 명예 훼손자
3341 ☐☐☐	**exterminate**	동 몰살시키다
3342 ☐☐☐	**ridicule**	명 조롱, 조소
3343 ☐☐☐	**incongruous**	형 어울리지 않는
3344 ☐☐☐	**proposition**	명 제의
3345 ☐☐☐	**blessing**	명 축복, 승인
3346 ☐☐☐	**inhumane**	형 비인간적인
3347 ☐☐☐	**antioxidant**	명 산화 방지제
3348 ☐☐☐	**evacuee**	명 피난민
3349 ☐☐☐	**disagreeable**	형 불쾌한 명 불쾌한 일
3350 ☐☐☐	**run-in**	명 언쟁, 싸움
3351 ☐☐☐	**catch on**	유행하다, 인기를 얻다
3352 ☐☐☐	**stake out** ✔	~에 대해 의견을 분명히 밝히다
3353 ☐☐☐	**take the crown**	왕위에 오르다
3354 ☐☐☐	**portion out**	분배하다, 나눠주다
3355 ☐☐☐	**reason with**	~를 설득하다
3356 ☐☐☐	**dwell on**	~을 깊이 생각하다
3357 ☐☐☐	**get down to**	바로 본론으로 들어가다
3358 ☐☐☐	**sprain one's ankle**	발목을 삐다
3359 ☐☐☐	**bring out**	발휘하게 하다, 끌어내다
3360 ☐☐☐	**clear away**	청소하다, ~을 치우다

⏱ 1초 Quiz

1. intact _____
2. catch on _____
3. nutritious _____
4. 제약, 제한 _____
5. 보수, 보상 _____
6. ~를 설득하다 _____

정답 | 1. 온전한, 손상되지 않은 2. 유행하다, 인기를 얻다 3. 영양분이 많은 4. constraint 5. remuneration 6. reason with

✔ = 어휘 영역 출제

Day 43

최빈출 단어

3361 □□□ **potential** [pəténʃəl]	형 가능성이 있는, 잠재적인 명 가능성	
3362 □□□ **extremely** [ikstrí:mli]	부 극도로, 아주, 대단히	
3363 □□□ **evolution** [èvəlú:ʃən]	명 진화, 발전, 진전	
3364 □□□ **merely** [míərli]	부 단지	
3365 □□□ **innocent** [ínəsənt] [1]	형 악의 없는, 순진한 형 결백한, 무죄인	
3366 □□□ **destruction** [distrʌ́kʃən]	명 붕괴, 파괴, 말살	
3367 □□□ **loan** [loun]	명 대출, 융자 동 빌려주다, 대출해주다	
3368 □□□ **accessible** [æksésəbl] [2]	형 이용 가능한, 접근 가능한	
3369 □□□ **arbitrary** [ɑ́:rbətrèri]	형 제멋대로인, 임의적인	
3370 □□□ **arrival** [əráivəl]	명 도착	

빈출 단어

3371 □□□ **obligation** [àbləɡéiʃən] [3]	명 의무, 마땅히 해야 할 일	
3372 □□□ **segment** 명[séɡmənt] 동[séɡment]	명 부분, 조각 동 나누다, 분열시키다	
3373 □□□ **superstition** [sù:pərstíʃən]	명 미신	
3374 □□□ **deception** [disépʃən]	명 속임수, 기만, 사기	
3375 □□□ **fulfill** [fulfíl]	동 (소망·야심 등을) 달성하다, 성취하다 동 이행하다, 실행하다	

3376 □□□ **hamper** [hǽmpər] [4]	동 방해하다, 저지하다	
3377 □□□ **stir** [stə:r]	동 자극하다, 마음을 흔들다 동 휘젓다	
3378 □□□ **fusion** [fjú:ʒən]	명 융합, 결합	
3379 □□□ **scope** [skoup]	명 범위 명 기회, 여지, 능력	
3380 □□□ **gregarious** [ɡriɡɛ́əriəs] [5]	형 사교적인, 남과 어울리기 좋아하는 형 무리의, 군집의	
3381 □□□ **provisional** [prəvíʒənl] [6]	형 잠정적인, 일시적인	
3382 □□□ **irreversible** [ìrivə́:rsəbl]	형 되돌릴 수 없는	
3383 □□□ **tenacious** [tənéiʃəs]	형 끈질긴, 지속적인 형 집요한, 완강한	
3384 □□□ **inexorable** [inéksərəbl]	형 멈출 수 없는, 굽힐 수 없는 형 냉혹한, 무정한	
3385 □□□ **uncover** [ənkʌ́vər] [7]	동 알아내다, 폭로하다 동 덮개를 벗기다	
3386 □□□ **discharge** [distʃɑ́:rdʒ]	동 해고하다, 방출하다 동 석방하다	
3387 □□□ **inconceivable** [ìnkənsí:vəbəl]	형 상상할 수 없는, 생각조차 할 수 없는	
3388 □□□ **visionary** [víʒənèri]	형 선견지명이 있는, 예지력 있는 형 환영의, 환각의 명 예언자	

대표 기출 예문

1. An **innocent** gesture could cause offense if you don't understand the culture.
   만약 당신이 문화를 이해하지 못하면, 악의 없는 행동이 기분을 상하게 할 수 있다.

2. Today, virtual-reality technology has become widely **accessible**.
   오늘날 가상현실 기술은 널리 이용 가능해졌다.

3. You have no **obligation** to say what the other person wants to hear.
   당신은 다른 사람이 듣고 싶은 말을 할 의무가 없다.

4. Irrational regulations are **hampering** free competition and the creativity of businesses.
   비합리적인 규제들이 자유 경쟁과 기업체들의 창의력을 방해하고 있다.

5. Unlike his **gregarious** brother, Robert is a shy person, who does not like to make many friends.
   그의 사교적인 형제와 달리, Robert는 친구들을 많이 만들기 싫어하는 내성적인 사람이다.

6. Physical theories are **provisional**, in the sense that they can be changed in the future.
   물리학 이론들은 미래에 바뀔 수 있다는 점에서 잠정적이다.

7. Kepler **uncovered** three laws of planetary motion.
   케플러는 행성 운동의 세 가지 법칙을 알아냈다.

8. Faster vehicles **are** more **prone to** accidents than slower ones.
   더 빠른 차량들은 더 느린 것들보다 사고가 나기 쉽다.

빈출 숙어

3389 □□□	**turn into** 🌱	~으로 바뀌다, 변하다
3390 □□□	**be prone to**[8]	~ 하기 쉽다
3391 □□□	**by oneself**	혼자서, 스스로
3392 □□□	**hand over**	넘겨주다, 인도하다
3393 □□□	**break off** 🌱	(말을) 멈추다, 중단하다; 분리되다, 떨어져 나가다
3394 □□□	**get well** 🌱	회복하다, 병이 나아지다

완성 어휘

3395 □□□	**tumble**	통 크게 추락하다
3396 □□□	**withstand**	통 견뎌내다, 이겨내다
3397 □□□	**incipient**	형 초기의, 발단의
3398 □□□	**steadfast**	형 변함없는
3399 □□□	**orthodox**	형 정통파의
3400 □□□	**commotion** 🌱	명 소동, 소란
3401 □□□	**flexibility** 🌱	명 융통성, 유연성
3402 □□□	**persecution** 🌱	명 박해, 학대
3403 □□□	**abdicate** 🌱	통 퇴위하다, 책무를 다하지 못하다
3404 □□□	**resistive**	형 저항력 있는, 저항성의
3405 □□□	**precursor** 🌱	명 전조, 선도자
3406 □□□	**incremental** 🌱	형 증가하는, 증대하는
3407 □□□	**shudder**	통 몸을 떨다, 몸서리치다
3408 □□□	**justly**	부 바르게, 공정하게
3409 □□□	**applied**	형 응용의
3410 □□□	**borderline**	명 경계
3411 □□□	**imperishable**	형 불멸의, 불후의
3412 □□□	**outburst**	명 (감정의) 분출
3413 □□□	**humanely**	부 자비롭게, 인도적으로

3414 □□□	**self-sufficient**	형 자급자족하는
3415 □□□	**forge**	통 위조하다
3416 □□□	**outrageous**	형 충격적인, 터무니없는
3417 □□□	**abet**	통 사주하다
3418 □□□	**ornament**	명 장식품 통 장식하다
3419 □□□	**cozy**	형 아늑한
3420 □□□	**rife**	형 만연한, 가득 찬
3421 □□□	**rob**	통 강도질하다, 털다
3422 □□□	**disembark**	통 (배·비행기에서) 내리다
3423 □□□	**glimmering**	명 희미한 빛, 미광
3424 □□□	**asteroid**	명 소행성
3425 □□□	**backer**	명 후원자
3426 □□□	**supple**	형 유연한
3427 □□□	**malpractice**	명 위법 행위, 의료 과실
3428 □□□	**repossess**	통 회수하다, 압류하다
3429 □□□	**tuck**	통 밀어 넣다
3430 □□□	**interracial**	형 다른 인종 간의
3431 □□□	**head-on**	형 정면으로 대응하는
3432 □□□	**take pride in**	~을 자랑하다
3433 □□□	**hard feelings** 🌱	적의, 악감정
3434 □□□	**put up money**	(돈을) 마련하다, 치르다
3435 □□□	**give ~ a break**	~를 너그럽게 봐주다
3436 □□□	**beat back**	~을 격퇴하다
3437 □□□	**come upon**	우연히 떠오르다
3438 □□□	**to the effect**	~이라는 의미의
3439 □□□	**in full**	전부, 빠짐없이
3440 □□□	**stick one's nose in**	~에 참견하다, 간섭하다

1초 Quiz

1. destruction _____
2. withstand _____
3. outburst _____
4. 되돌릴 수 없는 _____
5. 융합, 결합 _____
6. 단지 _____

정답 | 1. 파괴, 파멸, 말살 2. 견뎌내다, 이겨내다 3. (감정의) 분출 4. irreversible 5. fusion 6. merely

Day 44

Day 44 음성 바로 듣기

최빈출 단어

3441	**consequence** [kάːnsəkwèns]	명	결과
3442	**civilization** [sìvəlizéiʃən]	명	문명, 문명사회
3443	**intellectual** [ìntəléktʃuəl]	형	지적인, 지능의
3444	**considerable** [kənsídərəbl][1]	형	상당한, 많은
3445	**conference** [kάːnfərəns]	명	학회, 회의
3446	**acceptable** [ækséptəbl]	형	용인되는, 허용되는
3447	**prompt** [prɑːmpt]	동	자극하다, 촉진하다
		형	재빠른, 날쌘, 기민한
3448	**assess** [əsés]	동	평가하다, 산정하다
		동	(세금·회비 따위를) 부과하다
3449	**deprive** [dipráiv][2]	동	빼앗다, 박탈하다
3450	**integrity** [intégrəti]	명	성실함, 진실성
		명	(나눠지고 않고) 완전한 상태, 완전성

빈출 단어

3451	**despair** [dispέər]	명	절망
		동	절망하다, 체념하다
3452	**involvement** [invάːlvmənt][3]	명	개입, 관여
		명	몰두, 열중
3453	**interrupt** [ìntərʌ́pt]	동	방해하다, 중단시키다
		동	(흐름·시야 등을) 차단하다

3454	**outweigh** [àutwéi][4]	동	능가하다, ~보다 중대하다
		동	~보다 더 무겁다
3455	**scrutinize** [skrúːtənàiz]	동	자세히 보다, 세밀히 조사하다
3456	**disclose** [disklóuz]	동	밝히다, 폭로하다
3457	**obliterate** [əblítərèit]	동	(흔적을) 없애다, 지우다
3458	**weary** [wíəri]	형	지친, 피곤한
3459	**conquest** [kάːŋkwest]	명	정복
		명	점령지
3460	**invoke** [invóuk][5]	동	(규칙 등을) 들먹이다, 적용하다
3461	**handy** [hǽndi]	형	유용한, 편리한
		형	가까운, 이용하기 편한 곳에 있는
3462	**illusion** [ilúːʒən]	명	환상
3463	**eloquent** [éləkwənt]	형	말을 잘하는, 능변의
		형	감정을 드러내는
3464	**dimension** [diménʃən]	명	관점, 차원
3465	**secretive** [síːkritiv]	형	비밀스러운, 숨기는
3466	**burglar** [bə́ːrglər]	명	강도, 절도범
3467	**infectious** [inférkʃəs][6]	형	전염성의
3468	**quintessential** [kwìntəsénʃəl]	형	전형적인
3469	**unveil** [ənvéil][7]	동	공개하다, 발표하다
		동	덮개를 벗기다
3470	**measurable** [méʒərəbl]	형	측정 가능한
		형	눈에 띄는, 주목할 만한

대표 기출 예문

1. The environmental damage of the policy has caused **considerable** controversy.
   그 정책으로 인한 환경 훼손은 상당한 논란을 초래했다.

2. Plants under water for longer than a week are **deprived** of oxygen.
   일주일 이상 물에 잠긴 식물은 산소를 빼앗긴다.

3. According to theories of capitalism, there is no need for government **involvement** in the marketplace.
   자본주의 이론들에 따르면, 시장에 정부의 개입은 필요 없다.

4. The harmful effects of lying might possibly be **outweighed** by the benefits of it.
   거짓말하는 것의 해로운 영향은 어쩌면 그것의 이득에 의해 능가될 수도 있다.

5. Instead of talking to the police, the suspect **invoked** his right to remain silent.
   경찰에게 말하는 것 대신, 그 용의자는 침묵을 유지할 권리를 들먹였다.

6. **Infectious** diseases like the flu developed as specialized germs.
   독감과 같은 전염병들은 특수화된 세균으로 발달하기 시작했다.

7. The shopping mall **unveiled** new luxury boutiques.
   그 백화점은 새로운 고급 부티크를 공개했다.

8. The building **consisted of** a wooden structure.
   그 건물은 목재 구조물로 구성되었다.

빈출 숙어

3471 □□□	**consist of**[8]	~으로 구성되다
3472 □□□	**look up to**	~를 존경하다
3473 □□□	**ward off**	~을 피하다
3474 □□□	**take notice of**	~을 알아차리다, 신경 쓰다

완성 어휘

3475 □□□	**lukewarm**	혱 열의가 없는, 미지근한
3476 □□□	**inextricably**	闬 밀접하게, 불가분하게
3477 □□□	**encapsulate**	동 요약하다, 압축하다
3478 □□□	**void**	혱 텅 빈, 공허한
3479 □□□	**plasticity**	명 탄력성, 유연성, 가소성
3480 □□□	**loquacious**	혱 말이 많은, 수다스러운
3481 □□□	**overturn**	동 뒤엎다, 철회하다
3482 □□□	**pinnacle**	명 정점, 절정
3483 □□□	**felicitous**	혱 아주 적절한
3484 □□□	**stash**	동 넣어 두다
3485 □□□	**fragrant**	혱 향기로운, 향긋한
3486 □□□	**compulsion**	명 강요
3487 □□□	**creditable**	혱 칭찬할 만한
3488 □□□	**inhale**	동 숨을 들이쉬다
3489 □□□	**briskly**	闬 힘차게, 활발하게
3490 □□□	**digestive**	혱 소화의
3491 □□□	**derogate**	동 폄하다, 헐뜯다
3492 □□□	**unintentional**	혱 고의가 아닌
3493 □□□	**surreal**	혱 비현실적인, 꿈 같은
3494 □□□	**quantification**	명 수량화

3495 □□□	**necessitate**	동 필요로 하다
3496 □□□	**sin**	명 (종교·도덕상의) 죄악
3497 □□□	**dispel**	동 없애다, 떨쳐 버리다
3498 □□□	**fortify**	동 강화하다, 튼튼히 하다
3499 □□□	**pledge**	명 맹세; 동 맹세하다
3500 □□□	**nuisance**	명 성가신 것, 골칫거리
3501 □□□	**proprietor**	명 소유주
3502 □□□	**indefatigable**	혱 지칠 줄 모르는
3503 □□□	**stain**	명 얼룩
3504 □□□	**convene**	동 소집하다
3505 □□□	**midland**	명 내륙부, 중부 지방
3506 □□□	**burdensome**	혱 부담스러운, 힘든
3507 □□□	**retrace**	동 되짚어가다
3508 □□□	**impersonal**	혱 인간미 없는
3509 □□□	**economize**	동 아끼다, 절약하다
3510 □□□	**sacred**	혱 성스러운
3511 □□□	**follow up on**	~을 끝까지 하다
3512 □□□	**come between**	~ 사이에 오다
3513 □□□	**impel A to B**	A가 압박감에 B하게 만들다
3514 □□□	**play up to**	~에게 아부하다
3515 □□□	**through thick and thin**	좋을 때나 안 좋을 때나
3516 □□□	**by and large**	대체로
3517 □□□	**count out**	빼다, 배제하다
3518 □□□	**cut off**	차단하다
3519 □□□	**stand aside**	물러나다
3520 □□□	**fight to the death**	최후까지 싸우다

1초 Quiz

1. disclose _____
2. dispel _____
3. sacred _____
4. 환상 _____
5. 정점, 절정 _____
6. 고의가 아닌 _____

정답 | 1. 밝히다, 폭로하다 2. 없애다, 떨쳐 버리다 3. 성스러운 4. illusion 5. pinnacle 6. unintentional

Day 45

최빈출 단어

3521	**factor** [fǽktər]	명 요소, 요인
3522	**genetic** [dʒənétik]	형 유전의, 유전자의
3523	**construction** [kənstrʌ́kʃən]	명 건설, 공사
3524	**continuously** [kəntínjuəsli]	부 계속해서, 연달아
3525	**irritate** [írətèit]	동 (피부 등을) 자극하다 동 짜증 나게 하다
3526	**justify** [dʒʌ́stəfài] ✔1	동 정당화하다
3527	**bond** [bɑːnd]	명 유대, 결속 명 채권
3528	**deter** [ditə́ːr] 2	동 막다, 단념시키다 동 예방하다
3529	**submit** [səbmít]	동 제출하다 동 항복하다, 복종하다
3530	**invade** [invéid]	동 침략하다, 침입하다

빈출 단어

| 3531 | **sphere** [sfiər] | 명 구체
 명 영역, 지역 |
| 3532 | **evoke** [ivóuk] ✔3 | 동 일깨우다, 자아내다
 동 (기억 따위를) 되살려내다, 환기하다 |

3533	**decent** [díːsnt]	형 제대로 된, 훌륭한 형 품위 있는, 점잖은
3534	**retreat** [ritríːt] ✔4	동 후퇴하다, 철수하다 명 후퇴, 퇴각
3535	**stimulus** [stímjuləs]	명 부양, 자극
3536	**overnight** [òuvərnáit]	부 밤새도록, 밤사이에 부 하룻밤 사이에, 갑자기
3537	**qualification** [kwὰːləfikéiʃən]	명 자격, 자격증, 자질
3538	**erode** [iróud]	동 부식시키다, 침식시키다
3539	**contagious** [kəntéidʒəs]	형 전염성이 있는, 전염병에 걸린
3540	**harness** [hάːrnis] ✔5	동 활용하다, 이용하다
3541	**secondary** [sékəndèri]	형 부수적인, 이차적인 형 중등교육의
3542	**autonomous** [ɔːtάːnəməs] 6	형 자주적인, 자율적인
3543	**vow** [vau]	동 단언하다, 맹세하다 명 맹세, 서약
3544	**shun** [ʃʌn] ✔	동 기피하다, 피하다
3545	**intersect** [ìntərsékt]	동 교차하다, 만나다 동 가로지르다, 횡단하다
3546	**redress** [ridrés] ✔	동 (부당한 것을) 바로잡다
3547	**discrepancy** [diskrépənsi] ✔7	명 차이, 불일치
3548	**praiseworthy** [préizwὲrði] ✔	형 훌륭한, 칭찬할 만한

대표 기출 예문

1. Sometimes, myths are used to **justify** the way a society lives.
   때때로, 신화는 한 사회가 살아가는 방식을 정당화하기 위해 사용된다.

2. Economists have tried to calculate what **deters** criminals.
   경제학자들은 무엇이 범죄자들을 막는지를 계산하려고 노력했다.

3. Modern art focuses on what feelings each of its elements **evokes**.
   현대 미술은 각각의 요소들이 일깨우는 감정이 무엇인지에 초점을 맞춘다.

4. The fact that the American Indian **retreated** is not necessarily evidence of inferiority.
   미국의 인디언이 후퇴했다는 사실이 반드시 열등함의 증거는 아니다.

5. Solar panels **harness** the energy of the Sun's rays to create electricity.
   태양광 패널은 전기를 만들기 위해 태양 광선의 에너지를 활용한다.

6. In the late 20th century, humans began to be seen as **autonomous** individuals.
   20세기 말, 인간은 자주적인 개인으로 보여지기 시작했다.

7. There was a **discrepancy** between what the witnesses said about the accident.
   목격자들이 그 사건에 대해 말한 것에는 차이가 있다.

8. Tellers in banks these days cannot **dispense with** computers.
   요즘 은행 창구 직원들은 컴퓨터 없이 지낼 수 없다.

빈출 숙어

3549 □□□ **be said to**	~이라고 한다	
3550 □□□ **from time to time** 🌱	가끔	
3551 □□□ **with respect to** 🌱	~에 관하여	
3552 □□□ **dispense with** 🌱⁸	~없이 지내다, 없애다, 생략하다	
3553 □□□ **shed light on**	~을 명백히 하다, 해명하다	
3554 □□□ **trade on** 🌱	~을 이용하다	

완성 어휘

3555 □□□ **propaganda**	몡 대중 선동, 선전
3556 □□□ **despicable** 🌱	혱 비열한, 야비한
3557 □□□ **skyrocket**	동 (물가 등이) 급등하다
3558 □□□ **dreadful**	혱 끔찍한
3559 □□□ **stiff**	혱 뻣뻣한
3560 □□□ **acme** 🌱	몡 절정, 정점
3561 □□□ **utopian**	혱 이상적인
3562 □□□ **wane**	동 약해지다
3563 □□□ **negate**	동 무효화하다
3564 □□□ **consonance**	몡 일치, 조화
3565 □□□ **transpire** 🌱	동 일어나다, 발생하다
3566 □□□ **affiliative**	혱 친화적인
3567 □□□ **acrimony**	몡 불화, 악감정
3568 □□□ **beware**	동 조심하다
3569 □□□ **denotation**	몡 지시, 명시적 의미
3570 □□□ **rocking**	혱 흔들리는
3571 □□□ **neutralize**	동 무효화시키다
3572 □□□ **flippancy** 🌱	몡 경솔, 경박, 건방짐
3573 □□□ **untiring**	혱 지치지 않는

3574 □□□ **unannounced**	혱 예고 없는
3575 □□□ **infuse**	동 불어 넣다
3576 □□□ **scrap**	몡 조각
3577 □□□ **attest**	동 입증하다, 증명하다
3578 □□□ **slender**	혱 (몸이) 날씬한
3579 □□□ **dissipate** 🌱	동 소멸되다
3580 □□□ **impairment**	몡 장애
3581 □□□ **precaution** 🌱	몡 예방책
3582 □□□ **shiver**	동 (몸을) 떨다
3583 □□□ **intrude** 🌱	동 침범하다
3584 □□□ **drench**	동 흠뻑 적시다
3585 □□□ **entrust**	동 일을 맡기다
3586 □□□ **illusory**	혱 가공의, 실체가 없는
3587 □□□ **uproot**	동 몰아내다, 뿌리째 뽑다
3588 □□□ **jaywalk**	동 무단 횡단하다
3589 □□□ **despoil**	동 약탈하다
3590 □□□ **fad**	몡 일시적 유행
3591 □□□ **gutless** 🌱	혱 배짱이 없는
3592 □□□ **put forth**	~을 발휘하다
3593 □□□ **be engrossed in** 🌱	~에 몰두해 있다
3594 □□□ **cut back**	축소하다, 삭감하다
3595 □□□ **get on with**	지속해 나가다
3596 □□□ **settle the matter**	해결하다
3597 □□□ **cut corners**	절차를 무시하다
3598 □□□ **scrub away**	없애다, 제거하다
3599 □□□ **pursuant to**	~에 따라
3600 □□□ **be well on the way to**	~을 거의 다 이루어가다

🕐 1초 Quiz

1. redress _____

2. qualification _____

3. transpire _____

4. 요소, 요인 _____

5. 기피하다, 피하다 _____

6. 예방책 _____

정답 | 1. (부당함) 시정하다, 바로잡다 2. 자격, 자격증, 자질 3. 일어나다, 발생하다 4. factor 5. shun 6. precaution

🌱 = 어휘 영역 출제

Day 46

최빈출 단어

3601 despite [dispáit]	젠 ~에도 불구하고
3602 rarely [rέərli] ✔1	부 거의 ~하지 않는, 드물게
3603 administration [ədmìnistréiʃən]	명 운영, 경영 명 행정, 행정부
3604 rational [rǽʃənl]	형 합리적인, 이성적인
3605 embrace [imbréis] ✔2	동 받아들이다, 수용하다 동 껴안다, 포옹하다
3606 disrupt [disrʌ́pt]	동 방해하다, 지장을 주다 동 붕괴시키다, 분열시키다
3607 notorious [noutɔ́riəs] ✔	형 악명 높은
3608 competence [kά:mpətəns]	명 능력, 역량
3609 orbit [ɔ́:rbit]	동 궤도를 돌다 명 궤도
3610 parliament [pά:rləmənt]	명 의회, 국회

빈출 단어

3611 arouse [əráuz] ✔3	동 (감정 등을) 불러일으키다 동 자극하다
3612 jeopardize [dʒépərdàiz]4	동 위태롭게 하다
3613 durable [djúərəbl] ✔	형 오래 가는, 내구성의
3614 undesirable [ʌ̀ndizáirəbəl]	형 바람직하지 않은

3615 haste [heist]	명 서두름, 급함
3616 vacancy [véikənsi]	명 공백, 결원 명 빈 객실, 빈방
3617 gigantic [dʒaigǽntik] ✔	형 막대한, 대규모의
3618 enthusiasm [inθú:ziæzm]	명 열광
3619 detrimental [dètrəméntl]5	형 해로운, 손해를 입히는
3620 stingy [stíndʒi] ✔	형 인색한, 쩨쩨한 형 적은, 근소한 형 쏘는, 날카로운
3621 aggregate 동[ǽgrigèit] ✔6 명형[ǽgrigət]	동 종합하다, 모으다 명 합계, 총액 형 합계의, 총액의
3622 abound [əbáund]	동 풍부하다
3623 precede [prisí:d] ✔7	동 ~에 앞서다
3624 lease [li:s]	명 임대계약, 임대
3625 trespass [tréspəs] ✔	동 (무단) 침입하다, 침해하다 동 폐를 끼치다
3626 cohesion [kouhí:ʒən]	명 화합, 결합 명 응집력, 유대감
3627 clumsy [klʌ́mzi]	형 서투른, 어설픈 형 눈치 없는
3628 precipitate [prisípitèit] ✔	동 촉발하다, 재촉하다

대표 기출 예문

1. We **rarely** get tired when we are doing something interesting and exciting.
우리가 흥미롭고 신나는 무언가를 하고 있을 때, 우리는 거의 지치지 않는다.

2. The wool industry suffered as people **embraced** the new fabric.
양모 산업은 사람들이 새로운 직물을 받아들이면서 악화되었다.

3. A man brought his children into court to **arouse** the compassion of the judges.
한 남자는 판사들의 동정심을 불러일으키기 위해 그의 아이들을 법정에 데려왔다.

4. A heavy tax on cotton thread **jeopardized** the cotton industry.
면사에 대한 무거운 세금은 면직물 산업을 위태롭게 했다.

5. If batteries are not disposed of properly, they have **detrimental** impact on the environment.
만약 건전지를 적절히 폐기하지 않으면, 그것들은 환경에 해로운 영향을 가진다.

6. The tournament judges **aggregated** their scores to determine the winner.
그 대회의 심판들은 우승자를 결정하기 위해 그들의 점수를 종합했다.

7. A quiet moment usually **precedes** a storm.
조용한 순간은 보통 폭풍에 앞선다.

8. The turtle's shell **is made up of** hardened scales that are fused together.
거북의 등딱지는 서로 융합되어 단단해진 비늘로 이루어진다.

빈출 숙어

3629 ☐☐☐	**be made up of** [8]	~으로 이루어지다, 구성되다
3630 ☐☐☐	**stand out**	눈에 띄다, 두드러지다
3631 ☐☐☐	**put off** 🌱	연기하다, 미루다
3632 ☐☐☐	**except for**	~을 제외하고
3633 ☐☐☐	**agree on**	~에 동의하다
3634 ☐☐☐	**(every) now and then**	때때로, 가끔

완성 어휘

3635 ☐☐☐	**outright**	형 노골적인 부 노골적으로
3636 ☐☐☐	**dividual**	형 분리된
3637 ☐☐☐	**obscurity** 🌱	명 모호함, 무명
3638 ☐☐☐	**blatant**	형 노골적인
3639 ☐☐☐	**sobriety**	명 절제, 맨정신
3640 ☐☐☐	**discretion** 🌱	명 재량권, 신중함
3641 ☐☐☐	**epitomize** 🌱	동 ~의 전형이다, 요약하다
3642 ☐☐☐	**cranky**	형 까다로운, 불안정한
3643 ☐☐☐	**momentum**	명 탄력, 추진력
3644 ☐☐☐	**masquerade**	동 변장하다 명 겉치레
3645 ☐☐☐	**stratify**	동 계층화하다
3646 ☐☐☐	**laudatory** 🌱	형 감탄하는
3647 ☐☐☐	**causation**	명 야기, 인과관계
3648 ☐☐☐	**notable**	형 주목할 만한, 중요한
3649 ☐☐☐	**perceptible**	형 인지할 수 있는
3650 ☐☐☐	**nutritionist**	명 영양사, 영양학자
3651 ☐☐☐	**temperament**	명 기질
3652 ☐☐☐	**quota**	명 할당량, 한도
3653 ☐☐☐	**gratuitously**	부 무료로

3654 ☐☐☐	**enlarge**	동 확대하다, 확대되다
3655 ☐☐☐	**pretense**	명 겉치레, 가식
3656 ☐☐☐	**outdated**	형 구식인
3657 ☐☐☐	**stipulation**	명 조항, 조건
3658 ☐☐☐	**dissuade**	동 만류하다
3659 ☐☐☐	**mortality**	명 사망률, 사망자 수, 죽을 운명
3660 ☐☐☐	**locomotion**	명 운동, 이동
3661 ☐☐☐	**innocuous**	형 악의 없는
3662 ☐☐☐	**commend** 🌱	동 칭찬하다
3663 ☐☐☐	**hind**	형 뒤의
3664 ☐☐☐	**tactile**	형 촉각의
3665 ☐☐☐	**clamor**	명 시끄러운 외침
3666 ☐☐☐	**jocular**	형 익살스러운
3667 ☐☐☐	**luxuriant**	형 무성한, 풍부한
3668 ☐☐☐	**date back**	(시기를) 거슬러 올라가다
3669 ☐☐☐	**do away with** 🌱	~을 그만두다
3670 ☐☐☐	**wet behind the ears**	미숙한, 풋내기인
3671 ☐☐☐	**be booked up**	(표가) 매진되다
3672 ☐☐☐	**cover the cost** 🌱	비용을 충당하다
3673 ☐☐☐	**lap against** 🌱	(물결 등이) 밀려오다, 철썩 치다
3674 ☐☐☐	**common ground**	공통점
3675 ☐☐☐	**for the sake of**	~을 위해서
3676 ☐☐☐	**feast on**	~을 마음껏 먹다
3677 ☐☐☐	**put to use**	~을 이용하다
3678 ☐☐☐	**wrestle with**	~와 씨름하다
3679 ☐☐☐	**at stake**	위태로운
3680 ☐☐☐	**be short of**	~이 부족하다

🕐 1초 Quiz

1. rational _____
2. obscurity _____
3. commend _____
4. 악명 높은 _____
5. 바람직하지 않은 _____
6. 위태로운 _____

정답 | 1. 합리적인, 이성적인 2. 모호함, 무명 3. 칭찬하다 4. notorious 5. undesirable 6. at stake

🌱 = 어휘 영역 출제

Day 47

Day 47 음성 바로 듣기

최빈출 단어

3681	**decline** [dikláin]	동 감소하다, 축소되다
		명 (수·가치 등의) 지속적인 감소
3682	**security** [sikjúərəti]	명 보안, 안전
		형 보안의, 안전의
3683	**ensure** [inʃúər]	동 보장하다, 확실하게 하다
3684	**abandon** [əbǽndən] [1]	동 버리다, 유기하다
		명 방종, 자유분방
3685	**visible** [vízəbl]	형 (눈에) 보이는, 뚜렷한
3686	**overall** [óuvərɔːl] (형)	형 전반적인, 전체의
	[òuvərɔ́ːl] (부)	부 전반적으로, 종합적으로
3687	**resist** [rizíst] [2]	동 저항하다
		동 참다, 견디다
3688	**substantial** [səbstǽnʃəl]	형 상당한, 많은
		형 실제적인, 실질적인
3689	**commodity** [kəmáːdəti]	명 상품, 물품, 산물

빈출 단어

3690	**conserve** [kənsə́ːrv] [3]	동 보존하다, 아끼다
3691	**entity** [éntəti]	명 독립체, 실체
3692	**complication** [kàːmplikéiʃən]	명 문제, 복잡성
		명 합병증
3693	**camouflage** [kǽməflàːʒ] [4]	동 위장하다, 감추다
		명 위장, 속임수

3694	**conscientious** [kàːnʃiénʃəs]	형 성실한
		형 양심적인
3695	**slope** [sloup]	명 경사면, 경사지
		동 경사지다, 기울어지다
3696	**diagnosis** [dàiəgnóusis]	명 진단
3697	**vibration** [vaibréiʃən]	명 진동
3698	**legacy** [légəsi]	명 유산; 업적
3699	**pension** [pénʃən]	명 연금, 생활 보조금
3700	**slippery** [slípəri]	형 미끄러운
		형 파악하기 힘든
3701	**aptitude** [ǽptətjùːd] [5]	명 소질, 적성; 경향, 습성
3702	**impeccable** [impékəbl]	형 흠잡을 데 없는, 나무랄 데 없는
		형 죄를 저지르지 않는
3703	**inheritance** [inhérətəns]	명 유산, 상속
3704	**meticulous** [mətíkjuləs] [6]	형 꼼꼼한, 세심한
3705	**impromptu** [imprάːmptjuː]	형 즉흥적인
		형 서둘러서 만든, 임시변통의
3706	**magnify** [mǽgnəfài] [7]	동 확대하다
		동 과장하다
3707	**sparse** [spɑːrs]	형 드문, 희박한
3708	**exalt** [igzɔ́ːlt]	동 의기양양하게 하다, 칭찬하다
		동 (신분·지위를) 상승시키다, 격상하다
		동 (상상 따위를) 자극하다

대표 기출 예문

1. The music industry will gradually **abandon** the manufacture of CDs.
   음악 산업은 점차 CD 제조를 버리게 될 것이다.

2. Representatives from the union **resisted** the proposal but in the end they agreed to it.
   조합의 대표들은 그 제안에 저항했지만 결국 그것에 동의했다.

3. Nature must be protected and **conserved**.
   자연은 보호되고 보존되어야 한다.

4. Animals **camouflage** themselves as uninteresting objects to avoid predators.
   동물들은 포식자를 피하기 위해 스스로를 흥미롭지 않은 물체로 위장한다.

5. One's level of fluency may depend on one's language learning **aptitude**.
   한 사람의 언어의 유창성은 언어 학습 소질에 달려있을 수 있다.

6. The lawyer's assistant is **meticulous** about keeping notes.
   그 변호사의 조수는 메모하는 것에 대해 꼼꼼하다.

7. Some witnesses are prone to **magnify** the extent of what they saw.
   몇몇 증인들은 자신들이 본 것의 범위를 확대하기 쉽다.

8. Customers **are entitled to** a refund for defective products.
   고객들은 결함이 있는 제품에 대해 환불을 받을 자격이 있다.

빈출 숙어

3709	**in spite of** ✔	불구하고
3710	**engage in**	~에 관여하다, 참여하다, 가담하다
3711	**apply for**	~에 지원하다
3712	**get away (from)** ✔	(~으로부터) 벗어나다
3713	**look after** ✔	돌보다
3714	**be entitled to** [8]	~을 받을 자격이 있다

완성 어휘

3715	**dwindle**	동 줄어들다
3716	**wholesome**	형 건강에 좋은, 유익한
3717	**calumniate** ✔	동 비방하다, 중상하다
3718	**homesickness**	명 향수병
3719	**equator**	명 적도
3720	**unceasing** ✔	형 끊임없는
3721	**pellucid** ✔	형 투명한
3722	**abate**	동 누그러지다
3723	**suck**	동 빨아 먹다, 빨다
3724	**electrify**	동 전기로 움직이게 하다
3725	**ordain**	동 정하다, 임명하다
3726	**childbearing**	명 출산, 분만
3727	**glamour**	명 화려함
3728	**self-reliance**	명 자기 의존, 자립
3729	**unscrupulous** ✔	형 부도덕한, 무원칙의
3730	**temperate**	형 온화한
3731	**allegiance** ✔	명 충성
3732	**disgruntled**	형 불만인
3733	**innumerable**	형 무수한

3734	**purity** ✔	명 순수성, 순도
3735	**irregularity**	명 불규칙성
3736	**subjection**	명 복종
3737	**diversion**	명 전환
3738	**victorious**	형 승리한, 승리를 거둔
3739	**urbane**	형 세련된, 점잖은
3740	**trifling**	형 하찮은, 사소한
3741	**euthanasia**	명 안락사
3742	**invaluable**	형 매우 유용한, 귀중한
3743	**stature**	명 지명도, 위상
3744	**misuse**	명 남용, 오용
3745	**liquor**	명 술
3746	**inert** ✔	형 기력이 없는, 둔한
3747	**keystone**	명 핵심, 쐐기돌
3748	**boastfully** ✔	부 자랑스럽게, 허풍떨면서
3749	**appropriation**	명 할당
3750	**ad hoc** ✔	특별한, 임기응변의
3751	**on file**	기록된
3752	**give in** ✔	~에 항복하다, 굴복하다
3753	**fall below**	~에 미치지 않다
3754	**sleep on** ✔	~에 대해 하룻밤 자면서 생각해 보다
3755	**bind together**	단결시키다
3756	**emancipate from** ✔	~에서 해방하다
3757	**as a last resort**	최후의 수단으로서
3758	**keep ~ to oneself**	~을 비밀로 하다
3759	**in comparison with**	~에 비해서
3760	**be on hand**	참가하다

1초 Quiz

1. legacy _____
2. entity _____
3. give in _____
4. 드문, 희박한 _____
5. 줄어들다 _____
6. 돌보다 _____

정답 | 1. 유산: 업적 2. 독립체, 실체 3. ~에 항복하다, 굴복하다 4. sparse 5. dwindle 6. look after

Day 48

Day 48 음성 바로 듣기

최빈출 단어

3761 **promote** [prəmóut] [1]	동 승진하다 / 동 촉진하다, 홍보하다
3762 **substance** [sʌ́bstəns]	명 물질, 재료
3763 **institution** [ìnstətjúːʃən]	명 기관, 단체 / 명 제도, 관례
3764 **interaction** [ìntərǽkʃən]	명 상호 작용, 상호 관계
3765 **arrest** [ərést]	동 체포하다 / 명 구속
3766 **aging** [éidʒiŋ]	명 노화, 나이 먹음
3767 **advocate** 명 [ǽdvəkət] [2] 동 [ǽdvəkèit]	명 지지자, 옹호자 / 동 지지하다, 옹호하다
3768 **swallow** [swɑ́ːlou]	동 삼키다
3769 **unconscious** [ʌ̀nkɑ́ːnʃəs]	형 의식을 잃은 / 명 무의식
3770 **plain** [plein]	형 명백한 / 형 평범한 / 명 평원, 평지
3771 **legitimate** [lidʒítəmət]	형 정당한, 합법적인

빈출 단어

3772 **consensus** [kənsénsəs]	명 합의, 의견 일치
3773 **confine** [kənfáin] [3]	동 국한하다, 제한하다 / 동 가두다, 넣다

3774 **manifest** [mǽnəfèst] [4]	동 나타나다, 드러내다 / 형 명백한, 분명한
3775 **marginal** [mɑ́ːrdʒinəl]	형 미미한, 중요하지 않은 / 형 한계의, 막다른
3776 **modest** [mɑ́ːdist]	형 (크기·가격 등이) 적당한, 보통의 / 형 겸손한
3777 **suicide** [sjúːəsàid]	명 자살
3778 **ongoing** [ɑ́ːngòuiŋ]	형 계속 진행 중인
3779 **soothe** [suːð] [5]	동 진정시키다, 달래다
3780 **eruption** [irʌ́pʃən]	명 (화산의) 폭발, 분출
3781 **evacuate** [ivǽkjuèit] [6]	동 대피하다
3782 **prominent** [prɑ́ːmənənt]	형 저명한, 유명한 / 형 탁월한, 두드러진
3783 **plague** [pleig]	명 전염병, 역병 / 동 귀찮게 하다, 괴롭히다 / 명 떼, 무리
3784 **tranquility** [træŋkwíləti]	명 평온, 차분함
3785 **discourse** 명 [dískɔːrs] 동 [diskɔ́ːrs]	명 담론, 담화, 강연 / 동 연설하다, 강연하다
3786 **outnumber** [autnʌ́mbər]	동 ~보다 수적으로 우세하다
3787 **impel** [impél] [7]	동 강요하다, ~하게 만들다 / 동 (앞으로) 밀고 나가다, 밀어내다, 추진하다

대표 기출 예문

1. The company stopped him from being **promoted** to vice president.
   회사는 그가 부사장으로 승진되는 것을 막았다.

2. Many gun **advocates** claim that owning guns is a natural-born right.
   많은 총기 지지자들은 총기를 소유하는 것이 타고난 권리라고 주장한다.

3. The more details there are in a film, the more the director **confines** the viewers' imagination.
   영화 속에 더 많은 디테일이 있을수록, 감독은 시청자들의 상상력을 더욱 국한한다.

4. Cultural differences in the workplace can **manifest** themselves in how the workers speak and behave.
   직장에서의 문화적 차이는 직원들이 어떻게 말하고 행동하는지에 나타날 수 있다.

5. She **soothed** the insect bite with a bit of lotion.
   그녀는 약간의 로션으로 벌레 물린 곳을 진정시켰다.

6. In the event of an emergency, officials may order you to **evacuate** the building.
   비상시에는, 담당자들이 당신에게 건물에서 대피하라고 지시할 수 있다.

7. The global media **impelled** the government to address the country's air pollution problem.
   세계 언론은 정부가 그 나라의 대기 오염 문제를 다루도록 강요했다.

8. I'm going to **take over** his former position.
   나는 그의 이전 직위를 인계받을 것이다.

3788 ☐☐☐ **exhume** [igzjú:m] 🌿	동 파내다, 발굴하다 동 빛을 보게 하다, 공개하다	3811 ☐☐☐ **fluidly**	부 유동적으로, 불안정하게
3789 ☐☐☐ **dismay** [disméi] 🌿	동 크게 실망시키다, 경악하게 만들다 명 실망, 경악	3812 ☐☐☐ **lengthy**	형 너무 긴, 장황한
		3813 ☐☐☐ **insecure**	형 불안정한
		3814 ☐☐☐ **defuse** 🌿	동 완화하다, 진정시키다
		3815 ☐☐☐ **menial**	형 하찮은

빈출 숙어

		3816 ☐☐☐ **transitional**	형 과도기의, 변천하는
3790 ☐☐☐ **take over** 🌿⁸	~을 인계받다, 인수하다; (정권 등을) 장악하다	3817 ☐☐☐ **concession** 🌿	명 양보, 특권, 구내매점
3791 ☐☐☐ **resort to** 🌿	~에 의존하다	3818 ☐☐☐ **ancestry**	명 조상, 발단
3792 ☐☐☐ **be passed down**	전해져 내려오다	3819 ☐☐☐ **dual**	형 이중의
3793 ☐☐☐ **in short supply**	공급이 부족한	3820 ☐☐☐ **insignificant**	형 약소한, 대수롭지 않은
3794 ☐☐☐ **on the back of**	~의 뒤를 이어, ~의 결과로	3821 ☐☐☐ **foraging**	명 수렵, 채집
		3822 ☐☐☐ **obstinate**	형 고집 센, 완강한

완성 어휘

		3823 ☐☐☐ **mutiny**	명 반란, 폭동
3795 ☐☐☐ **archive**	명 기록 보관소	3824 ☐☐☐ **shorthand**	명 약칭; 형 약칭으로 된
3796 ☐☐☐ **sluggish** 🌿	형 느릿느릿한, 굼뜬	3825 ☐☐☐ **grease**	명 기름; 동 기름을 바르다
3797 ☐☐☐ **mountainous**	형 산악의, 산지의	3826 ☐☐☐ **comparatively**	부 비교적
3798 ☐☐☐ **inordinate**	형 과도한, 지나친	3827 ☐☐☐ **pretentious** 🌿	형 가식적인, 허세 부리는
3799 ☐☐☐ **condolence**	명 애도, 조의	3828 ☐☐☐ **relics**	명 유적
3800 ☐☐☐ **specimen**	명 표본, 샘플	3829 ☐☐☐ **bureau**	명 (관청의) 국, 부서
3801 ☐☐☐ **widow**	명 미망인, 과부	3830 ☐☐☐ **revered**	형 존경받는
3802 ☐☐☐ **countervail**	동 대항하다	3831 ☐☐☐ **at about**	대략
3803 ☐☐☐ **alliance**	명 동맹, 유사성, 공통점	3832 ☐☐☐ **fall to**	~의 몫이 되다
3804 ☐☐☐ **homespun**	형 소박한, 보통의	3833 ☐☐☐ **all but**	거의
3805 ☐☐☐ **tardily** 🌿	부 느리게, 완만하게	3834 ☐☐☐ **lay away** 🌿	~을 그만두다
3806 ☐☐☐ **thrifty** 🌿	형 절약하는, 검소한	3835 ☐☐☐ **sprout from**	~에서 자라나다
3807 ☐☐☐ **selective**	형 선택적인	3836 ☐☐☐ **at the forefront**	~의 선두에서, 최전선에서
3808 ☐☐☐ **engagement** 🌿	명 약속, 약혼	3837 ☐☐☐ **far and away**	훨씬, 단연코
3809 ☐☐☐ **glossy**	형 윤이 나는	3838 ☐☐☐ **by all means**	무슨 수를 쓰더라도
3810 ☐☐☐ **fantasize**	동 공상하다	3839 ☐☐☐ **lay ~ up**	~을 모으다, 비축하다
		3840 ☐☐☐ **in the interest of**	~을 위하여

⏱ 1초 Quiz

1. arrest _____

2. legitimate _____

3. sluggish _____

4. 승진하다 _____

5. 대피하다 _____

6. 삼키다 _____

🌿 = 어휘 영역 출제

최빈출 단어

3841	criminal [krímǝnǝl]	명 범인, 범죄자 형 형사상의
3842	suffering [sʌ́fǝriŋ]	명 고통, 괴로움
3843	alternative [ɔːltə́ːrnǝtiv] [1]	명 대안, 대체 수단 형 대안의, 대체 가능한
3844	association [ǝsòusiéiʃǝn] [2]	명 협회, 연대 명 연관, 연상
3845	congress [káːŋgris]	명 의회 명 회의
3846	emphasize [émfǝsàiz] [3]	통 강조하다, 두드러지게 하다
3847	presence [prézns]	명 존재
3848	prescribe [priskráib]	통 처방하다 통 규정하다, 지시하다
3849	elevate [élǝvèit]	통 높이다, 올리다 통 승진시키다
3850	span [spæn]	명 시간, (지속) 기간 통 걸쳐서 이어지다

빈출 단어

| 3851 | extravagant [ikstrǽvǝgǝnt] | 형 사치스러운, 낭비하는
형 지나친, 터무니없는 |
| 3852 | counter [káuntǝr] [4] | 통 반박하다, 논박하다
통 (무엇의 악영향에) 대응하다
명 계산대, 판매대 |

3853	manipulate [mǝnípjulèit] [5]	통 다루다, 솜씨 있게 처리하다 통 조작하다
3854	frightening [fráitniŋ]	형 섬뜩한, 무서운
3855	random [rǽndǝm]	형 임의의, 무작위의
3856	mortgage [mɔ́ːrgidʒ]	명 주택 담보, 저당
3857	fluctuate [flʌ́ktʃuèit] [6]	통 오르내리다, 변동하다
3858	incurable [inkjúǝrǝbl]	형 불치의
3859	spectacular [spektǽkjulǝr]	형 멋진, 장관을 이루는 형 극적인
3860	soar [sɔːr]	통 급등하다, 치솟다
3861	willingness [wíliŋnis]	명 의지
3862	depreciate [diprí:ʃièit] [7]	통 (가치가) 떨어지다, 평가 절하되다 통 경시하다, 비하하다
3863	outrage [áutreidʒ]	명 분노, 격노 통 분노하게 만들다
3864	unanimous [juːnǽnǝmǝs]	형 만장일치의, 합의의
3865	spectrum [spéktrǝm]	명 범위, 영역 명 빛의 띠
3866	exorbitant [igzɔ́ːrbǝtǝnt]	형 터무니없는, 과도한
3867	bankrupt [bǽŋkrʌpt]	형 파산한
3868	pushy [púʃi]	형 지나치게 밀어붙이는, 강요하는

대표 기출 예문

1. The **alternatives** she offered didn't work.
그녀가 제안한 대안들은 효과가 없었다.

2. Medical **associations** offer different answers about high blood pressure.
의학 협회들은 고혈압에 대해서 서로 다른 답을 제공한다.

3. The physicist **emphasized** the importance of imagination in science.
그 물리학자는 과학에서 상상력의 중요성을 강조했다.

4. They made an effort to **counter** the opponent's argument at the meeting.
그들은 회의에서 상대방의 주장을 반박하기 위해 노력했다.

5. Creative thinking requires you to **manipulate** your knowledge to search for new ideas.
창의적인 사고는 새로운 아이디어를 찾도록 당신이 가진 지식을 다루도록 요구한다.

6. The unemployment rate is **fluctuating** between 6.3 percent and 6.8 percent.
실업률은 6.3퍼센트와 6.8퍼센트 사이로 오르내리고 있다.

7. A car's value will **depreciate** by about 30 percent after one year.
자동차의 가치는 1년 후에 약 30퍼센트 정도 떨어질 것이다.

8. I **came up with** an idea for the project.
나는 프로젝트에 대한 아이디어를 생각해 냈다.

빈출 숙어

3869 only to	결국 ~하다	
3870 come up with ✔8	~을 생각해 내다	
3871 aim at ✔	~을 겨냥하다, ~을 목표로 하다	
3872 go off ✔	(경보 등이) 울리다 발사되다, 폭발하다	
3873 be credited with	~에 대한 공로를 인정받다	
3874 let down	~를 실망시키다	

완성 어휘

3875 alumni	명 졸업생들	
3876 haven	명 피난처, 안식처	
3877 wither	동 시들다, 약해지다	
3878 consonant ✔	형 일치하는 명 자음	
3879 insistence	명 주장, 강조	
3880 contrive ✔	동 고안하다, 용케 ~하다	
3881 madden	동 매우 화나게 만들다	
3882 dosage	명 복용량, 정량	
3883 disparate ✔	형 이질적인, 서로 다른	
3884 valiant ✔	형 용맹한, 용감한	
3885 hypocritical ✔	형 위선적인, 위선의	
3886 circumvent ✔	동 피하다, 면하다	
3887 snugly	부 포근하게	
3888 sputter	동 흥분하여 말하다	
3889 denunciation ✔	명 비난, 성토	
3890 mockery ✔	명 조롱, 웃음거리	
3891 primacy	명 최고, 으뜸	
3892 varnish	명 광택 동 광택제를 바르다	
3893 verbose	형 장황한, 말이 많은	

3894 adversarial	형 적대적인	
3895 censure	동 질책하다 명 질책	
3896 insuperable	형 극복할 수 없는	
3897 ranch	명 목장	
3898 earnestly	부 진지하게, 진정으로	
3899 interrelate ✔	동 밀접한 연관을 가지다	
3900 amalgamation ✔	명 융합, 합병	
3901 dearth	명 부족, 결핍	
3902 fringe	형 부수적인, 이차적인	
3903 wherein	부 ~에서, ~이라는 점에서	
3904 aboriginal ✔	형 원주민의	
3905 theft	명 절도	
3906 hortatory ✔	형 권고적인, 충고하는	
3907 confide	동 (비밀을) 털어놓다	
3908 sardonic ✔	형 냉소적인	
3909 attire	명 의복, 복장	
3910 run over ✔	(차로) 치다	
3911 in passing	지나가는 말로	
3912 far beyond	~을 훨씬 넘어서	
3913 not all that	그다지	
3914 stamp on	(무력·권위 등으로) 짓밟다	
3915 run short	부족하다, 떨어지다	
3916 keep track of	~의 뒤를 쫓다, 추적하다	
3917 end in	~으로 끝나다, ~이 되다	
3918 crowd out	몰아내다	
3919 roll one's eyes at	곁눈질하다	
3920 jump to conclusions	성급히 결론을 내리다	

1초 Quiz

1. soar _____
2. unanimous _____
3. contrive _____
4. 적대적인 _____
5. 피하다, 면하다 _____
6. 원주민의 _____

Day 50

Day 50 음성 바로 듣기

최빈출 단어

3921 □□□ **eliminate** [ilímənèit] [1]	동 제거하다, 없애다	
3922 □□□ **enhance** [inhǽns]	동 향상하다, 높이다	
3923 □□□ **enormous** [inɔ́ːrməs]	형 엄청난, 거대한	
3924 □□□ **obesity** [oubíːsəti]	명 비만, 비만율	
3925 □□□ **conventional** [kənvénʃənəl] [2]	형 기존의, 관습적인 / 형 극히 평범한, 틀에 박힌	
3926 □□□ **strengthen** [stréŋkθən]	동 강화하다	
3927 □□□ **clone** [kloun]	동 복제하다 / 명 복제물, 복제품	
3928 □□□ **criteria** [kraitíriə]	명 기준, 표준	
3929 □□□ **elsewhere** [élshwɛ̀ər]	부 다른 곳에서	
3930 □□□ **outstanding** [àutstǽndiŋ]	형 뛰어난	

빈출 단어

3931 □□□ **weird** [wiərd]	형 이상한, 기묘한	
3932 □□□ **pervasive** [pərvéisiv] [3]	형 만연한, 곳곳에 스며든	
3933 □□□ **resentment** [rizéntmənt]	명 분노, 화	
3934 □□□ **keen** [kiːn]	형 강한, 열정적인 / 형 예리한	
3935 □□□ **moderate** [mάːdərət] [4]	형 보통의, 중간의 / 형 적당한, 알맞은	

3936 □□□ **disguise** [disgáiz] [5]	동 변장하다, 위장하다 / 동 (의도·사실 등을) 숨기다	
3937 □□□ **talkative** [tɔ́ːkətiv]	형 수다스러운	
3938 □□□ **presuppose** [prìsəpóuz]	동 전제로 삼다, 상정하다	
3939 □□□ **liver** [lívər]	명 간	
3940 □□□ **witty** [wíti]	형 재치 있는, 익살맞은	
3941 □□□ **infringe** [infríndʒ] [6]	동 위반하다, 어기다 / 동 침해하다	
3942 □□□ **humiliate** [hjuːmílièit]	동 굴욕을 주다	
3943 □□□ **bout** [baut]	명 한바탕, 한차례 / 명 병치레, 병을 한바탕 앓음	
3944 □□□ **bluff** [blʌf]	동 속이다, 허세 부리다 / 명 허세	
3945 □□□ **landfill** [lǽndfil]	명 쓰레기 매립(지)	
3946 □□□ **exuberant** [igzúːbərənt]	형 활기 넘치는	
3947 □□□ **altercation** [ɔ̀ːltərkéiʃən]	명 언쟁, 말다툼	
3948 □□□ **rehearse** [rihə́ːrs]	동 예행연습을 하다, 준비하다	

빈출 숙어

3949 □□□ **look for** [7]	~을 찾다, 구하다; / ~을 기대하다, 바라다	
3950 □□□ **in advance**	미리, 사전에	

대표 기출 예문

1. The vaccine **eliminated** virus that killed thousands that year.
그 백신은 그해 수천 명을 죽였던 바이러스를 제거했다.

2. The modern building was built using **conventional** concrete.
그 현대적인 건물은 기존의 콘크리트를 사용하여 만들어졌다.

3. Marine trash is one of the most **pervasive** forms of pollution around the world's oceans.
바다 쓰레기는 세계의 대양 곳곳에서 가장 만연한 오염의 형태들 중 하나이다.

4. A group of students ran at **moderate** intensity for forty minutes.
한 무리의 학생들이 40분 동안 보통의 강도로 달렸다.

5. The food critic wears a **disguise** when he eats at restaurants.
그 음식 비평가는 식당에서 밥을 먹을 때 변장한다.

6. It is harder to **infringe** traffic laws because of the presence of video cameras.
비디오카메라의 존재 때문에 교통법규를 위반하기는 더 어렵다.

7. She risked job security to **look for** something more interesting.
그녀는 더 흥미로운 일을 찾기 위해 고용 보장을 걸었다.

8. The author's latest book **has to do with** life in Spain during World War II.
저자의 최근 책은 제2차 세계 대전 중 스페인에서의 삶과 관련이 있다.

3951 □□□ **lie in**	~에 있다	
3952 □□□ **break out**	발발하다, 발생하다; 탈출하다	
3953 □□□ **a range of**	다양한	
3954 □□□ **have to do with**[8]	~과 관련이 있다	

완성 어휘

3955 □□□ **stakeholder**	명 주주
3956 □□□ **bonanza** ✔	명 횡재, 운수대통
3957 □□□ **consummatory** ✔	형 완전한, 완성의
3958 □□□ **hypnotize**	동 최면을 걸다
3959 □□□ **perturbation** ✔	명 (심리적) 동요, 혼란
3960 □□□ **dynamism**	명 활력, 패기
3961 □□□ **reciprocate** ✔	동 서로 주고받다, 화답하다
3962 □□□ **wrongdoing**	명 범법 행위
3963 □□□ **elude**	동 피하다, 벗어나다
3964 □□□ **misfit** ✔	명 부적응자
3965 □□□ **optimum**	형 최적의
3966 □□□ **dispersal** ✔	명 확산, 분산
3967 □□□ **fallback**	명 대비책
3968 □□□ **envision**	동 상상하다
3969 □□□ **enliven**	동 생기를 주다
3970 □□□ **immutable** ✔	형 불변의, 바뀌지 않는
3971 □□□ **quantify**	동 수량화하다
3972 □□□ **seamlessly** ✔	부 매끄럽게, 이음매가 없이
3973 □□□ **tremble**	동 (몸이) 떨리다, 떨다
3974 □□□ **uncommon**	형 흔하지 않은, 드문

3975 □□□ **earthy**	형 세속적인
3976 □□□ **evasive**	형 얼버무리는
3977 □□□ **intonation**	명 억양, 어조
3978 □□□ **rapport**	명 관계
3979 □□□ **muse**	동 사색하다, 골똘히 생각하다
3980 □□□ **zeal**	명 열성, 열의
3981 □□□ **ensue**	동 뒤따르다
3982 □□□ **actionable**	형 소송할 수 있는
3983 □□□ **rectify**	동 바로잡다, 고치다
3984 □□□ **onset**	명 시작, 개시
3985 □□□ **defunct**	형 기능을 하지 않는
3986 □□□ **reservoir**	명 저장소, 저수지
3987 □□□ **graying**	명 고령화
3988 □□□ **stand on one's own feet**	자립하다
3989 □□□ **conducive to**	~에 도움이 되는
3990 □□□ **one's cup of tea**	~의 기호에 맞는 것
3991 □□□ **at the mercy of**	~에 휘둘리는
3992 □□□ **level at** ✔	~를 겨냥하다
3993 □□□ **knock off**	(일을) 중단하다, 끝내다
3994 □□□ **fall into**	~으로 나뉘다
3995 □□□ **strip of**	~을 빼앗다
3996 □□□ **dare to**	건방지게 ~하다
3997 □□□ **in due form**	정식으로
3998 □□□ **turn away from**	~에게서 등을 돌리다
3999 □□□ **hold public office**	공직에 있다
4000 □□□ **steer clear of** ✔	~을 피하다, ~에 가까이 가지 않다

⏱ **1초 Quiz**

1. exuberant _____   2. reciprocate _____   3. rapport _____

4. 기준, 표준 _____   5. 분노, 화 _____   6. 상상하다 _____

정답 | 1. 흥겨운, 넘치는 2. 서로 주고받다, 화답하다 3. 관계 4. criteria 5. resentment 6. envision

✔ = 어휘 영역 출제

해커스공무원
gosi.Hackers.com

반드시 알아야 할
공무원 필수
기초 어휘 1500

0001 ability [əbíləti]	명 능력, 재능	
0002 address [ədrés]	명 주소, 연설	
0003 alarm [əlá:rm]	명 불안, 경보	
0004 anxiety [æŋzáiəti]	명 불안, 걱정	
0005 army [á:rmi]	명 군대, 육군	
0006 atmosphere [ǽtməsfìər]	명 대기, 분위기	
0007 awkward [ɔ́:kwərd]	형 어색한, 곤란한	
0008 beneath [biní:θ]	전 ~의 아래에, 밑에	
0009 boil [bɔil]	동 끓다, 끓이다	
0010 bud [bʌd]	명 싹, 꽃봉오리	
0011 carbon [ká:rbən]	명 탄소	
0012 cheat [tʃi:t]	동 속이다, 사기 치다	
0013 column [ká:ləm]	명 기둥; (신문의) 정기 기고란	
0014 contrast [kəntrǽst]	명 대조 동 대조하다	
0015 correct [kərékt]	형 정확한 동 정정하다	
0016 crime [kraim]	명 범죄, 범행	
0017 date [deit]	명 날짜, (만날) 약속	
0018 deluxe [dəlʌ́ks]	형 고급의	
0019 differ [dífər]	동 다르다	
0020 dispute [dispjú:t]	명 분쟁 동 반박하다	
0021 during [djúəriŋ]	전 ~동안, 내내	
0022 electricity [ilektrísəti]	명 전기, 전력	
0023 entrance [éntrəns]	명 출입구, 입장	
0024 exercise [éksərsàiz]	명 운동, 활동	
0025 extra [ékstrə]	형 추가의 명 여분의 것	
0026 feather [féðər]	명 털, 깃털	
0027 flame [fleim]	명 불길 동 타오르다	

0028 foreign [fɔ́:rən]	형 외국의, 대외의
0029 further [fə́:rðər]	부 더 멀리에, 더 나아가
0030 gift [gift]	명 선물, 기증품
0031 growth [grouθ]	명 성장, 증가
0032 heaven [hévən]	명 천국, 낙원
0033 ideal [aidí:əl]	형 이상적인
0034 include [inklú:d]	동 포함하다
0035 inherent [inhíərənt]	형 내재하는
0036 intend [inténd]	동 의도하다, 의미하다
0037 join [dʒɔin]	동 연결하다, 함께 하다
0038 ladder [lǽdər]	명 사다리, 단계
0039 leave [li:v]	동 떠나다, 출발하다
0040 logical [lá:dʒikəl]	형 타당한, 논리적인
0041 march [mɑ:rtʃ]	동 행진하다, 행군하다
0042 medicine [médisn]	명 약, 의학
0043 mineral [mínərəl]	명 광물, 무기물
0044 motivate [móutəvèit]	동 동기를 부여하다
0045 negative [négətiv]	형 부정적인, 나쁜
0046 notify [nóutəfài]	동 알리다, 통지하다
0047 opinion [əpínjən]	명 의견, 견해
0048 owe [ou]	동 빚지고 있다
0049 penalty [pénəlti]	명 처벌, 위약금, 불이익
0050 planet [plǽnit]	명 행성, 세상
0051 population [pà:pjuléiʃən]	명 인구, 주민
0052 press [pres]	명 언론 동 누르다
0053 profit [prá:fit]	명 이익, 수익
0054 pure [pjuər]	형 순수한, 깨끗한
0055 raw [rɔ:]	형 날것의
0056 reflect [riflékt]	동 비추다, 반사하다

0057 ☐☐☐ **rely** [rilái]	통 의지하다, 신뢰하다
0058 ☐☐☐ **respect** [rispékt]	명 존경 통 존경하다
0059 ☐☐☐ **roll** [roul]	통 구르다 명 통
0060 ☐☐☐ **scent** [sent]	명 향기
0061 ☐☐☐ **self** [self]	명 자아, 자신
0062 ☐☐☐ **shore** [ʃɔːr]	명 해안, 해변
0063 ☐☐☐ **slip** [slip]	통 미끄러지다
0064 ☐☐☐ **spirit** [spírit]	명 정신, 영혼
0065 ☐☐☐ **steer** [stiər]	통 조종하다, 몰다
0066 ☐☐☐ **structure** [strʌ́ktʃər]	명 구조, 구조물

0067 ☐☐☐ **surround** [səráund]	통 둘러싸다, 포위하다
0068 ☐☐☐ **tease** [tiːz]	통 놀리다
0069 ☐☐☐ **though** [ðou]	접 ~이긴 하지만
0070 ☐☐☐ **total** [tóutl]	형 총, 전체의
0071 ☐☐☐ **trust** [trʌst]	명 신뢰 통 신뢰하다
0072 ☐☐☐ **unknown** [ənnóun]	형 알려지지 않은
0073 ☐☐☐ **view** [vjuː]	명 견해 통 ~이라고 여기다
0074 ☐☐☐ **waste** [weist]	통 낭비하다
0075 ☐☐☐ **willing** [wíliŋ]	형 기꺼이 하는

기초 어휘

해커스공무원 영어 어휘

⏱ **1초 Quiz**

1. contrast _____

2. steer _____

3. motivate _____

4. 대기, 분위기 _____

5. 내재하는 _____

6. 날것의 _____

정답 | 1. 대조; 대조하다 2. 조종하다, 몰다 3. 동기를 부여하다 4. atmosphere 5. inherent 6. raw

0076	abnormal [æbnɔ́ːrməl]	형 비정상적인
0077	administrative [ædmínəstrèitiv]	형 관리상의
0078	albeit [ɔːlbíːit]	접 비록 ~일지라도
0079	anxious [ǽŋkʃəs]	형 불안해하는, 염려하는
0080	arrange [əréindʒ]	동 배열하다, 마련하다
0081	attach [ətǽtʃ]	동 붙이다, 첨부하다
0082	background [bǽkgràund]	명 배경, 배후 사정
0083	benefit [bénəfit]	명 혜택, 이득
0084	bold [bould]	명 용감한, 대담한
0085	budget [bʌ́dʒit]	명 예산, 비용
0086	career [kəríər]	명 직업, 직장 생활, 경력
0087	chemical [kémikəl]	형 화학의, 화학적인
0088	combine [kəmbáin]	동 결합하다, 결합되다
0089	concept [káːnsept]	명 개념
0090	control [kəntróul]	명 지배 동 지배하다
0091	crisis [kráisis]	명 위기
0092	dawn [dɔːn]	명 새벽, 여명
0093	demand [dimǽnd]	명 요구 동 요구하다
0094	difficulty [dífikʌlti]	명 어려움
0095	distance [dístəns]	명 거리, 먼 곳
0096	dust [dʌst]	명 먼지
0097	electronic [ilektráːnik]	형 전자의
0098	environment [inváiərənmənt]	명 환경
0099	exhibit [igzíbit]	동 전시하다, 보이다
0100	extreme [ikstríːm]	형 극도의, 지나친
0101	feature [fíːtʃər]	명 특징 동 특징으로 삼다
0102	flash [flæʃ]	명 섬광 동 비추다
0103	forest [fɔ́ːrist]	명 숲, 삼림
0104	furthermore [fɔ́ːrðərmɔ̀ːr]	부 더욱이
0105	give away	수여하다, 거저 주다
0106	guard [gɑːrd]	명 경비, 보초
0107	heel [hiːl]	명 발뒤꿈치, 굽
0108	identity [aidéntəti]	명 신원, 신분
0109	income [ínkʌm]	명 소득, 수입
0110	inherit [inhérit]	동 상속받다, 물려받다
0111	intense [inténs]	형 극심한, 치열한
0112	joint [dʒɔint]	형 공동의 명 관절
0113	landmark [lǽndmàːrk]	명 주요 지형지물
0114	lecture [léktʃər]	명 강연 동 강의하다
0115	lonely [lóunli]	형 외로운, 쓸쓸한
0116	marine [məríːn]	형 바다의 명 해병대
0117	meditate [médətèit]	동 명상하다
0118	minimal [mínəməl]	형 아주 적은, 최소의
0119	motive [móutiv]	명 동기, 이유
0120	neighbor [néibər]	명 이웃 형 이웃의
0121	novel [náːvəl]	명 소설
0122	opponent [əpóunənt]	명 상대, 반대자
0123	own [oun]	동 소유하다
0124	per [pəːr]	전 각 ~에 대하여, ~당
0125	plant [plænt]	명 식물, 공장 동 심다
0126	pose [pouz]	명 자세, 포즈 동 제기하다
0127	pretend [priténd]	동 ~인 척 하다

0128 progress [práːgres]	명 진행, 진전 동 진보하다
0129 purpose [pə́ːrpəs]	명 목적, 의도
0130 ray [rei]	명 광선, 가오리
0131 reform [rifɔ́ːrm]	동 개혁하다 명 개혁
0132 remain [riméin]	동 계속 ~이다, 남다
0133 respond [rispáːnd]	동 대답하다
0134 root [ruːt]	명 뿌리, 핵심
0135 scholarship [skálərʃip]	명 장학금
0136 scientific [sàiəntífik]	형 과학적인, 과학의
0137 selfish [sélfiʃ]	형 이기적인
0138 shut [ʃʌt]	동 닫다, 닫히다

0139 social [sóuʃəl]	형 사회의, 사회적인
0140 stem [stem]	명 줄기
0141 struggle [strʌ́gl]	동 투쟁하다
0142 survey [sə́ːrvei]	명 (설문) 조사
0143 technique [tekníːk]	명 기법, 기술
0144 thoughtful [θɔ́ːtfəl]	형 생각에 잠긴
0145 toxic [táːksik]	형 유독성의
0146 truth [truːθ]	명 사실, 진리
0147 unless [ənlés]	접 ~하지 않는 한
0148 village [vílidʒ]	명 마을, 촌락
0149 wash [wəʃ]	동 씻다
0150 wing [wiŋ]	명 날개

🕐 **1초 Quiz**

1. opponent _____

2. struggle _____

3. arrange _____

4. 비정상적인 _____

5. 위기 _____

6. ~인 척 하다 _____

0151	abroad [əbrɔ́ːd]	부 해외에, 해외로
0152	admit [ædmít]	동 인정하다
0153	alien [éiljən]	명 외계인 형 외국의
0154	anyway [éniwei]	부 그런데, 게다가
0155	arrive [əráiv]	동 도착하다, 배달되다
0156	attack [ətǽk]	명 공격, 폭행
0157	backward [bǽkwərd]	형 뒤의, 뒷걸음질하는
0158	beside [bisáid]	전 옆에, ~에 비해
0159	bomb [bam]	명 폭탄
0160	bully [búli]	동 괴롭히다
0161	carry [kǽri]	동 들고 있다, 나르다
0162	cherish [tʃériʃ]	동 소중히 여기다
0163	comfort [kʌ́mfərt]	명 안락, 편안
0164	concern [kənsə́ːrn]	명 우려, 걱정
0165	convenient [kənvíːnjənt]	형 편리한, 간편한
0166	critic [krítik]	명 비평가, 평론가
0167	deaf [def]	형 청각 장애가 있는
0168	democracy [dimáːkrəsi]	명 민주주의, 민주 국가
0169	dig [dig]	동 (구멍 등을) 파다
0170	distinct [distíŋkt]	형 뚜렷한, 별개의
0171	duty [djúːti]	명 의무, 직무
0172	element [éləmənt]	명 요소, 성분
0173	erase [iréis]	동 지우다, 없애다
0174	exhibition [èksəbíʃən]	명 전시회, 표현
0175	fabric [fǽbrik]	명 직물, 천
0176	fee [fiː]	명 수수료, 요금
0177	flat [flæt]	형 평평한, 편평한
0178	formation [fɔːrméiʃən]	명 형성

0179	fuse [fjuːz]	동 융합되다 명 퓨즈
0180	give up	그만두다, 단념하다
0181	guilty [gílti]	형 죄책감이 드는
0182	height [hait]	명 높이, 키
0183	idle [áidl]	형 게으른, 나태한
0184	inconsiderate [ìnkənsídərət]	형 사려 깊지 못한
0185	initial [iníʃəl]	형 처음의, 초기의
0186	install [instɔ́ːl]	동 설치하다
0187	intensive [inténsiv]	형 집중적인, 집약적인
0188	joke [dʒouk]	명 농담 동 농담하다
0189	landscape [lǽndskèip]	명 풍경, 풍경화
0190	look up	~을 찾아보다
0191	mark [mɑːrk]	동 표시하다 명 자국
0192	medium [míːdiəm]	명 매체 형 중간의
0193	minor [máinər]	형 작은, 가벼운
0194	mount [maunt]	동 증가하다, 시작하다
0195	neither [níːðər]	한 어느 것도 ~이 아니다
0196	nuclear [njúːkliər]	형 원자력의
0197	opportunity [ɑ̀ːpərtjúːnəti]	명 기회
0198	pace [peis]	명 속도, 걸음
0199	perform [pərfɔ́ːrm]	동 수행하다, 연주하다
0200	phobia [fóubiə]	명 공포증
0201	plate [pleit]	명 접시, 요리
0202	position [pəzíʃən]	명 위치, 자리, 직위
0203	prevent [privént]	동 막다, 예방하다
0204	promise [prɑ́ːmis]	동 약속하다
0205	purse [pəːrs]	명 지갑

0206 reach [riːtʃ]	동 ~에 이르다	
0207 refund [rifʌ́nd, ríːfʌnd]	동 환불하다 명 환불, 환불금	
0208 remark [rimáːrk]	명 발언, 논평	
0209 responsible [rispáːnsəbl]	형 책임감 있는	
0210 rough [rʌf]	형 고르지 않은, 거친	
0211 score [skɔːr]	명 득점, 점수	
0212 semester [siméstər]	명 학기	
0213 sick [sik]	형 아픈, 병든	
0214 society [səsáiəti]	명 사회, 협회	
0215 spoil [spɔil]	동 망치다, 상하다	

0216 step [step]	명 걸음, 단계, 조치	
0217 stuff [stʌf]	명 물건, 물질	
0218 survival [sərváivəl]	명 생존	
0219 technology [teknáːlədʒi]	명 (과학)기술	
0220 thread [θred]	명 실, 가닥	
0221 trace [treis]	동 추적하다 명 자취, 흔적	
0222 try to	~을 하려고 노력하다	
0223 unlikely [ənláikli]	형 ~일 것 같지 않은	
0224 wealth [welθ]	명 부, 재산	
0225 wipe [waip]	동 닦다, 훔치다	

1초 Quiz

1. guilty _____
2. perform _____
3. spoil _____
4. 형성 _____
5. 책임감 있는 _____
6. 발언, 논평 _____

정답 | 1. 죄책감이 드는 2. 수행하다, 연주하다 3. 망치다, 상하다 4. formation 5. responsible 6. remark

0226	**absolutely** [金bsəlu:tli]	閏 전적으로, 틀림없이
0227	**adopt** [ədá:pt]	동 입양하다, 채택하다
0228	**alike** [əláik]	형 비슷한 분 비슷하게
0229	**anywhere** [énihwɛər]	분 어디든, 어디에
0230	**arrow** [金rou]	명 화살
0231	**attain** [ətéin]	동 이루다, 획득하다
0232	**baggage** [b金gidʒ]	명 수화물, 짐
0233	**betray** [bitréi]	동 배신하다, 배반하다
0234	**bone** [boun]	명 뼈
0235	**bump** [bʌmp]	동 ~에 부딪치다, 찧다
0236	**cast** [kæst]	동 던지다, 배역을 정하다
0237	**chief** [tʃi:f]	형 주된, 최고의
0238	**command** [kəmǽnd]	명 명령 동 명령하다
0239	**conclude** [kənklú:d]	동 결론을 내리다
0240	**conversation** [kà:nvərséiʃən]	명 대화, 회화
0241	**critical** [krítikəl]	형 비판적인 형 대단히 중요한
0242	**deal** [di:l]	동 다루다 명 거래
0243	**dense** [dens]	형 빽빽한, 밀집한
0244	**digest** [didʒést]	동 소화하다
0245	**distinguish** [distíŋgwiʃ]	동 구별하다, 식별하다
0246	**dwell** [dwel]	동 ~에 살다, 거주하다
0247	**emergency** [imɔ́:rdʒənsi]	명 비상
0248	**escape** [iskéip]	동 탈출하다 명 탈출
0249	**exist** [igzíst]	동 존재하다
0250	**fact** [fækt]	명 사실, 실제
0251	**fellow** [félou]	명 친구, 동료
0252	**flavor** [fléivər]	명 풍미, 맛

0253	**former** [fɔ́:rmər]	형 이전의, 옛날의
0254	**gain** [gein]	동 얻다 명 증가
0255	**glance** [glæns]	동 흘깃 보다, 훑어보다
0256	**habit** [hǽbit]	명 버릇
0257	**hence** [hens]	분 이런 이유로
0258	**ignore** [ignɔ́:r]	동 무시하다
0259	**incorporate** [inkɔ́:rpərèit]	동 포함하다
0260	**initiate** [iníʃièit]	동 시작하다, 창시하다
0261	**interact** [íntərækt]	동 소통하다
0262	**journal** [dʒɔ́:rnl]	명 신문, 잡지
0263	**language** [lǽŋgwidʒ]	명 언어
0264	**leisure** [lí:ʒər]	명 여가
0265	**loose** [lu:s]	형 헐렁한, 풀린
0266	**marvel** [má:rvəl]	명 경이로운 것
0267	**melt** [melt]	동 녹다, 녹이다
0268	**minute** [mínit]	명 분, 회의록
0269	**movement** [mú:vmənt]	명 움직임, 이동
0270	**nephew** [néfju:]	명 조카
0271	**numerous** [nú:mərəs]	형 많은
0272	**oppose** [əpóuz]	동 반대하다, 겨루다
0273	**original** [ərídʒənəl]	형 원래의, 본래의
0274	**pack** [pæk]	동 (짐을) 싸다, 포장하다
0275	**performance** [pərfɔ́:rməns]	명 공연, 연주, 수행
0276	**platform** [plǽtfɔ:rm]	명 플랫폼, 강단
0277	**positive** [pá:zətiv]	형 긍정적인, 낙관적인
0278	**previous** [prí:viəs]	형 이전의, 바로 앞의
0279	**proof** [pru:f]	명 증거, 입증
0280	**quality** [kwá:ləti]	명 질, 우수함, 자질
0281	**reaction** [riǽkʃən]	명 반응, 반작용

0282 refuse [rifjú:z]	통 거절하다, 거부하다	
0283 remember [rimémbər]	통 기억하다, 기억나다	
0284 restore [ristɔ́:r]	통 회복시키다	
0285 route [ru:t]	명 길, 경로	
0286 scrape [skreip]	통 긁다, 긁어내다	
0287 senior [sí:njər]	명 연장자, 상급자	
0288 sight [sait]	명 시력, 시야	
0289 sociology [sòusiá:lədʒi]	명 사회학	
0290 spacious [spéiʃəs]	형 널찍한, 넓은	
0291 spot [spɑ:t]	명 반점, 얼룩	

0292 stupid [stjú:pid]	형 어리석은, 멍청한
0293 swear [swɛər]	통 맹세하다
0294 tell [tel]	통 알리다, 말하다
0295 threat [θret]	명 협박, 위협
0296 track [træk]	명 길, 경주로
0297 tune [tju:n]	명 곡 통 음을 맞추다
0298 unnecessary [ʌnnésəsèri]	형 불필요한, 부적절한
0299 weapon [wépən]	명 무기
0300 wisdom [wízdəm]	명 지혜, 현명함

기초 어휘

해커스공무원 영어 어휘

1초 Quiz

1. distinguish _____
2. former _____
3. refuse _____
4. 포함하다 _____
5. 맹세하다 _____
6. 무기 _____

정답 | 1. 구별하다, 사별하다 2. 이전의, 앞서의 3. 거절하다, 거부하다 4. incorporate 5. swear 6. weapon

0301	academic [ӕkədémik]	형 학업의, 학문의
0302	adult [ədʌ́lt]	명 성인, 어른
0303	alive [əláiv]	형 살아 있는
0304	apart [əpá:rt]	부 떨어져, 따로
0305	article [á:rtikl]	명 글, 기사
0306	attempt [ətémpt]	명 시도 / 동 시도하다
0307	balance [bӕləns]	명 균형, 잔고
0308	beyond [bijá:nd]	전 저편에, 지나
0309	border [bó:rdər]	명 국경, 가장자리
0310	burden [bə́:rdn]	명 부담, 짐
0311	casual [kӕʒuəl]	형 무심한, 평상시의
0312	childhood [tʃáildhùd]	명 어린 시절
0313	comment [ká:ment]	명 논평 / 동 논평하다
0314	condition [kəndíʃən]	명 상태, 환경
0315	cooperation [kouà:pəréiʃən]	명 협력, 협조
0316	crop [kra:p]	명 농작물
0317	dear [diər]	형 사랑하는, 친애하는
0318	deny [dinái]	동 부인하다
0319	digestion [didʒéstʃən]	명 소화
0320	disturb [distə́:rb]	동 방해하다, 건드리다
0321	dynamic [dainӕmik]	형 역동적인 / 명 역학
0322	emotion [imóuʃən]	명 감정, 정서
0323	essential [isénʃəl]	형 필수적인, 본질적인
0324	expand [ikspӕnd]	동 확대하다
0325	factory [fӕktəri]	명 공장
0326	female [fí:meil]	형 여성인, 암컷의
0327	flesh [fleʃ]	명 살, 고기, 피부
0328	forth [fɔ:rθ]	부 ~에서 멀리, ~쪽으로

0329	gallery [gӕləri]	명 미술관, 화랑
0330	globe [gloub]	명 지구본
0331	hall [hɔ:l]	명 현관, 복도
0332	heritage [héritidʒ]	명 유산
0333	ill [il]	형 아픈, 몸이 안 좋은
0334	increase [inkrí:s]	동 증가하다, 인상되다
0335	injure [índʒər]	동 부상을 입다, 해치다
0336	interest [íntərəst]	명 관심, 흥미
0337	journey [dʒə́:rni]	명 여행
0338	last [læst]	한 마지막의
0339	lend [lend]	동 빌려주다, 대출하다
0340	lot [la:t]	명 지역, 부지
0341	mass [mæs]	명 무리, 대중
0342	memorize [méməràiz]	동 암기하다
0343	mirror [mírə(r)]	명 거울
0344	mud [mʌd]	명 진흙
0345	nerve [nə:rv]	명 신경, 긴장, 불안
0346	obey [oubéi]	동 따르다, 순종하다
0347	option [á:pʃən]	명 선택, 선택권
0348	pain [pein]	명 아픔, 통증
0349	peril [pérəl]	명 (심각한) 위험, 유해함
0350	pleasant [plézənt]	형 쾌적한, 즐거운
0351	possess [pəzés]	동 소유하다, 지니다
0352	prey [prei]	명 먹이, 희생자
0353	property [prá:pərti]	명 재산, 부동산
0354	quantity [kwá:ntəti]	명 양, 수량
0355	ready [rédi]	형 준비가 된
0356	regardless [rigá:rdlis]	부 상관하지 않고
0357	remind [rimáind]	동 상기시키다

0358 restrict [ristríkt]	통 제한하다, 방해하다
0359 row [rou]	명 열, 줄
0360 scratch [skrætʃ]	통 긁다 명 긁힌 자국
0361 sensitive [sénsətiv]	형 세심한, 예민한
0362 signal [sígnəl]	명 신호
0363 soil [sɔil]	명 토양, 흙
0364 spread [spred]	통 펼치다
0365 stick [stik]	통 찌르다 명 나뭇가지
0366 such as	예를 들어

0367 sweat [swet]	명 땀, 노력 통 땀을 흘리다
0368 temperature [témpərətʃər]	명 온도, 기온
0369 therapy [θérəpi]	명 요법, 치료
0370 throat [θrout]	명 목구멍, 목
0371 trade [treid]	명 거래 통 거래하다
0372 turn off	끄다
0373 unpredictable [ʌnpridíktəbəl]	형 예측할 수 없는
0374 wedding [wédiŋ]	명 결혼
0375 wise [waiz]	형 지혜로운, 현명한

해커스공무원 영어 어휘

1초 Quiz

1. property _____

2. remind _____

3. unpredictable _____

4. 글, 기사 _____

5. 상태, 환경 _____

6. 부인하다 _____

정답 | 1. 재산, 부동산 2. 상기시키다 3. 예측할 수 없는 4. article 5. condition 6. deny

반드시 알아야 할 공무원 필수 기초 어휘 1500 121

0376	accent [ǽksent]	명 강세, 말씨, 억양
0377	advance [ædvǽns]	명 발전 동 진보하다
0378	allow [əláu]	동 허락하다, 용납하다
0379	apologize [əpá:lədʒàiz]	동 사과하다
0380	artificial [ὰ:rtəfíʃəl]	형 인공의, 인위적인
0381	attend [əténd]	동 참석하다, 다니다
0382	ballot [bǽlət]	명 무기명 투표
0383	bill [bil]	명 고지서, 계산서
0384	borrow [bá:rou]	동 빌리다
0385	burn [bə:rn]	동 타오르다 명 화상
0386	category [kǽtəgɔ̀:ri]	명 범주
0387	choice [tʃɔis]	명 선택, 선택 가능성
0388	commercial [kəmə́:rʃəl]	형 상업의, 상업적인
0389	confess [kənfés]	동 자백하다, 인정하다
0390	coordinate [kouɔ́:rdənət]	동 조직화하다
0391	crowd [kraud]	명 군중 동 가득 메우다
0392	death [deθ]	명 죽음, 사망
0393	depressed [diprést]	형 우울한, 암울한
0394	digital [dídʒətl]	형 디지털의
0395	dive [daiv]	명 다이빙 동 잠수하다
0396	eager [í:gər]	형 열렬한, 열심인
0397	emperor [émpərər]	명 황제
0398	establish [istǽbliʃ]	동 설립하다, 수립하다
0399	expect [ikspékt]	동 예상하다, 기대하다
0400	failure [féiljər]	명 실패, 실패작
0401	festival [féstəvəl]	명 축제, 기념제
0402	flexible [fléksəbəl]	형 신축성 있는, 유연한

0403	fortunate [fɔ́:rtʃənət]	형 운 좋은
0404	gap [gæp]	명 틈, 격차
0405	goal [goul]	명 득점, 목표
0406	hammer [hǽmər]	명 망치
0407	hide [haid]	동 감추다, 숨기다
0408	illustrate [íləstrèit]	동 설명하다, 예시하다
0409	incredible [inkrédəbl]	형 믿을 수 없는
0410	injury [índʒəri]	명 부상, 상처
0411	internal [intə́:rnl]	형 내부의, 체내의
0412	judgment [dʒʌ́dʒmənt]	명 판단, 심판, 선고
0413	lately [léitli]	부 최근에, 얼마 전에
0414	length [leŋkθ]	명 길이, 기간
0415	lottery [lá:təri]	명 복권, 추첨
0416	massive [mǽsiv]	형 거대한, 심각한
0417	mental [méntl]	형 정신의, 정신적인
0418	miserable [mízərəbəl]	형 비참한
0419	multiply [mʌ́ltəplài]	동 곱하다 동 크게 증가시키다
0420	nervous [nə́:rvəs]	형 불안해하는, 과민한
0421	object [á:bdʒikt, əbdʒékt]	명 물건, 목표 동 반대하다
0422	oral [ɔ́:rəl]	형 구두의, 구강의
0423	palace [pǽlis]	명 궁전, 대저택
0424	period [pí:əriəd]	명 기간, 시대
0425	please [pli:z]	동 기쁘게 하다
0426	possible [pá:səbl]	형 가능한
0427	priceless [práislis]	형 대단히 귀중한
0428	propose [prəpóuz]	동 제안하다, 청혼하다
0429	quarrel [kwɔ́:rəl]	명 다툼 동 다투다
0430	reality [riǽləti]	명 현실

0431 region [ríːdʒən]	명 지방, 지역
0432 remove [rimúːv]	동 제거하다, 치우다
0433 result [rizʌ́lt]	명 결과, 결실
0434 royal [rɔ́iəl]	형 국왕의
0435 screen [skriːn]	명 화면, 스크린
0436 series [síəriːz]	명 연속, 연쇄, 시리즈
0437 signature [sígnətʃər]	명 서명
0438 soldier [sóuldʒər]	명 군인, 병사
0439 stab [stæb]	동 찌르다
0440 sticky [stíki]	형 끈적거리는

0441 suddenly [sʌ́dnli]	부 갑자기, 급작스럽게
0442 sweep [swiːp]	동 쓸다, 청소하다
0443 temple [témpl]	명 신전, 절
0444 throughout [θruːáut]	전 도처에, ~동안
0445 traditional [trədíʃənəl]	형 전통의, 전통적인
0446 twist [twist]	동 휘다, 비틀다
0447 unreliable [ənriláiəbəl]	형 신뢰할 수 없는
0448 virtue [vɔ́ːrtʃuː]	명 선행, 미덕
0449 weep [wiːp]	동 울다, 눈물을 흘리다
0450 within [wiðín]	전 이내에, 내에

1초 Quiz

1. illustrate _____
2. internal _____
3. lately _____
4. 사과하다 _____
5. 서명 _____
6. 조직화하다 _____

정답 | 1. 삽화를넣다, 예시를들다 2. 내부의, 체내의 3. 최근에, 요즘 전에 4. apologize 5. signature 6. coordinate

0451	accept [əksépt]	통 받아들이다
0452	advantage [ædvǽntidʒ]	명 장점, 이점
0453	alongside [əlɔ̀ːŋsáid]	전 ~의 옆에, 나란히
0454	appeal [əpíːl]	통 관심을 끌다 명 매력, 항소
0455	as soon as	~을 하자마자, 곧
0456	attention [əténʃən]	명 주의, 관심
0457	bank [bæŋk]	명 은행, 둑
0458	billion [bíljən]	명 10억
0459	boss [bɔːs]	명 상관, 상사, 사장
0460	burst [bəːrst]	통 터지다, 폭발하다
0461	cattle [kǽtl]	명 (집합적으로) 소
0462	circumstance [sə́ːrkəmstæns]	명 환경, 상황
0463	commission [kəmíʃən]	명 위원회, 수수료
0464	confident [káːnfədənt]	형 자신감 있는
0465	copyright [káːpiràit]	명 저작권
0466	create [kriéit]	통 창조하다, 만들어 내다
0467	cruel [krúːəl]	형 잔인한, 괴로운
0468	debate [dibéit]	명 토론, 논쟁
0469	depth [depθ]	명 깊이
0470	diligent [dílədʒənt]	형 근면한, 성실한
0471	divide [diváid]	통 나뉘다, 나누다
0472	earn [əːrn]	통 (돈을) 벌다, 얻다
0473	electrical [iléktrikəl]	형 전자의, 전기를 사용하는
0474	estate [istéit]	명 재산, 사유지
0475	fair [fɛər]	형 타당한 부 공정하게
0476	fever [fíːvər]	명 열, 흥분, 열기
0477	flight [flait]	명 비행, 항공편
0478	found [faund]	통 설립하다, 세우다
0479	freedom [fríːdəm]	명 자유, 석방
0480	garage [gəráːdʒ]	명 주차장, 차고
0481	goods [gudz]	명 상품, 제품
0482	handle [hǽndl]	통 다루다, 처리하다
0483	hill [hil]	통 언덕, 경사로
0484	imagine [imǽdʒin]	통 상상하다
0485	indeed [indíːd]	부 정말, 확실히
0486	inner [ínər]	형 내부의, 내면의
0487	international [ìntərnǽʃənəl]	형 국제적인
0488	junior [dʒúːnjər]	명 아랫사람 형 청소년의
0489	later [léitər]	부 나중에, 뒤에
0490	level [lévəl]	명 정도, 수준
0491	loud [laud]	형 (소리가) 큰, 시끄러운
0492	master [mǽstər]	명 주인 통 ~을 숙달하다
0493	mention [ménʃən]	통 말하다, 언급하다
0494	miss [mis]	통 놓치다, 빗나가다
0495	murder [mə́ːrdər]	명 살인 통 살인하다
0496	nest [nest]	명 둥지, 집
0497	objective [əbdʒéktiv]	명 목적 형 객관적인
0498	order [ɔ́ːrdər]	명 순서, 주문 통 명령하다
0499	pan [pæn]	명 냄비, 팬
0500	permission [pərmíʃən]	명 허락, 승인
0501	pleasure [pléʒər]	명 기쁨, 즐거움
0502	post [poust]	명 우편 통 발송하다
0503	pride [praid]	명 자랑스러움, 자부심

0504 protect [prətékt]	통 보호하다, 지키다		0515 square [skwεər]	명 정사각형, 광장 형 제곱의, 직각의
0505 quarter [kwɔ́ːrtər]	명 4분의 1		0516 still [stil]	부 아직
0506 realize [ríːəlàiz]	통 깨닫다, 알아차리다		0517 suffer [sʌ́fər]	통 시달리다, 겪다
0507 regret [rigrét]	통 후회하다 명 후회		0518 swing [swiŋ]	통 흔들리다 명 흔들기, 그네
0508 rent [rent]	명 집세 통 임차하다		0519 tend [tend]	통 ~하는 경향이 있다
0509 retire [ritáiər]	통 은퇴하다		0520 throw [θrou]	통 던지다, 내던지다
0510 rude [ruːd]	형 무례한, 예의 없는		0521 typical [típikəl]	형 전형적인, 일반적인
0511 sculpture [skʌ́lptʃər]	명 조각품, 조각		0522 unusual [ənjúːʒùəl]	형 특이한, 드문
0512 serious [síəriəs]	형 심각한, 진지한		0523 virus [váiərəs]	명 바이러스
0513 singular [síŋgjulər]	형 단수의, 독특한, 뛰어난		0524 weigh [wei]	통 무게를 달다
0514 softly [sɔ́ːftli]	부 부드럽게		0525 witness [wítnis]	명 목격자, 증인

기초 어휘

해커스공무원 영어 어휘

1초 Quiz

1. estate _____ 2. handle _____ 3. protect _____

4. 환경, 상황 _____ 5. 상상하다 _____ 6. 무게를 달다 _____

정답 | 1. 재산, 사유지 2. 다루다, 처리하다 3. 보호하다, 지키다 4. circumstance 5. imagine 6. weigh

0526 accident [ǽksidənt]	명 사고, 우연
0527 adventure [ædvéntʃər]	명 모험
0528 already [ɔːlrédi]	부 이미, 벌써
0529 appliance [əpláiəns]	명 가전제품
0530 aside [əsáid]	부 한쪽으로, 따로
0531 attitude [ǽtitjùːd]	명 태도, 자세
0532 bark [bɑːrk]	동 짖다
0533 bind [baind]	동 묶다, 감다
0534 bother [báːðər]	동 신경 쓰다, 괴롭히다
0535 bury [béri]	동 묻다, 매장하다
0536 canal [kənǽl]	명 운하, 체내의 관
0537 cause [kɔːz]	명 원인 동 ~을 야기하다
0538 civil [sívəl]	형 시민의, 민간의
0539 conflict [káːnflikt]	명 갈등, 충돌
0540 core [kɔːr]	명 핵심, 속
0541 crush [krʌʃ]	동 구기다, 으스러뜨리다
0542 debt [det]	명 빚, 부채
0543 describe [diskráib]	동 서술하다, 묘사하다
0544 division [divíʒən]	명 분할, 나눗셈, 분열
0545 earthquake [ə́ːrθkweik]	명 지진
0546 empire [émpaiər]	명 제국
0547 even if	~이라 할지라도
0548 expense [ikspéns]	명 비용, 돈
0549 fairly [féərli]	부 상당히, 꽤
0550 fiction [fíkʃən]	명 소설, 허구
0551 float [flout]	동 뜨다, 흘러가다
0552 frame [freim]	명 틀, 뼈대
0553 gather [gǽðər]	동 모으다, 수집하다
0554 govern [gʌ́vərn]	동 통치하다, 다스리다

0555 hang [hæŋ]	동 걸다, 매달다
0556 hire [haiər]	동 고용하다
0557 immediately [imíːdiətli]	부 즉각, 즉시
0558 independent [ìndipéndənt]	형 독립적인, 독립된
0559 input [ínpùt]	명 투입, 입력
0560 interval [íntərvəl]	명 간격, 사이
0561 junk [dʒʌŋk]	명 쓸모없는 물건, 쓰레기
0562 launch [lɔːntʃ]	동 시작하다, 발사하다
0563 liberal [líbərəl]	형 진보적인
0564 luggage [lʌ́gidʒ]	명 짐, 수하물
0565 match [mætʃ]	명 성냥, 시합, 맞수
0566 merchant [mə́ːrtʃənt]	명 상인, 무역상
0567 mission [míʃən]	명 임무, 전도, 사명
0568 muscle [mʌ́sl]	명 근육, 힘
0569 net [net]	명 그물 형 (돈의 액수에 대해) 순
0570 observe [əbzə́ːrv]	동 관찰하다, 목격하다
0571 opposite [áːpəzit]	형 다른 쪽의, 반대의
0572 ordinary [ɔ́ːrdənèri]	형 보통의, 일상적인
0573 panel [pǽnl]	명 판, 패널
0574 permit [pərmít]	동 허락하다, 허용하다
0575 plenty of	많은
0576 pot [pɑːt]	명 냄비, 도자기
0577 priest [priːst]	명 사제, 성직자
0578 protein [próutiːn]	명 단백질
0579 question [kwéstʃən]	명 질문, 문제
0580 rear [riər]	명 뒤쪽
0581 regular [régjulər]	형 규칙적인, 정규적인
0582 repair [ripéər]	동 수리하다 명 수리, 수선

0583 □□□ **return** [ritə́:rn]	동 돌아오다 명 귀환	
0584 □□□ **ruin** [rúːin]	동 망치다	
0585 □□□ **seal** [siːl]	동 봉인하다 명 직인	
0586 □□□ **settle** [sétl]	동 해결하다, 정착하다	
0587 □□□ **significant** [signífikənt]	형 중요한, 커다란	
0588 □□□ **solid** [sáːlid]	형 단단한 명 고체	
0589 □□□ **squeeze** [skwiːz]	동 짜다, 짜내다	
0590 □□□ **stomach** [stʌ́mək]	명 위, 복부	
0591 □□□ **sufficient** [səfíʃənt]	형 충분한	

0592 □□□ **switch** [switʃ]	명 스위치, 전환 동 전환되다	
0593 □□□ **tender** [téndər]	형 상냥한, 다정한	
0594 □□□ **thermometer** [θərmáːmitə(r)]	명 온도계	
0595 □□□ **thumb** [θʌm]	명 엄지손가락	
0596 □□□ **tragic** [trǽdʒik]	형 비극적인	
0597 □□□ **ultimate** [ʌ́ltəmət]	형 궁극적인, 최후의	
0598 □□□ **upset** [ʌpsét]	동 속상하게 하다 형 속상한	
0599 □□□ **vision** [víʒən]	명 시력, 환상	
0600 □□□ **wonder** [wʌ́ndər]	동 궁금해하다	

기초 어휘

해커스공무원 영어 어휘

1초 Quiz

1. govern _____

2. launch _____

3. tragic _____

4. 빚, 부채 _____

5. 제국 _____

6. 궁금해하다 _____

정답 | 1. 통치하다, 다스리다 2. 시작하다, 출시하다 3. 비극적인 4. debt 5. empire 6. wonder

0601	accompany [əkʌ́mpəni]	통 동반하다, 동행하다
0602	advertise [ǽdvərtàiz]	통 광고하다, 알리다
0603	altogether [ɔ̀:ltəgéðər]	부 전적으로, 완전히
0604	appearance [əpíərəns]	명 겉모습, 외모
0605	ask for	~에 대해 묻다
0606	attractive [ətrǽktiv]	형 매력적인
0607	basement [béismənt]	명 지하층
0608	biology [baiá:lədʒi]	명 생물학
0609	bottom [bá:təm]	명 맨 아래, 바닥
0610	business [bíznis]	명 사업, 일
0611	caution [kɔ́:ʃən]	명 조심, 경고
0612	claim [kleim]	통 ~이라고 주장하다
0613	common [ká:mən]	형 흔한, 공통의
0614	confuse [kənfjú:z]	통 혼란시키다
0615	corporate [kɔ́:rpərət]	형 기업의, 공동의
0616	culture [kʌ́ltʃər]	명 문화, 사고방식
0617	deceive [disí:v]	통 속이다, 기만하다
0618	desert [dézərt]	명 사막
0619	dip [dip]	통 적시다
0620	document [dá:kjumənt]	명 서류, 문서
0621	ease [i:z]	명 쉬움, 편안함
0622	employ [implɔ́i]	통 고용하다, 이용하다
0623	eventually [ivéntʃuəli]	부 결국, 마침내
0624	expensive [ikspénsiv]	형 비싼, 돈이 많이 드는
0625	faith [feiθ]	명 믿음, 신뢰
0626	field [fi:ld]	명 들판, 밭
0627	flood [flʌd]	명 홍수, 폭주
0628	freeze [fri:z]	통 얼다, 얼리다
0629	gaze [geiz]	통 응시하다, 바라보다
0630	government [gʌ́vərnmənt]	명 정부, 정권
0631	happen [hǽpən]	통 일어나다, 발생하다
0632	history [hístəri]	명 역사, 이력
0633	immigrate [íməgrèit]	통 이주해 오다
0634	index [índeks]	명 색인, 지수, 지표
0635	inquiry [inkwáiəri]	명 연구, 탐구, 조사
0636	invasion [invéiʒən]	명 침략, 쇄도, 침입
0637	jury [dʒúəri]	명 배심원단
0638	law [lɔ:]	명 법, 법학
0639	liberty [líbərti]	명 자유
0640	lung [lʌŋ]	명 폐, 허파
0641	mate [meit]	명 친구, 짝
0642	mercy [mə́:rsi]	명 자비
0643	mistake [mistéik]	명 실수 통 오해하다
0644	mystery [místəri]	명 수수께끼
0645	neutral [njú:trəl]	형 중립적인, 중립의
0646	obtain [əbtéin]	통 얻다, 구하다
0647	organization [ɔ̀rgənizéiʃən]	명 조직, 단체, 기구
0648	panic [pǽnik]	명 공황, 극심한 공포
0649	personality [pə̀:rsənǽləti]	명 성격, 개성
0650	plot [plɑ:t]	명 구성, 줄거리
0651	pound [paund]	통 두드리다 명 파운드
0652	primary [práimeri]	형 주요한, 최초의
0653	protocol [próutəkɔ̀:l]	명 의례, 프로토콜
0654	quiet [kwáiət]	형 조용한, 한산한
0655	reason [rí:zn]	명 이유, 근거
0656	regulate [régjulèit]	통 규제하다, 조절하다
0657	repeat [ripí:t]	통 반복하다

0658 reveal [riví:l]	동 드러내다, 폭로하다
0659 rural [rúərəl]	형 시골의, 지방의
0660 search [sə:rtʃ]	명 수색 동 찾아보다
0661 several [sévərəl]	한 몇몇의
0662 silver [sílvər]	명 은, 은색
0663 solution [səlú:ʃən]	명 해법, 정답
0664 staff [stæf]	명 직원
0665 store [stɔ:r]	명 가게 동 저장하다
0666 suggest [səgdʒést]	동 제안하다, 제의하다

0667 symbol [símbəl]	명 상징, 부호
0668 term [tə:rm]	명 용어, 학기
0669 thus [ðʌs]	부 따라서, 이와 같이
0670 transform [trænsfɔ́rm]	동 변형시키다
0671 ultimately [ʌ́ltəmətli]	부 궁극적으로, 결국
0672 urge [ə:rdʒ]	명 욕구 동 충고하다
0673 visual [víʒuəl]	형 시각의
0674 whatever [hwʌtévər]	대 어떤 것이든
0675 wooden [wúdn]	형 나무로 된, 목재의

1초 Quiz

1. accompany _____

2. deceive _____

3. rural _____

4. 혼란시키다 _____

5. 변형시키다 _____

6. immigrate _____

정답 | 1. 동반하다, 동행하다 2. 속이다, 기만하다 3. 시골의, 지방의 4. confuse 5. transform 6. 이주해 오다

0676	accomplish [əká:mpliʃ]	동 성취하다, 해내다
0677	advice [ædváis]	명 조언, 충고
0678	ambitious [æmbíʃəs]	형 야심 있는
0679	appetite [æpətàit]	명 식욕, 욕구
0680	asleep [əslíːp]	형 잠이 든, 자고 있는
0681	audience [ɔ́ːdiəns]	명 청중, 시청자
0682	basis [béisis]	명 근거, 기반
0683	birth [bəːrθ]	명 탄생, 시작
0684	boundary [báundəri]	명 경계선, 분계선
0685	byproduct [báiprà:dəkt]	명 부산물, 부작용
0686	cave [keiv]	명 동굴
0687	claw [klɔː]	명 발톱, 갈고리
0688	communicate [kəmjúːnəkèit]	동 의사소통을 하다
0689	connect [kənékt]	동 연결하다, 접속하다
0690	cotton [ká:tn]	명 목화, 면직물, 무명
0691	cure [kjuər]	동 낫게 하다, 치유하다
0692	decide [disáid]	동 결정하다
0693	desire [dizáiər]	명 욕구 동 바라다
0694	directly [diréktli]	부 곧장, 즉시
0695	doom [duːm]	명 파멸, 죽음
0696	employee [implɔ́ii:]	명 종업원, 고용인
0697	evenly [íːvənli]	부 균등하게
0698	evidence [évədəns]	명 증거, 흔적
0699	experience [ikspíəriəns]	명 경험 동 경험하다
0700	false [fɔːls]	형 틀린, 사실이 아닌
0701	fierce [fiərs]	형 사나운, 맹렬한
0702	flow [flou]	명 흐름, 이동
0703	frequent [fríːkwənt]	형 잦은, 빈번한

0704	gender [dʒéndər]	명 성, 성별
0705	grade [greid]	명 학년, 성적, 등급
0706	harbor [háːrbər]	명 항구, 항만
0707	hollow [há:lou]	형 (속이) 빈, 공허한
0708	imperial [impíəriəl]	형 제국의, 황제의
0709	indicate [índikèit]	동 나타내다, 보여 주다
0710	insect [ínsekt]	명 곤충
0711	invent [invént]	동 발명하다
0712	justice [dʒʌ́stis]	명 공평성, 공정성
0713	lay [lei]	동 두다, 놓다
0714	lie [lai]	동 누워 있다, 눕다 동 거짓말하다
0715	luxury [lʌ́kʃəri]	명 호화로움, 사치
0716	math [mæθ]	명 수학
0717	mere [miər]	형 겨우, ~에 불과한
0718	mix [miks]	동 혼합하다, 섞이다
0719	nail [neil]	명 손톱, 못
0720	nevertheless [nèvərðəlés]	부 그럼에도 불구하고
0721	occasion [əkéiʒən]	명 때, 경우, 기회
0722	organize [ɔ́ːrgənàiz]	동 조직하다, 준비하다
0723	part [pɑːrt]	명 일부, 부분
0724	personally [pə́ːrsənəli]	부 개인적으로, 직접
0725	poem [póuəm]	명 시
0726	pour [pɔːr]	동 붓다, 따르다
0727	principal [prínsəpəl]	형 주요한, 주된
0728	proud [praud]	형 자랑스러운
0729	quite [kwait]	부 꽤, 상당히
0730	reasonable [ríːzənəbl]	형 타당한, 합리적인
0731	reject [ridʒékt]	동 거절하다, 거부하다
0732	reply [riplái]	동 대답하다, 대응하다

0733 ☐☐☐ **review** [rivjúː]	몡 검토, 논평
0734 ☐☐☐ **rush** [rʌʃ]	동 서두르다
0735 ☐☐☐ **seaside** [síːsáid]	몡 해변, 바닷가
0736 ☐☐☐ **severe** [sivíər]	혱 극심한, 심각한
0737 ☐☐☐ **similar** [símələr]	혱 비슷한, 닮은
0738 ☐☐☐ **solve** [sɑːlv]	동 해결하다, 풀다
0739 ☐☐☐ **stage** [steidʒ]	몡 단계, 시기, 무대
0740 ☐☐☐ **storm** [stɔːrm]	몡 폭풍, 폭풍우
0741 ☐☐☐ **suit** [suːt]	몡 정장 동 ~에게 맞다

0742 ☐☐☐ **system** [sístəm]	몡 체계
0743 ☐☐☐ **terrible** [térəbl]	혱 끔찍한, 심한
0744 ☐☐☐ **tide** [taid]	몡 조류, 흐름
0745 ☐☐☐ **translate** [trænsléit]	동 번역하다, 통역하다
0746 ☐☐☐ **underground** [ʌ́ndərgraund]	혱 지하의
0747 ☐☐☐ **useful** [júːsfəl]	혱 유용한, 쓸모 있는
0748 ☐☐☐ **vital** [váitl]	혱 필수적인
0749 ☐☐☐ **wheat** [hwiːt]	몡 밀
0750 ☐☐☐ **wool** [wul]	몡 털, 모직

기초 어휘

해커스공무원 영어 어휘

1초 Quiz

1. evidence _____
2. organize _____
3. principal _____
4. 야심 있는 _____
5. 발명하다 _____
6. 서두르다 _____

정답 | 1. 증거, 증거 2. 조직하다, 구성하다 3. 주요한, 주장 4. ambitious 5. invent 6. rush

0751 accord [əkɔ́:rd]	명 합의 동 부여하다	
0752 advise [ædváiz]	동 조언하다, 충고하다	
0753 amount [əmáunt]	명 양, 총액	
0754 apply [əplái]	동 신청하다, 지원하다	
0755 aspect [ǽspekt]	명 측면, 양상	
0756 author [ɔ́:θər]	명 작가, 저자	
0757 bathe [beið]	동 씻다, 세척하다	
0758 bit [bit]	명 조금, 약간	
0759 bow [bau]	동 절하다 명 절, 인사	
0760 cage [keidʒ]	명 우리 동 우리에 가두다	
0761 cease [si:s]	동 중단되다, 중단시키다	
0762 clay [klei]	명 점토, 찰흙	
0763 community [kəmjú:nəti]	명 주민, 지역 사회	
0764 conquer [ká:ŋkər]	동 정복하다, 이기다	
0765 cough [kɔ:f]	동 기침하다	
0766 curious [kjúəriəs]	형 궁금한, 특이한	
0767 decrease [dikrí:s]	동 감소하다, 감소시키다	
0768 destination [dèstənéiʃən]	명 목적지, 도착지	
0769 disagree [dìsəgrí:]	동 동의하지 않다	
0770 doubt [daut]	명 의심, 의혹	
0771 economic [èkəná:mik]	형 경제의	
0772 empty [émpti]	형 비어있는, 빈	
0773 evident [évədənt]	형 분명한, 눈에 띄는	
0774 experiment [ikspérəmənt]	명 실험 동 실험을 하다	
0775 fame [feim]	명 명성	
0776 figure [fígjər]	명 모습, 인물 명 수치, 숫자	

0777 flu [flu:]	명 독감	
0778 friendship [fréndʃip]	명 우정, 교우관계	
0779 gene [dʒi:n]	명 유전자	
0780 gradually [grǽdʒuəli]	부 서서히	
0781 hardly [há:rdli]	부 거의 ~이 아니다	
0782 honest [á:nist]	형 정직한, 솔직한	
0783 import [impɔ́:rt]	동 수입하다 명 수입품, 수입	
0784 individual [ìndəvídʒuəl]	명 개인 형 각각의	
0785 insert [insə́:rt]	동 끼우다, 삽입하다	
0786 investment [invéstmənt]	명 투자	
0787 kind of	약간, 어느 정도	
0788 layer [léiər]	명 층, 지층	
0789 lifetime [láiftaim]	명 일생, 평생	
0790 magazine [mægəzí:n]	명 잡지	
0791 maximum [mǽksəməm]	형 최대의, 최고의	
0792 merit [mérit]	명 가치, 장점	
0793 moisture [mɔ́istʃər]	명 수분, 습기	
0794 nap [næp]	명 낮잠 동 낮잠을 자다	
0795 newly [njú:li]	부 최근에, 새로	
0796 occupy [á:kjupài]	동 차지하다, 점령하다	
0797 orient [ɔ́:riənt]	동 ~을 지향하게 하다	
0798 participate [pa:rtísəpèit]	동 참가하다, 참여하다	
0799 persuade [pərswéid]	동 설득하다	
0800 poetry [póuitri]	명 시	
0801 poverty [pá:vərti]	명 가난, 빈곤	
0802 principle [prínsəpl]	명 원칙, 원리	
0803 prove [pru:v]	동 입증하다, 증명하다	
0804 race [reis]	명 경주, 인종, 민족	

0805 receipt [risíːt]	명 영수증
0806 rejoice [ridʒɔ́is]	동 크게 기뻐하다
0807 report [ripɔ́ːrt]	동 발표하다, 보도하다 명 보도
0808 revolution [rèvəlúːʃən]	명 혁명, 변혁
0809 sacrifice [sǽkrəfàis]	명 희생 동 희생하다
0810 secret [síːkrit]	명 비밀 형 비밀의
0811 shade [ʃeid]	명 그늘 동 그늘지게 하다
0812 simply [símpli]	부 간단히, 그저
0813 somewhere [sʌ́mhwɛ̀ər]	부 어딘가에
0814 stamp [stæmp]	명 우표, 소인

0815 straightforward [stréitfɔ̀ːrwərd]	형 직접, 솔직한
0816 sum [sʌm]	명 합계, 액수
0817 tail [teil]	명 꼬리
0818 thanks to	~의 덕분에
0819 tie [tai]	동 묶다, 묶어 두다
0820 transmit [trænsmít]	동 전송하다, 송신하다
0821 underline [ʌ̀ndərláin, ʌ́ndərlàin]	동 강조하다 명 밑줄
0822 usual [júːʒuəl]	형 흔히 하는, 보통의
0823 vitamin [váitəmin]	명 비타민
0824 wheel [hwiːl]	명 바퀴, 핸들
0825 worm [wəːrm]	명 벌레

1초 Quiz

1. aspect _____

2. cease _____

3. transmit _____

4. 명성 _____

5. 투자 _____

6. 서서히 _____

정답 | 1. 측면, 양상 2. 중단되다, 중단시키다 3. 전송하다, 송신하다 4. fame 5. investment 6. gradually

0826	account [əkáunt]	명 계좌, 장부
0827	affair [əfɛ́ər]	명 일, 사건
0828	analogy [ənǽlədʒi]	명 비유, 유추
0829	appoint [əpɔ́int]	동 임명하다, 정하다
0830	assembly [əsémbli]	명 의회, 집회
0831	authority [əθɔ́:rəti]	명 권한, 당국, 권위
0832	bear [bɛər]	동 참다, 견디다
0833	bite [bait]	동 물다, 베어 물다
0834	bowl [boul]	명 그릇, 통
0835	calculate [kǽlkjulèit]	동 계산하다, 산출하다
0836	celebrate [séləbrèit]	동 기념하다, 찬양하다
0837	clearly [klíərli]	부 또렷하게, 분명히
0838	compare [kəmpɛ́ər]	동 비교하다
0839	consider [kənsídər]	동 고려하다, 여기다
0840	count [kaunt]	동 세다 명 셈, 계산
0841	current [kə́:rənt]	형 현재의 명 흐름, 해류
0842	deed [di:d]	명 행위, 행동
0843	destiny [déstəni]	명 운명
0844	disappear [dìsəpíər]	동 사라지다, 없어지다
0845	dozen [dʌ́zn]	명 12개짜리 한 묶음
0846	edge [edʒ]	명 가장자리, 모서리
0847	enable [inéibl]	동 ~을 할 수 있게 하다
0848	evil [í:vəl]	형 악랄한 명 악
0849	expert [ékspə:rt]	명 전문가
0850	familiar [fəmíljər]	형 익숙한, 친숙한
0851	file [fail]	동 보관하다 명 서류철
0852	forgive [fərgív]	동 용서하다

0853	frighten [fráitn]	동 겁먹게 만들다
0854	general [dʒénərəl]	형 일반적인, 보통의
0855	graduate [grǽdʒuət]	동 졸업하다 명 졸업자
0856	hardship [há:rdʃip]	명 어려움, 곤란
0857	honor [ánər]	명 명예, 영광
0858	importance [impɔ́:rtəns]	명 중요성
0859	indoor [índɔ̀r]	형 실내의
0860	insist [insíst]	동 고집하다, 주장하다
0861	involve [invá:lv]	동 포함하다, 수반하다
0862	kindergarten [kíndərgà:rtn]	명 유치원
0863	lazy [léizi]	형 게으른, 느긋한
0864	lift [lift]	동 들어 올리다
0865	maintenance [méintənəns]	명 유지, 지속
0866	meal [mi:l]	명 식사, 끼니
0867	merry [méri]	형 즐거운, 명랑한
0868	moment [móumənt]	명 잠깐, 순간
0869	narrow [nǽrou]	형 좁은, 편협한
0870	niece [ni:s]	명 조카딸
0871	occur [əkə́:r]	동 발생하다, 일어나다
0872	originate [ərídʒənèit]	동 비롯되다, 유래하다
0873	particular [pərtíkjulər]	형 특정한, 특이한
0874	philosophy [filá:səfi]	명 철학
0875	poison [pɔ́izn]	명 독 동 독살하다
0876	practical [prǽktikəl]	형 현실적인, 실용적인
0877	prison [prízn]	명 교도소, 감옥
0878	provide [prəváid]	동 제공하다, 주다
0879	rainfall [réinfɔ̀l]	명 강우, 강우량
0880	receive [risí:v]	동 받다, 받아들이다

0881	**relate** [riléit]	동 관련시키다
0882	**represent** [rèprizént]	동 대표하다, 나타내다
0883	**reward** [riwɔ́:rd]	명 보상 동 보상하다
0884	**safety** [séifti]	명 안전, 안전성
0885	**secretary** [sékrətèri]	명 비서
0886	**shadow** [ʃǽdou]	명 그림자, 어둠
0887	**since** [sins]	전 ~부터, 이후
0888	**sort** [sɔːrt]	명 종류, 부류
0889	**stare** [stɛər]	동 응시하다 명 응시
0890	**strange** [streindʒ]	형 이상한, 낯선

0891	**summit** [sʌ́mit]	명 정상, 절정, 정상 회담
0892	**tailor** [téilər]	명 재단사
0893	**the number of**	~의 개수
0894	**tight** [tait]	형 단단한, 꽉 찬
0895	**transportation** [trænspərtéiʃən]	명 교통, 이동 수단
0896	**underneath** [ʌ̀ndərní:θ]	전 ~의 밑에 명 밑면
0897	**utilize** [júːtəlàiz]	동 활용하다, 이용하다
0898	**vivid** [vívid]	형 생생한, 선명한
0899	**whenever** [hwenévər]	접 ~할 때마다
0900	**worth** [wəːrθ]	형 ~의 가치가 있는

1초 Quiz

1. affair _____

2. insist _____

3. utilize _____

4. 관련시키다 _____

5. 비서 _____

6. 행위, 행동 _____

정답 | 1. 일, 사건   2. 고집하다, 주장하다   3. 활용하다, 이용하다   4. relate   5. secretary   6. deed

0901	accurate [ǽkjurət]	형 정확한, 정밀한
0902	against [əgénst]	전 ~에 반대하여, 맞서
0903	analyze [ǽnəlàiz]	동 분석하다, 해석하다
0904	appointment [əpɔ́intmənt]	명 약속, 임명
0905	assignment [əsáinmənt]	명 과제, 임무, 배치
0906	available [əvéiləbl]	형 이용할 수 있는
0907	beast [biːst]	명 짐승, 야수
0908	bitter [bítər]	형 맛이 쓴, 격렬한
0909	branch [bræntʃ]	명 나뭇가지, 분점
0910	calm [kɑːm]	형 침착한
0911	cell [sel]	명 세포
0912	clever [klévər]	형 영리한, 똑똑한
0913	compensate [kɑ́ːmpənsèit]	동 보상하다
0914	constant [kɑ́ːnstənt]	형 끊임없는, 변함없는
0915	courage [kə́ːridʒ]	명 용기
0916	curtain [kə́ːrtn]	명 커튼
0917	defeat [difíːt]	동 패배시키다 명 패배
0918	destroy [distrɔ́i]	동 파괴하다, 말살하다
0919	disappoint [dìsəpɔ́int]	동 실망시키다
0920	drag [dræg]	동 끌다, 끌고 가다
0921	educate [édʒukèit]	동 교육하다, 가르치다
0922	encourage [inkə́ːridʒ]	동 격려하다
0923	exactly [igzǽktli]	부 정확히, 꼭
0924	explain [ikspléin]	동 설명하다
0925	fancy [fǽnsi]	형 화려한, 근사한
0926	fill [fil]	동 가득 채우다
0927	focus on	~에 주력하다
0928	frontier [frʌntíər]	명 국경, 경계 지방
0929	generate [dʒénərèit]	동 발생시키다

0930	grain [grein]	명 곡물, 낟알
0931	harm [hɑːrm]	명 피해 동 해를 끼치다
0932	hop [hɑːp]	동 깡충깡충 뛰다
0933	impossible [impɑ́ːsəbl]	형 불가능한
0934	industry [índəstri]	명 산업, 공업
0935	inspire [inspáiər]	동 영감을 주다
0936	iron [áiərn]	명 철, 다리미 동 다리미질을 하다
0937	kingdom [kíŋdəm]	명 왕국
0938	lead [liːd]	동 안내하다 명 선두
0939	likely [láikli]	형 ~할 것 같은
0940	major [méidʒər]	형 주요한 명 전공
0941	mean [miːn]	동 의미하다 형 못된
0942	mess [mes]	명 엉망인 상태
0943	monitor [mɑ́ːnətər]	명 화면 동 관찰하다
0944	national [nǽʃənəl]	형 국가의, 전국적인
0945	noble [nóubl]	형 고결한, 숭고한
0946	odd [ɑːd]	형 이상한, 특이한 형 홀수의
0947	otherwise [ʌ́ðərwàiz]	부 그렇지 않으면
0948	passage [pǽsidʒ]	명 통로, 통행
0949	phrase [freiz]	명 구, 구절
0950	pole [poul]	명 막대기, 기둥 명 (지구의) 극
0951	practice [prǽktis]	동 연습하다 명 실행, 관행
0952	private [práivət]	형 사적인
0953	provision [prəvíʒən]	명 공급, 제공

0954 raise [reiz]	통 (들어)올리다, 키우다
0955 recent [ríːsnt]	형 최근의
0956 relationship [riléiʃənʃip]	명 관계
0957 republic [ripʌ́blik]	명 공화국
0958 ride [raid]	통 타다, 몰다
0959 sail [seil]	통 항해하다
0960 section [sékʃən]	명 부분, 구획
0961 shake [ʃeik]	통 흔들리다, 흔들다
0962 sincere [sinsíər]	형 진실된, 진심의
0963 source [sɔːrs]	명 원천, 근원
0964 statement [stéitmənt]	명 진술, 성명
0965 strap [stræp]	명 끈 통 끈으로 묶다

0966 supervise [súːpərvàiz]	통 감독하다
0967 tale [teil]	명 이야기, 소설
0968 theme [θiːm]	명 주제, 테마
0969 trap [træp]	명 덫, 올가미
0970 until [əntíl]	전 ~까지
0971 unexpected [ənikspéktid]	형 예상 밖의, 뜻밖의
0972 vacuum [vǽkjuəm]	명 진공, 공백
0973 voice [vɔis]	명 목소리, 음성
0974 whereas [hwɛərǽz]	접 ~임에 비하여
0975 wound [wuːnd]	명 상처 통 상처를 입히다

1초 Quiz

1. accurate _____

2. appointment _____

3. republic _____

4. 보상하다 _____

5. 발생시키다 _____

6. 감독하다 _____

0976 achieve [ətʃíːv]	통 성취하다	
0977 agency [éidʒənsi]	명 대리점, 대행사	
0978 ancestor [ǽnsestər]	명 조상, 선조	
0979 appreciate [əpríːʃièit]	통 진가를 알아보다 / 통 고마워하다	
0980 assistance [əsístəns]	명 도움, 원조	
0981 avenue [ǽvənjùː]	명 거리, 길	
0982 beat [biːt]	통 이기다, 두드리다	
0983 blame [bleim]	통 ~을 탓하다	
0984 breathe [briːð]	통 호흡하다, 숨을 쉬다	
0985 cancel [kǽnsəl]	통 취소하다	
0986 certain [sə́ːrtn]	형 확실한, 틀림없는	
0987 client [kláiənt]	명 의뢰인, 고객	
0988 competition [kàːmpətíʃən]	명 경쟁, 대회	
0989 constitution [kàːnstətjúːʃən]	명 헌법	
0990 court [kɔːrt]	명 법원, 법정	
0991 curve [kəːrv]	명 곡선 / 통 곡선을 이루다	
0992 defend [difénd]	통 방어하다, 수비하다	
0993 detail [díteil]	명 세부 사항	
0994 discomfort [diskʌ́mfərt]	명 불편	
0995 dramatic [drəmǽtik]	형 극적인, 인상적인	
0996 effect [ifékt]	명 영향, 효과	
0997 endure [indjúər]	통 견디다, 참다	
0998 examine [igzǽmin]	통 조사하다, 검토하다	
0999 explode [iksplóud]	통 터지다, 폭발하다	
1000 fantastic [fæntǽstik]	형 환상적인, 엄청난	
1001 final [fáinəl]	형 마지막의, 최종적인	
1002 fold [fould]	통 접다, 개다	
1003 fuel [fjúːəl]	명 연료 / 통 연료를 공급하다	
1004 generation [dʒènəréiʃən]	명 세대, 대	
1005 grand [grænd]	형 웅장한, 장려한	
1006 harvest [háːrvist]	명 수확 / 통 수확하다	
1007 horizon [həráizn]	명 수평선, 지평선	
1008 impractical [imprǽktikəl]	형 비현실적인	
1009 infant [ínfənt]	명 유아 / 형 유아용의	
1010 instant [ínstənt]	형 즉각적인 / 명 순간	
1011 island [áilənd]	명 섬	
1012 knock [naːk]	통 두드리다, 노크하다	
1013 lead to	~으로 이어지다	
1014 limit [límit]	명 한계 / 통 제한하다	
1015 make up	구성하다, 만들어지다	
1016 meaningful [míːniŋfəl]	형 의미 있는, 중요한	
1017 metal [métl]	명 금속	
1018 monk [mʌŋk]	명 수도자, 수도승	
1019 native [néitiv]	형 태생의, 토착의	
1020 nonetheless [nʌ̀nðəlés]	부 그럼에도 불구하고	
1021 offend [əfénd]	통 기분 상하게 하다 / 통 위반하다	
1022 ought to	~해야 한다	
1023 passenger [pǽsəndʒər]	명 승객	
1024 physical [fízikəl]	형 신체의, 물리적인	
1025 policy [páːləsi]	명 정책, 방침	
1026 praise [preiz]	명 칭찬 / 통 칭찬하다	
1027 prize [praiz]	명 상, 상품	
1028 public [pʌ́blik]	형 대중의, 공공의	
1029 range [reindʒ]	명 범위, 다양성	

¹⁰³⁰ □□□ **recognize** [rékəgnàiz]	동 알아보다, 인식하다	
¹⁰³¹ □□□ **relative** [rélətiv]	형 상대적인 명 친척	
¹⁰³² □□□ **reputation** [rèpjutéiʃən]	명 평판, 명성	
¹⁰³³ □□□ **ridiculous** [ridíkjuləs]	형 웃기는, 말도 안 되는	
¹⁰³⁴ □□□ **salary** [sǽləri]	명 급여, 월급	
¹⁰³⁵ □□□ **sector** [séktər]	명 분야, 부문	
¹⁰³⁶ □□□ **shame** [ʃeim]	명 수치심 동 창피하게 하다	
¹⁰³⁷ □□□ **situation** [sìtʃuéiʃən]	명 상황, 환경	
¹⁰³⁸ □□□ **space** [speis]	명 공간, 우주	
¹⁰³⁹ □□□ **statistic** [stətístik]	명 통계, 통계 자료	
¹⁰⁴⁰ □□□ **straw** [strɔ:]	명 짚, 빨대	

¹⁰⁴¹ □□□ **supply** [səplái]	명 공급, 공급량 동 공급하다
¹⁰⁴² □□□ **talent** [tǽlənt]	명 재주, 재능
¹⁰⁴³ □□□ **theory** [θí:əri]	명 이론, 학설
¹⁰⁴⁴ □□□ **tiny** [táini]	형 아주 작은
¹⁰⁴⁵ □□□ **treat** [tri:t]	동 대하다, 취급하다
¹⁰⁴⁶ □□□ **unfortunately** [ənfɔ́rtʃənətli]	부 유감스럽게도
¹⁰⁴⁷ □□□ **valid** [vǽlid]	형 유효한, 타당한
¹⁰⁴⁸ □□□ **volunteer** [vὰ:ləntíər]	명 자원봉사자 동 자원하다
¹⁰⁴⁹ □□□ **whereby** [werbái]	부 그것에 의하여, 그래서
¹⁰⁵⁰ □□□ **wrap** [ræp]	동 포장하다 명 포장지

1초 Quiz

1. beat _____
2. make up _____
3. statistic _____
4. 불편 _____
5. 헌법 _____
6. 아주 작은 _____

정답 | 1. 이기다, 두드리다 2. 꾸며내다, 만들어내다 3. 통계, 통계 자료 4. discomfort 5. constitution 6. tiny

1051	**acknowledge** [æknáːlidʒ]	동 인정하다
1052	**agent** [éidʒənt]	명 대리인, 중개상
1053	**ancient** [éinʃənt]	형 고대의
1054	**approach** [əpróutʃ]	동 다가가다 명 접근법
1055	**associate** [əsóuʃièit]	동 연관 짓다, 연상하다
1056	**average** [ǽvəridʒ]	형 평균의 명 평균
1057	**behave** [bihéiv]	동 행동하다
1058	**blind** [blaind]	형 눈이 먼, 맹인인
1059	**brief** [briːf]	형 짧은, 잠시 동안의
1060	**cancer** [kǽnsər]	명 암
1061	**chain** [tʃein]	명 사슬, 일련
1062	**climb** [klaim]	동 오르다, 올라가다
1063	**complain** [kəmpléin]	동 불평하다, 항의하다
1064	**contact** [káːntækt]	명 연락 동 연락하다
1065	**crack** [kræk]	동 갈라지다 명 틈
1066	**custom** [kʌ́stəm]	명 관습, 풍습
1067	**definite** [défənit]	형 확실한, 확고한
1068	**determine** [ditə́ːrmin]	동 결정하다, 알아내다
1069	**discount** [dískaunt]	명 할인
1070	**draw** [drɔː]	동 그리다, 끌다
1071	**effective** [iféktiv]	형 효과적인, 실질적인
1072	**enemy** [énəmi]	명 적, 적군
1073	**except** [iksépt]	전 ~을 제외하고
1074	**explore** [iksplɔ́ːr]	동 탐험하다, 탐구하다
1075	**fashion** [fǽʃən]	명 유행, 패션
1076	**financial** [finǽnʃəl]	형 금융의, 재정의
1077	**folk** [fouk]	명 사람들 형 민속의
1078	**full** [ful]	형 가득한, 아주 많은
1079	**generous** [dʒénərəs]	형 관대한, 후한
1080	**grateful** [gréitfəl]	형 고마워하는
1081	**hatch** [hætʃ]	동 부화하다
1082	**horn** [hɔːrn]	명 뿔, 경적
1083	**impress** [imprés]	동 깊은 인상을 주다
1084	**infect** [infékt]	동 감염시키다
1085	**instead** [instéd]	부 대신에
1086	**issue** [íʃuː]	명 문제 동 발행하다
1087	**knot** [nɑt]	명 매듭 동 매듭을 묶다
1088	**leadership** [lídərʃìp]	명 지도력, 대표직
1089	**link** [liŋk]	명 관련성 동 연결하다
1090	**male** [meil]	형 남성의
1091	**meanwhile** [míːnwàil]	부 그동안에
1092	**method** [méθəd]	명 방법
1093	**monthly** [mʌ́nθli]	형 매월의
1094	**nature** [néitʃər]	명 자연, 천성
1095	**nonsense** [náːnsens]	명 터무니없는 생각
1096	**offer** [ɔ́ːfər]	동 제안하다, 권하다
1097	**path** [pæθ]	명 길, 방향
1098	**physician** [fizíʃən]	명 (내과) 의사
1099	**polite** [pəláit]	형 예의 바른, 공손한
1100	**pray** [prei]	동 기도하다
1101	**probably** [práːbəbli]	부 아마
1102	**publication** [pʌ̀bləkéiʃən]	명 발행, 출판물
1103	**rank** [ræŋk]	명 지위 동 평가하다
1104	**recommend** [rèkəménd]	동 추천하다, 권장하다

1105 relax [rilǽks]	통 휴식을 취하다
1106 request [rikwést]	명 요청 통 요청하다
1107 rip [rip]	통 찢다, 찢어지다
1108 sale [seil]	명 판매, 할인 판매
1109 secure [sikjúər]	형 안전한, 안심하는
1110 share [ʃɛər]	통 공유하다, 함께 쓰다
1111 skeleton [skélətn]	명 뼈대, 해골
1112 spare [spɛər]	형 여분의 통 할애하다
1113 spite [spait]	명 앙심, 악의
1114 statue [stǽtʃuː]	명 조각상
1115 stream [striːm]	명 개울 통 졸졸 흐르다

1116 support [səpɔ́ːrt]	통 지지하다 명 지지
1117 tap [tæp]	통 가볍게 치다
1118 thereby [ðɛərbái]	부 그렇게 함으로써
1119 tip [tip]	명 끝, 끝부분 명 조언
1120 trend [trend]	명 동향, 추세
1121 uniform [júːnəfɔ̀ːrm]	명 제복 형 획일적인
1122 valuable [vǽljuəbl]	형 소중한, 귀중한
1123 vote [vout]	명 투표 통 투표하다
1124 whether [hwéðər]	접 ~인지, ~이든
1125 wrist [rist]	명 손목, 팔목

 **1초 Quiz**

1. complain _____
2. definite _____
3. statue _____
4. 인정하다 _____
5. ~을 제외하고 _____
6. 감염시키다 _____

정답 | 1. 불평하다, 항의하다 2. 확실한, 명확한 3. 조각상 4. acknowledge 5. except 6. infect

기초 어휘

해커스공무원 영어 어휘

반드시 알아야 할 공무원 필수 기초 어휘 1500 141

1126 across [əkrɔ́:s]	閏 건너서, 가로질러	
1127 agree [əgríː]	통 동의하다, 찬성하다	
1128 anger [ǽŋgər]	명 화, 분노	
1129 approximate [əprɑ́:ksəmət]	형 근사치인	
1130 assume [əsúːm]	통 추정하다	
1131 avoid [əvɔ́id]	통 방지하다, 회피하다	
1132 behavior [bihéivjər]	명 행동, 태도	
1133 block [blɑːk]	명 구역 / 통 막다	
1134 brilliant [bríljənt]	형 훌륭한, 멋진	
1135 candle [kǽndl]	명 양초	
1136 challenge [tʃǽlindʒ]	명 도전 / 통 도전하다	
1137 clue [kluː]	명 단서, 실마리	
1138 complete [kəmplíːt]	형 완벽한, 완전한	
1139 contain [kəntéin]	통 포함하다, 들어 있다	
1140 craft [kræft]	명 공예, 기교, 술수	
1141 customer [kʌ́stəmər]	명 손님, 고객	
1142 degree [digríː]	명 학위, (온도 단위인) 도	
1143 develop [divéləp]	통 성장하다, 개발하다	
1144 discourage [diskɔ́:ridʒ]	통 막다, 좌절시키다	
1145 drought [draut]	명 가뭄	
1146 effort [éfərt]	명 수고, 노력	
1147 enforce [infɔ́:rs]	통 집행하다, 강요하다	
1148 exchange [ikstʃéindʒ]	명 교환 / 통 교환하다	
1149 export [ikspɔ́:rt, ékspɔ:rt]	통 수출하다 / 명 수출	
1150 fast [fæst]	형 빠른 / 閏 빠르게	
1151 find out	~을 알아내다	
1152 follow [fɑ́:lou]	통 따라가다, 뒤따르다	

1153 function [fʌ́ŋkʃən]	명 기능 / 통 기능하다
1154 genre [ʒɑ́:nrə]	명 장르
1155 grave [greiv]	명 무덤, 묘
1156 headache [hédèik]	명 두통
1157 host [houst]	명 주인, 주최국
1158 impression [impréʃən]	명 인상, 느낌
1159 influence [ínfluəns]	명 영향 / 통 영향을 주다
1160 institute [ínstətjùːt]	명 기관, 협회
1161 item [áitəm]	명 항목, 사항
1162 knowledge [nɑ́:lidʒ]	명 지식
1163 league [liːg]	명 리그, 경기 연맹
1164 liquid [líkwid]	명 액체 / 형 액체 형태의
1165 mammal [mǽməl]	명 포유동물
1166 measure [méʒər]	통 측정하다 / 명 조치
1167 migrate [máigreit]	통 이주하다, 이동하다
1168 mood [muːd]	명 기분
1169 navy [néivi]	명 해군
1170 noon [nuːn]	명 정오, 한낮
1171 official [əfíʃəl]	형 공식적인
1172 outcome [áutkəm]	명 결과
1173 patient [péiʃənt]	형 참을성 있는 / 명 환자
1174 piece [piːs]	명 한 부분, 조각
1175 political [pəlítikəl]	형 정치적인, 정당의
1176 predict [pridíkt]	통 예측하다, 예견하다
1177 process [prɑ́:ses]	명 과정 / 통 처리하다
1178 publish [pʌ́bliʃ]	통 출판하다, 발표하다

1179	**rapidly** [rǽpidli]	부 빨리, 신속히
1180	**record** [rékərd, rikɔ́:rd]	명 기록 동 기록하다
1181	**release** [rilí:s]	동 풀어주다 명 석방
1182	**require** [rikwáiər]	동 필요하다, 요구하다
1183	**rise** [raiz]	명 증가 동 올라가다
1184	**satisfactory** [sætisfǽktəri]	형 만족스러운, 충분한
1185	**seed** [si:d]	명 씨, 씨앗
1186	**sharp** [ʃɑːrp]	형 뾰족한, 날카로운
1187	**skill** [skil]	명 기량, 기술
1188	**specialize** [spéʃəlàiz]	동 ~을 전공하다
1189	**steady** [stédi]	형 꾸준한, 한결같은

1190	**stress** [stres]	명 긴장 동 강조하다
1191	**suppose** [səpóuz]	동 추측하다, 가정하다
1192	**target** [tá:rgit]	명 목표 동 목표로 삼다
1193	**therefore** [ðɛ́ərfɔ̀:r]	부 그러므로
1194	**title** [táitl]	명 제목, 직함
1195	**trial** [tráiəl]	명 재판, 실험
1196	**union** [jú:njən]	명 조합, 연합
1197	**value** [vǽlju:]	명 가치 동 소중하게 생각하다
1198	**wage** [weidʒ]	명 임금, 급료
1199	**while** [hwail]	접 ~하는 동안 접 ~인 데 반해
1200	**yard** [jɑ:rd]	명 마당, 운동장

1초 Quiz

1. avoid _____

2. institute _____

3. wage _____

4. 가뭄 _____

5. ~을 알아내다 _____

6. 포유동물 _____

정답 | 1. 피하다, 회피하다 2. 기관, 협회 3. 임금, 급료 4. drought 5. find out 6. mammal

1201 action [ǽkʃən]	명 동작, 사건, 조치
1202 agriculture [ǽgrəkʌ̀ltʃər]	명 농업
1203 angle [ǽŋgl]	명 각, 기울기
1204 Arctic [ɑ́ːrktik]	명 북극 형 북극의
1205 astronaut [ǽstrənɔ̀ːt]	명 우주비행사
1206 awake [əwéik]	형 깨어 있는 동 깨다
1207 belief [bilíːf]	명 신념, 믿음
1208 blood [blʌd]	명 피, 혈액
1209 broad [brɔːd]	형 (폭이) 넓은, 광대한
1210 capable [kéipəbl]	형 ~할 수 있는, 유능한
1211 channel [tʃǽnl]	명 수단, 방법 명 해협
1212 coal [koul]	명 석탄
1213 complex [kəmpléks, kɑ́ːmpleks]	형 복잡한 명 복합체, 합성물
1214 content [kɑ́ːntent]	명 목차, 내용물, 내용
1215 crash [kræʃ]	명 사고 동 추락하다
1216 cycle [sáikl]	명 자전거, 순환
1217 delay [diléi]	명 지연 동 미루다
1218 device [diváis]	명 장치
1219 discover [diskʌ́vər]	동 발견하다, 알아내다
1220 drown [draun]	동 물에 빠지다
1221 elbow [élbou]	명 팔꿈치
1222 engage [ingéidʒ]	동 관계를 맺다
1223 excite [iksáit]	동 흥분시키다
1224 expose [ikspóuz]	동 드러내다, 폭로하다
1225 fault [fɔːlt]	명 잘못, 단점
1226 fiber [fáibər]	명 섬유질, 섬유 조직

1227 fine [fain]	형 질 높은 명 벌금
1228 fond [fɑːnd]	형 좋아하는
1229 fund [fʌnd]	명 기금, 자금
1230 gentle [dʒéntl]	형 온화한, 순한
1231 gravity [grǽvəti]	명 중력
1232 headquarters [hédkwɔ̀rtərz]	명 본사, 본부
1233 household [háushòuld]	명 가정
1234 impressive [imprésiv]	형 인상적인, 인상 깊은
1235 inform [infɔ́ːrm]	동 알리다, 통지하다
1236 instruct [instrʌ́kt]	동 지시하다, 가르치다
1237 jail [dʒeil]	명 감옥, 교도소
1238 label [léibəl]	명 상표, 딱지
1239 leak [liːk]	동 새다 명 새는 곳, 틈
1240 load [loud]	명 짐, 화물
1241 manage [mǽnidʒ]	동 관리하다, 운영하다
1242 mechanic [məkǽnik]	명 정비공
1243 mild [maild]	형 온화한, 순한
1244 miraculous [mirǽkjuləs]	형 기적적인
1245 nearby [nìərbái]	형 인근의, 가까운 곳의
1246 oil [ɔil]	명 석유, 기름
1247 outline [áutlàin]	명 윤곽, 개요
1248 pattern [pǽtərn]	명 양식, 패턴
1249 politician [pɑ̀ːlitíʃən]	명 정치인
1250 pope [poup]	명 교황
1251 prefer [prifɔ́ːr]	동 선호하다
1252 produce [prədjúːs]	동 생산하다, 낳다
1253 pump [pʌmp]	동 퍼내다 동 (거세게) 솟구치다
1254 rare [rɛər]	형 드문, 진귀한

¹²⁵⁵ **recover** [rikʌ́vər]	통 회복되다, 되찾다	¹²⁶⁶ **supreme** [səprí:m]	형 최고의, 최대의
¹²⁵⁶ **relief** [rilí:f]	명 안도, 경감	¹²⁶⁷ **task** [tæsk]	명 일, 과업
¹²⁵⁷ **research** [risə́:rtʃ]	명 연구 통 연구하다	¹²⁶⁸ **these days**	요즘에는
		¹²⁶⁹ **tone** [toun]	명 어조, 분위기
¹²⁵⁸ **risk** [risk]	명 위험 통 위태롭게 하다	¹²⁷⁰ **tribe** [traib]	명 부족, 종족
¹²⁵⁹ **save** [seiv]	통 모으다, 저축하다	¹²⁷¹ **unique** [ju:ní:k]	형 독특한, 고유의
¹²⁶⁰ **seek** [si:k]	통 찾다, 구하다	¹²⁷² **various** [vέəriəs]	형 다양한, 각양각색의
¹²⁶¹ **shell** [ʃel]	명 (동식물의 딱딱한) 껍질	¹²⁷³ **wander** [wá:ndər]	통 거닐다, 돌아다니다
¹²⁶² **skin** [skin]	명 피부	¹²⁷⁴ **whole** [houl]	형 전체의 명 전체
¹²⁶³ **species** [spí:ʃi:z]	명 종		
¹²⁶⁴ **steal** [sti:l]	통 훔치다	¹²⁷⁵ **yawn** [jɔ:n]	통 하품하다 명 하품
¹²⁶⁵ **stretch** [stretʃ]	통 늘이다, 늘어나다		

1초 Quiz

1. rare _____

2. relief _____

3. seek _____

4. 물에 빠지다 _____

5. 관계를 맺다 _____

6. 훔치다 _____

정답 | 1. 드문, 진기한 2. 안도, 경감 3. 찾다, 구하다 4. drown 5. engage 6. steal

1276 activate [金ktəvèit]	동 활성화시키다	
1277 ahead [əhéd]	부 앞으로, 미리	
1278 anniversary [ænəvə́:rsəri]	명 기념일	
1279 area [ɛ́əriə]	명 지역, 구역	
1280 at least	최소한, 적어도	
1281 award [əwɔ́:rd]	명 상, 수여	
1282 belong to	~에 속하다	
1283 blow [blou]	동 불다, 날리다	
1284 broadcast [brɔ́:dkæst]	동 방송하다 / 명 방송	
1285 capital [kǽpətl]	명 수도, 자산	
1286 chaos [kéiɑs]	명 혼돈, 혼란	
1287 coast [koust]	명 해안	
1288 compete [kəmpí:t]	동 경쟁하다	
1289 complicated [kɑ́:mpləkèitid]	형 복잡한	
1290 contest [kɑ́:ntest]	명 대회, 시합	
1291 cosmetics [kɑzmétiks]	명 화장품	
1292 creature [krí:tʃər]	명 생물	
1293 dairy [dɛ́əri]	형 유제품의, 낙농업의	
1294 delicious [dilíʃəs]	형 맛있는	
1295 devil [dévl]	명 악마, 악령	
1296 discuss [diskʌ́s]	동 상의하다, 논하다	
1297 drug [drʌg]	명 의약품, 약물	
1298 elderly [éldərli]	형 나이가 든	
1299 engine [éndʒin]	명 기관	
1300 exclude [iksklú:d]	동 제외하다	
1301 existence [igzístəns]	명 존재, 실재	
1302 express [iksprés]	동 표현하다 / 형 급행의	
1303 favor [féivər]	명 호의, 친절, 부탁	
1304 finite [fáinait]	형 한정된, 유한한	
1305 framework [fréimwə̀rk]	명 뼈대, 틀, 구조	
1306 football [fútbɔ̀l]	명 축구	
1307 funeral [fjú:nərəl]	명 장례식	
1308 gorgeous [gɔ́:rdʒəs]	형 멋진, 우아한	
1309 greet [gri:t]	동 환영하다	
1310 heal [hi:l]	동 낫다, 치료하다	
1311 huge [hju:dʒ]	형 거대한, 막대한	
1312 improve [imprú:v]	동 나아지다, 개선하다	
1313 informal [infɔ́:rməl]	형 비공식의	
1314 instruction [instrʌ́kʃən]	명 설명, 지시	
1315 jaw [dʒɔ:]	명 턱	
1316 labor [léibər]	명 노동, 근로	
1317 leap [li:p]	동 뛰어오르다 / 명 도약	
1318 local [lóukəl]	형 지역의	
1319 manner [mǽnər]	명 방식, 태도, 관습	
1320 manual [mǽnjuəl]	형 수동의 / 명 설명서	
1321 mechanism [mékənìzm]	명 기계 장치, 방법	
1322 military [mílitèri]	명 군대 / 형 군사의, 무력의	
1323 moreover [mɔːróuvər]	부 게다가, 더욱이	
1324 nearly [níərli]	부 거의	
1325 openly [óupənli]	부 터놓고, 솔직하게	
1326 outlook [áutlùk]	명 관점, 전망, 견해	
1327 pay for	대금을 지불하다	
1328 politics [pɑ́:lətiks]	명 정치	
1329 prepare [pripɛ́ər]	동 준비하다, 마련하다	
1330 product [prɑ́:dʌkt]	명 생산물, 상품	

1331 □□□ **punish** [pʌ́niʃ]	통 처벌하다, 벌주다	1341 □□□ **strict** [strikt]	형 엄격한, 엄한
1332 □□□ **rate** [reit]	명 속도, 비율	1342 □□□ **surface** [sə́ːrfis]	명 표면, 지면
1333 □□□ **recreational** [rèkriéiʃənəl]	형 오락의	1343 □□□ **taste** [teist]	명 맛, 미각
1334 □□□ **relieve** [rilíːv]	통 완화하다, 안심시키다	1344 □□□ **thick** [θik]	형 두꺼운, 굵은
1335 □□□ **reserve** [rizə́ːrv]	통 예약하다, 유보하다	1345 □□□ **tongue** [tʌŋ]	명 혓바닥
1336 □□□ **scale** [skeil]	명 규모, 등급, 저울	1346 □□□ **trick** [trik]	명 속임수, 농담
1337 □□□ **shelter** [ʃéltər]	명 대피처, 보호소	1347 □□□ **unit** [júːnit]	명 구성단위, 단원
1338 □□□ **slave** [sleiv]	명 노예	1348 □□□ **war** [wɔːr]	명 전쟁
1339 □□□ **spend** [spend]	통 소비하다, 쓰다	1349 □□□ **wholesale** [hóulsèil]	형 도매의
1340 □□□ **steam** [stiːm]	명 증기 통 찌다	1350 □□□ **yet** [jet]	부 아직

기초 어휘

해커스공무원 영어 어휘

⏱ **1초 Quiz**

1. activate _____ 2. instruction _____ 3. scale _____

4. 수도, 자산 _____ 5. 나이가 든 _____ 6. 복잡한 _____

정답 | 1. 활성화시키다 2. 설명, 지시 3. 규모, 등급, 저울 4. capital 5. elderly 6. complicated

반드시 알아야 할 공무원 필수 기초 어휘 1500 147

1351	**actually** [ǽktʃuəli]	图 실제로, 사실은
1352	**aid** [eid]	몡 원조, 도움
1353	**announce** [ənáuns]	동 발표하다, 알리다
1354	**argue** [ɑ́:rgjuː]	동 주장하다, 논쟁하다
1355	**athlete** [ǽθliːt]	몡 (운동) 선수
1356	**aware** [əwέər]	혱 ~을 알고 있는
1357	**below** [bilóu]	전 ~보다 아래에
1358	**board** [bɔːrd]	몡 판자 몡 이사회
1359	**brush** [brʌʃ]	몡 붓 동 솔질을 하다
1360	**captain** [kǽptən]	몡 선장, 대위
1361	**character** [kǽriktər]	몡 성격, 특징
1362	**collect** [kəlékt]	동 모으다, 수집하다
1363	**compose** [kəmpóuz]	동 구성하다, 작곡하다
1364	**continent** [kɑ́:ntənənt]	몡 대륙
1365	**credit** [krédit]	몡 신용, 학점, 공로
1366	**damage** [dǽmidʒ]	몡 손상 동 피해를 입히다
1367	**delight** [diláit]	몡 기쁨, 즐거움
1368	**devote** [divóut]	동 ~에 바치다, 쏟다
1369	**disease** [dizíːz]	몡 병, 질환
1370	**due** [djuː]	혱 ~때문에
1371	**elect** [ilékt]	동 선출하다
1372	**enter** [éntər]	동 들어가다, 시작하다
1373	**excuse** [ikskjúːz]	몡 변명, 구실
1374	**extend** [iksténd]	동 연장하다, 확장하다
1375	**favorite** [féivərit]	혱 매우 좋아하는
1376	**firm** [fəːrm]	혱 확고한 몡 회사
1377	**for years**	수년간
1378	**fortune** [fɔ́ːrtʃən]	몡 운, 재산
1379	**fur** [fəːr]	몡 털, 모피
1380	**get better**	좋아지다, 호전되다
1381	**grind** [graind]	동 갈다
1382	**healthy** [hélθi]	혱 건강한
1383	**hunt** [hʌnt]	동 사냥하다 몡 사냥
1384	**in fact**	사실은, 실제로는
1385	**ingredient** [ingríːdiənt]	몡 재료, 구성 요소
1386	**invest** [invést]	동 투자하다
1387	**jewel** [dʒúːəl]	몡 보석, 보석류
1388	**laboratory** [lǽbərətɔ̀:ri]	몡 실험실
1389	**least** [liːst]	혱 가장 적은, 최소의
1390	**locate** [lóukeit]	동 위치하다, 찾아내다
1391	**manufacture** [mænjufǽktʃər]	동 제조하다, 생산하다
1392	**media** [míːdiə]	동 매체
1393	**million** [míljən]	몡 100만
1394	**mosquito** [məskíːtou]	몡 모기
1395	**necessary** [nésəsèri]	혱 필요한, 필수적인
1396	**nothing but**	단지 ~일 뿐인
1397	**operate** [ɑ́:pərèit]	동 작동되다, 가동하다
1398	**overcome** [óuvərkʌ̀m]	동 극복하다
1399	**pitch** [pitʃ]	몡 정점 동 던지다
1400	**plural** [plúərəl]	혱 복수형의, 두 가지 이상의
1401	**pollution** [pəlúːʃən]	몡 오염, 공해
1402	**present** [préznt]	몡 선물 혱 현재의, 참석한
1403	**professional** [prəféʃənəl]	혱 전문적인, 전문가의

1404 □□□ **pupil** [pjúːpl]	명 학생, 제자
	명 눈동자
1405 □□□ **reduce** [ridjúːs]	동 줄이다, 낮추다
1406 □□□ **religion** [rilídʒən]	명 종교
1407 □□□ **resident** [rézədnt]	명 거주자
1408 □□□ **rival** [ráivəl]	명 경쟁자, 경쟁 상대
1409 □□□ **scenario** [sinɛ́əriòu]	명 시나리오, 각본
1410 □□□ **seldom** [séldəm]	부 거의 ~하지 않는
1411 □□□ **shepherd** [ʃépərd]	명 양치기
1412 □□□ **slide** [slaid]	동 미끄러지다
1413 □□□ **spill** [spil]	동 흘리다
	명 유출
1414 □□□ **steel** [stiːl]	명 강철, 철강업

1415 □□□ **strike** [straik]	동 치다
	명 파업, 공격
1416 □□□ **surgeon** [sə́ːrdʒən]	명 (외과) 의사
1417 □□□ **tax** [tæks]	명 세금
1418 □□□ **thief** [θiːf]	명 도둑, 절도범
1419 □□□ **tool** [tuːl]	명 연장, 도구, 수단
1420 □□□ **trouble** [trʌ́bl]	명 문제, 어려움
1421 □□□ **universe** [júːnəvə̀ːrs]	명 우주, 은하계
1422 □□□ **vehicle** [víːikl]	명 차량, 탈것
1423 □□□ **warm** [wɔːrm]	형 따뜻한, 따스한
1424 □□□ **widespread** [wáidspred]	형 광범위한, 널리 퍼진
1425 □□□ **young** [jʌŋ]	형 젊은, 어린

⏱ **1초 Quiz**

1. delight _____

2. extend _____

3. strike _____

4. 투자하다 _____

5. 종교 _____

6. 세금 _____

정답 | 1. 기쁨, 즐거움 2. 연장하다, 확장하다 3. 치다; 파업, 공격 4. invest 5. religion 6. tax

1426 □□□ **add** [æd]	통 더하다, 추가하다
1427 □□□ **aim** [eim]	명 목표 통 ~을 목표로 하다
1428 □□□ **annoy** [ənɔ́i]	통 귀찮게 하다
1429 □□□ **arise** [əráiz]	통 생기다, 발생하다
1430 □□□ **Atlantic** [ætlǽntik]	명 대서양
1431 □□□ **awesome** [ɔ́:səm]	형 어마어마한, 엄청난
1432 □□□ **bend** [bend]	통 굽히다, 숙이다
1433 □□□ **boast** [boust]	통 뽐내다, 자랑하다
1434 □□□ **bucket** [bʌ́kit]	명 양동이
1435 □□□ **capture** [kǽptʃər]	통 포획하다 명 포획
1436 □□□ **charge** [tʃɑ:rdʒ]	명 요금 통 청구하다
1437 □□□ **college** [kɑ́:lidʒ]	명 대학
1438 □□□ **comprehend** [kà:mprihénd]	통 이해하다
1439 □□□ **continue** [kəntínju:]	통 계속되다, 계속하다
1440 □□□ **crew** [kru:]	명 승무원, 선원
1441 □□□ **dare** [dɛər]	통 감히 ~을 하다 명 도전, 모험
1442 □□□ **deliver** [dilívər]	통 배달하다
1443 □□□ **diet** [dáiət]	명 식단, 식습관
1444 □□□ **display** [displéi]	통 전시하다 명 전시
1445 □□□ **dull** [dʌl]	형 따분한, 재미없는
1446 □□□ **election** [ilékʃən]	명 선거, 당선
1447 □□□ **entire** [intáiər]	형 전체의
1448 □□□ **execute** [éksikjù:t]	통 처형하다, 집행하다
1449 □□□ **extinct** [ikstíŋkt]	형 멸종된, 사라진
1450 □□□ **fail to**	~하는 데 실패하다
1451 □□□ **fear** [fiər]	명 공포 통 ~을 두려워하다
1452 □□□ **fit** [fit]	통 꼭 맞다 형 ~에 어울리는, 알맞은
1453 □□□ **force** [fɔ:rs]	명 힘, 물리력 통 ~을 강요하다
1454 □□□ **furious** [fjúəriəs]	형 몹시 화가 난
1455 □□□ **giant** [dʒáiənt]	명 거인 형 거대한
1456 □□□ **grocery** [gróusəri]	명 식료품점
1457 □□□ **heat** [hi:t]	명 열기, 열
1458 □□□ **hurt** [hə:rt]	통 다치게 하다 형 다친
1459 □□□ **in turn**	차례차례
1460 □□□ **inhabit** [inhǽbit]	통 살다, 거주하다
1461 □□□ **intelligent** [intélədʒənt]	형 총명한, 똑똑한
1462 □□□ **jog** [dʒɑ:g]	통 조깅하다
1463 □□□ **lack** [læk]	명 부족, 결핍 통 부족하다
1464 □□□ **leather** [léðər]	명 가죽
1465 □□□ **lock** [lɑ:k]	통 잠그다 명 자물쇠
1466 □□□ **manuscript** [mǽnjuskrìpt]	명 원고, 필사본
1467 □□□ **medical** [médikəl]	형 의학의
1468 □□□ **miner** [máinər]	명 광부
1469 □□□ **motion** [móuʃən]	명 움직임, 운동 통 동작을 하다
1470 □□□ **notice** [nóutis]	명 공고, 주목 통 의식하다
1471 □□□ **operation** [à:pəréiʃən]	명 수술 명 작전
1472 □□□ **overseas** [òuvərsíz]	형 해외의 부 해외에
1473 □□□ **peer** [piər]	명 또래
1474 □□□ **pity** [píti]	명 연민, 동정심
1475 □□□ **popular** [pá:pjulər]	형 인기 있는, 대중적인

1476 preserve [prizə́:rv]	동	지키다, 보존하다
1477 promising [prɑ́:misiŋ]	형	촉망받는, 유망한
1478 purchase [pə́:rtʃəs]	명 구입 동 구입하다
1479 ratio [réiʃou]	명	비율
1480 refer [rifə́:r]	동	언급하다, 참조하다
1481 religious [rilídʒəs]	형	종교의, 독실한
1482 resource [ríːsɔːrs]	명	자원, 재료
1483 roast [roust]	동 굽다 명 구운 고기
1484 scene [siːn]	명	현장, 장면
1485 select [silékt]	동	선발하다, 선택하다
1486 shoot [ʃuːt]	동 (총 등을) 쏘다 동 촬영하다
1487 slight [slait]	형	약간의, 조금의
1488 spin [spin]	동 회전하다 명 회전

1489 steep [stiːp]	형	가파른, 급격한
1490 strip [strip]	동	(껍질 따위를) 벗기다
1491 surgery [sə́:rdʒəri]	명	수술
1492 tear [tiər]	명 눈물 동 찢다, 뜯어지다
1493 thorough [θə́:rou]	형	빈틈없는, 철저한
1494 topic [tɑ́:pik]	명	화제, 주제
1495 trunk [trʌŋk]	명 나무의 몸통 명 (코끼리의) 코
1496 university [jùːnəvə́:rsəti]	명	대학
1497 victim [víktim]	명	피해자, 희생자
1498 warn [wɔːrn]	동	경고하다
1499 wild [waild]	형	야생의
1500 youth [juːθ]	명	젊음, 청년

1초 Quiz

1. extinct _____

2. ratio _____

3. thorough _____

4. 귀찮게 하다 _____

5. 식료품점 _____

6. 수술 _____

정답 | 1. 멸종된, 사라진 2. 비율 3. 빈틈없는, 철저한 4. annoy 5. grocery 6. surgery

해커스공무원
gosi.Hackers.com

해커스공무원 영어 **어휘** *Vocabulary*

시험에 강해지는
적중 다의어

01

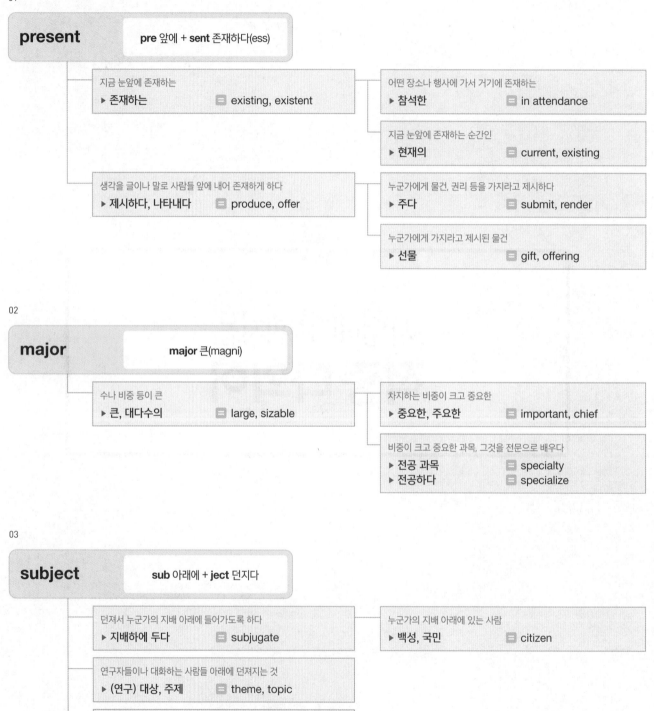

present   pre 앞에 + sent 존재하다(ess)

지금 눈앞에 존재하는
▶ **존재하는**   ⬛ existing, existent

어떤 장소나 행사에 가서 거기에 존재하는
▶ **참석한**   ⬛ in attendance

지금 눈앞에 존재하는 순간인
▶ **현재의**   ⬛ current, existing

생각을 글이나 말로 사람들 앞에 내어 존재하게 하다
▶ **제시하다, 나타내다**   ⬛ produce, offer

누군가에게 물건, 권리 등을 가지라고 제시하다
▶ **주다**   ⬛ submit, render

누군가에게 가지라고 제시된 물건
▶ **선물**   ⬛ gift, offering

02

major   major 큰(magni)

수나 비중 등이 큰
▶ **큰, 대다수의**   ⬛ large, sizable

차지하는 비중이 크고 중요한
▶ **중요한, 주요한**   ⬛ important, chief

비중이 크고 중요한 과목, 그것을 전문으로 배우다
▶ **전공 과목**   ⬛ specialty
▶ **전공하다**   ⬛ specialize

03

subject   sub 아래에 + ject 던지다

던져서 누군가의 지배 아래에 들어가도록 하다
▶ **지배하에 두다**   ⬛ subjugate

누군가의 지배 아래에 있는 사람
▶ **백성, 국민**   ⬛ citizen

연구자들이나 대화하는 사람들 아래에 던져지는 것
▶ **(연구) 대상, 주제**   ⬛ theme, topic

큰 분야 아래로 세분되어 학습하도록 던져진 학문의 분류
▶ **과목**   ⬛ course

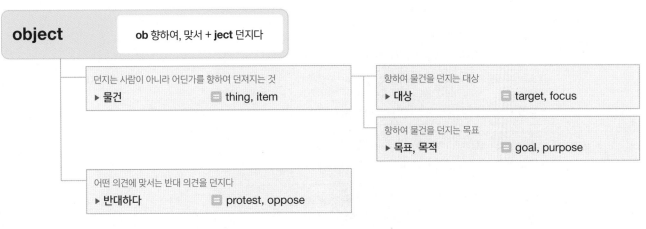

object　ob 향하여, 맞서 + ject 던지다

던지는 사람이 아니라 어딘가를 향하여 던져지는 것
▶ **물건**　目 thing, item

어떤 의견에 맞서는 반대 의견을 던지다
▶ **반대하다**　目 protest, oppose

향하여 물건을 던지는 대상
▶ **대상**　目 target, focus

향하여 물건을 던지는 목표
▶ **목표, 목적**　目 goal, purpose

mean　me(an) 가운데, 중간(medi)

어떤 것의 가운데에 포함된 뜻을 나타내다
▶ **의미하다**　目 signify, indicate

마음 가운데에 어떤 생각이나 계획을 품다
▶ **의도하다**　目 intend, aim

목표로 가기 위한 중간에 필요한 것
▶ **(복수형으로) 수단**　目 method, way

어느 쪽에도 속하지 않고 중간에서 졸렬하게 행동하는
▶ **비열한**　目 unkind, nasty

support　sup 아래에(sub) + port 운반하다

아래에서 떠받치고 운반하며 어떤 것을 지탱하다
▶ **지탱하다, 떠받치다**　目 bear, hold

무언가를 힘을 쓰며 지탱하여 지지하다
▶ **지지하다, 지원하다**　目 help, assist

생활 능력이 없는 사람의 생활을 지탱해 주다
▶ **부양하다**　目 provide for, take care of

다의어

해커스공무원 영어 어휘

07

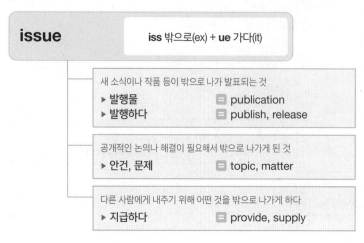

issue — iss 밖으로(ex) + ue 가다(it)

새 소식이나 작품 등이 밖으로 나가 발표되는 것
- ▶ 발행물 — publication
- ▶ 발행하다 — publish, release

공개적인 논의나 해결이 필요해서 밖으로 나가게 된 것
- ▶ 안건, 문제 — topic, matter

다른 사람에게 내주기 위해 어떤 것을 밖으로 나가게 하다
- ▶ 지급하다 — provide, supply

08

return — re 다시, 뒤로 + turn 돌리다

무엇인가를 다시 돌려보내다
- ▶ 반납하다, 되돌아오다 — put back, come back

감사의 표시로 되돌려주는 것
- ▶ 답례 — compensation

본래 있던 곳으로 되돌아오는 것
- ▶ 귀향, 귀환 — homecoming

경제 활동의 대가로 되돌아오는 것
- ▶ 수익 — revenue, profit

09

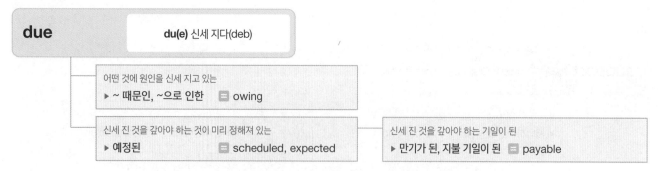

due — du(e) 신세 지다(deb)

어떤 것에 원인을 신세 지고 있는
- ▶ ~ 때문인, ~으로 인한 — owing

신세 진 것을 갚아야 하는 것이 미리 정해져 있는
- ▶ 예정된 — scheduled, expected

신세 진 것을 갚아야 하는 기일이 된
- ▶ 만기가 된, 지불 기일이 된 — payable

10

interest

inter 사이에 + **est** 존재하다

사람들 사이에 존재하는 관심
▶ **관심, 호기심**   🔲 attraction, fascination

사람들 사이에 존재하는 이해관계
▶ **이익, 이해관계**   🔲 stake, concern

은행의 이익
▶ **이자, 이율**

11

patient

pat(i) 고통을 겪다 + **ent** 명·접(사람)

고통을 겪는 사람
▶ **환자, 병자**   🔲 the sick, case

겪는 고통에 대해 인내심이 있는
▶ **인내심 있는, 참을성 있는**   🔲 forbearing, tolerant

12

scale

scal(e) 오르다(scend)

높은 곳을 오르다
▶ **(가파른 곳을) 오르다**   🔲 climb, ascend

크기, 무게 등을 재기 위해 오르는 곳
▶ **저울**   🔲 weighing machine

저울에 올라서 재는 크기 또는 무게
▶ **규모**   🔲 extent, scope

저울로 재본 뒤 알맞은 규모가 되도록 조정하다
▶ **크기를 조정하다**

13

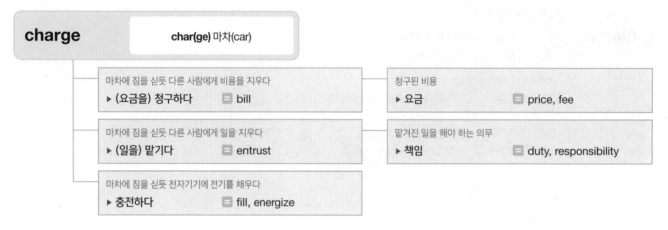

charge　　char(ge) 마차(car)

마차에 짐을 싣듯 다른 사람에게 비용을 지우다
▶ **(요금을) 청구하다**　　 bill

청구된 비용
▶ **요금**　　 price, fee

마차에 짐을 싣듯 다른 사람에게 일을 지우다
▶ **(일을) 맡기다**　　 entrust

맡겨진 일을 해야 하는 의무
▶ **책임**　　 duty, responsibility

마차에 짐을 싣듯 전자기기에 전기를 채우다
▶ **충전하다**　　 fill, energize

14

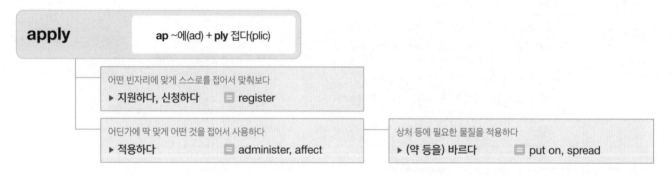

apply　　ap ~에(ad) + ply 접다(plic)

어떤 빈자리에 맞게 스스로를 접어서 맞춰보다
▶ **지원하다, 신청하다**　　 register

어딘가에 딱 맞게 어떤 것을 접어서 사용하다
▶ **적용하다**　　 administer, affect

상처 등에 필요한 물질을 적용하다
▶ **(약 등을) 바르다**　　 put on, spread

15

mind　　mind 정신

정신
▶ **정신, 마음**　　 soul, spirit

마음에 새기다
▶ **유의하다, 주의하다**　　 pay attention to, watch

마음을 쓰다
▶ **신경 쓰다, 걱정하다**　　 care

16

decline　　　de 아래로 + clin(e) 기울다

수량이 아래로 기울다
▶ **줄어들다**　　📄 decrease, reduce

어떤 값이나 가치가 줄어듦
▶ **감소, 축소, 하락**　　📄 decrease, reduction

능력, 세력 등이 줄어들다
▶ **쇠퇴하다**　　📄 deteriorate, degenerate

접시를 아래로 기울여서 주는 것을 떨어뜨리다
▶ **거절하다**　　📄 refuse, reject, turn down

17

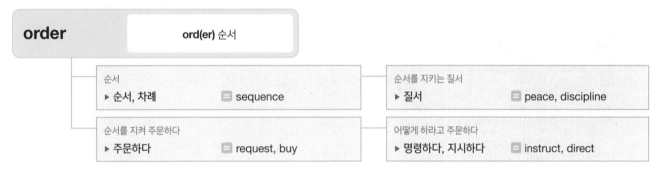

order　　　ord(er) 순서

순서
▶ **순서, 차례**　　📄 sequence

순서를 지키는 질서
▶ **질서**　　📄 peace, discipline

순서를 지켜 주문하다
▶ **주문하다**　　📄 request, buy

어떻게 하라고 주문하다
▶ **명령하다, 지시하다**　　📄 instruct, direct

18

express　　　ex 밖으로 + press 누르다

생각, 감정을 눌러 밖으로 드러내어 표현하다
▶ **(감정, 의견 등을) 표현하다**　　📄 convey, indicate, show

감추지 않고 분명히 표현된
▶ **명확한**　　📄 explicit, clear

가속 페달을 눌러 기존의 범위 밖으로 속도를 초과하여 더 빨리 가는
▶ **급행의**　　📄 rapid, swift

19

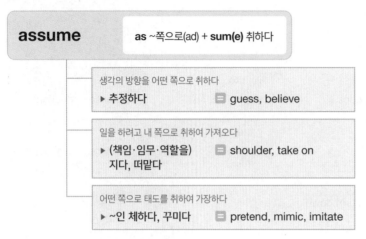

assume   **as** ~쪽으로(ad) + **sum(e)** 취하다

생각의 방향을 어떤 쪽으로 취하다
▸ **추정하다**   ▤ guess, believe

일을 하려고 내 쪽으로 취하여 가져오다
▸ **(책임·임무·역할을)**   ▤ shoulder, take on
지다, 떠맡다

어떤 쪽으로 태도를 취하여 가장하다
▸ **~인 체하다, 꾸미다**   ▤ pretend, mimic, imitate

20

degree   **de** 떨어져 + **gree** 단계(grad)

각의 크기, 기온 등을 표시하는 단계를 따로 떨어뜨려 표시하는 단위
▸ **각도, 온도**   ▤ angle

학문적 성취의 단계를 따로 떨어뜨려 표시하는 단위
▸ **학위**   ▤ diploma

성질, 가치 등의 단계를 따로 떨어뜨려 구분한 수준
▸ **정도, 등급**   ▤ extent, grade

21

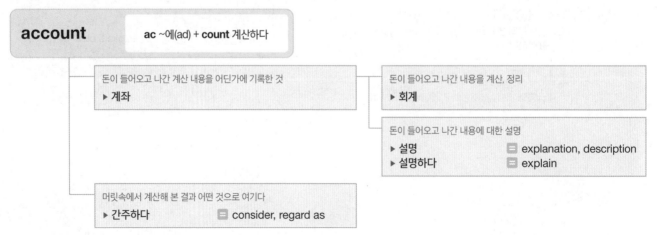

account   **ac** ~에(ad) + **count** 계산하다

돈이 들어오고 나간 계산 내용을 어딘가에 기록한 것
▸ **계좌**

돈이 들어오고 나간 내용을 계산, 정리
▸ **회계**

돈이 들어오고 나간 내용에 대한 설명
▸ **설명**   ▤ explanation, description
▸ **설명하다**   ▤ explain

머릿속에서 계산해 본 결과 어떤 것으로 여기다
▸ **간주하다**   ▤ consider, regard as

22

treat

treat 끌다(tract)

문제를 해결하기 위해 어떤 방향으로 끌고 가다
▸ **다루다**　　　🔲 deal with, handle

사람을 특정 방식으로 다루다
▸ **대접하다**　　　🔲 buy, pay for

병을 낫게 하려고 환자를 다루다
▸ **치료하다**　　　🔲 remedy, cure

23

project

pro 앞에 + **ject** 던지다

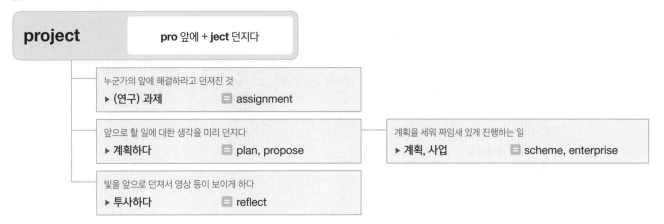

누군가의 앞에 해결하라고 던져진 것
▸ **(연구) 과제**　　　🔲 assignment

앞으로 할 일에 대한 생각을 미리 던지다
▸ **계획하다**　　　🔲 plan, propose

계획을 세워 짜임새 있게 진행하는 일
▸ **계획, 사업**　　　🔲 scheme, enterprise

빛을 앞으로 던져서 영상 등이 보이게 하다
▸ **투사하다**　　　🔲 reflect

24

break

break 깨다

어떤 것을 여러 조각이 나도록 두드려 깨다
▸ **깨다, 부수다**　　　🔲 destroy, demolish

법 또는 규칙 등을 지키기로 한 약속을 깨다
▸ **(법 등을) 어기다**　　　🔲 breach, violate

진행 흐름을 깨고 취하는 휴식
▸ **휴식 시간, 휴가**　　　🔲 rest, pause

25

reflect　　　　re 뒤로 + flect 구부리다

들어온 빛을 뒤로 구부려 반사하다
▶ **반사하다, 비추다**　　　🖃 send back, mirror

스스로를 거울에 비추어 돌이켜 보다
▶ **반성하다, 심사숙고하다**　🖃 meditate, ponder

어떤 것을 비추어 보여주다
▶ **반영하다, 나타내다**　　🖃 show, indicate

26

release　　　　re 다시 + leas(e) 느슨하게 하다(lax)

묶었던 것을 다시 느슨하게 하다
▶ **풀어주다**　　　　🖃 untie, loose

억압된 상태에서 풀어주어 자유롭게 하다
▶ **해방하다**　　　　🖃 free, relieve

보지 못하게 묶었던 것을 다시 느슨하게 해서 보이게 하다
▶ **출시하다, 공개하다**　🖃 issue, publish
▶ **출시, 발표, 개봉**　　🖃 debut, launch

27

state　　　　sta(te) 서다, 세우다

멈춰 서 있는 상태
▶ **상태**　　　　🖃 condition

영토 위에 세워진 국가 또는 주
▶ **국가, 주**　　🖃 country, province

공식적인 자리에 서서 어떤 것에 대해 자세하게 말하다
▶ **진술하다**　🖃 declare, say

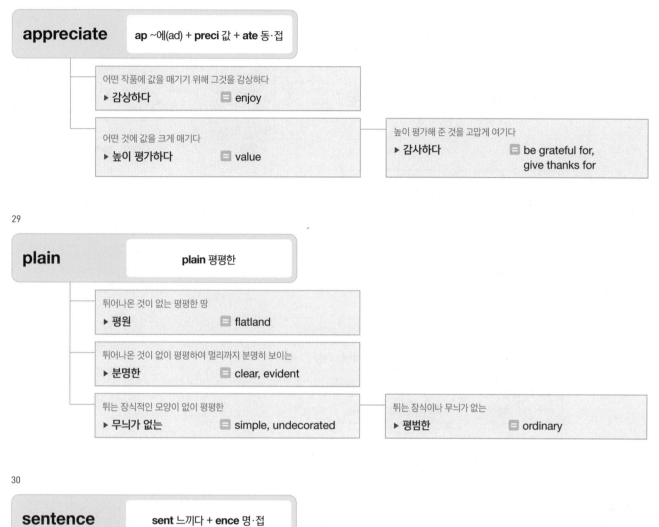

28

appreciate
ap ~에(ad) + preci 값 + ate 동·접

어떤 작품에 값을 매기기 위해 그것을 감상하다
▶ **감상하다**　　　🔲 enjoy

어떤 것에 값을 크게 매기다
▶ **높이 평가하다**　　🔲 value

높이 평가해 준 것을 고맙게 여기다
▶ **감사하다**　　　🔲 be grateful for, give thanks for

29

plain
plain 평평한

튀어나온 것이 없는 평평한 땅
▶ **평원**　　　🔲 flatland

튀어나온 것이 없이 평평하여 멀리까지 분명히 보이는
▶ **분명한**　　　🔲 clear, evident

튀는 장식적인 모양이 없이 평평한
▶ **무늬가 없는**　　🔲 simple, undecorated

튀는 장식이나 무늬가 없는
▶ **평범한**　　　🔲 ordinary

30

sentence
sent 느끼다 + ence 명·접

느낌을 말이나 글로 표현한 문장
▶ **문장, 글**　　　🔲 phrases, statement

죄에 대해 문장으로 선고를 내리다
▶ **(형을) 선고하다, 판결하다**　🔲 punish, condemn

31

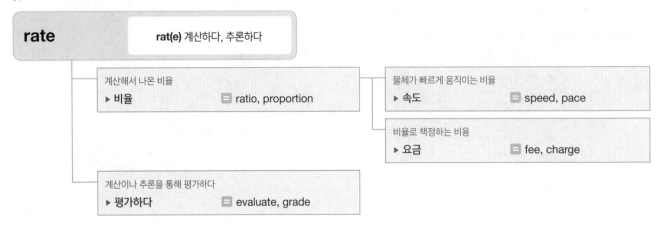

rate

rat(e) 계산하다, 추론하다

계산해서 나온 비율
▶ 비율 · ratio, proportion

물체가 빠르게 움직이는 비율
▶ 속도 · speed, pace

비율로 책정하는 비용
▶ 요금 · fee, charge

계산이나 추론을 통해 평가하다
▶ 평가하다 · evaluate, grade

32

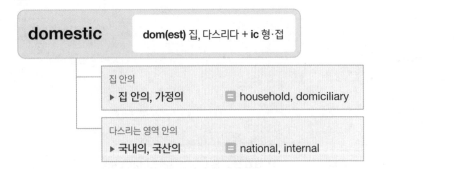

domestic

dom(est) 집, 다스리다 + **ic** 형·접

집 안의
▶ 집 안의, 가정의 · household, domiciliary

다스리는 영역 안의
▶ 국내의, 국산의 · national, internal

33

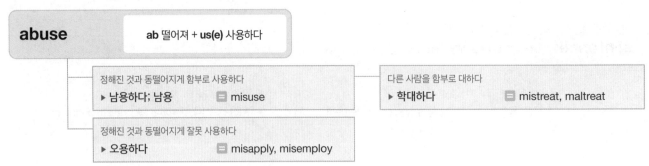

abuse

ab 떨어져 + **us(e)** 사용하다

정해진 것과 동떨어지게 함부로 사용하다
▶ 남용하다; 남용 · misuse

다른 사람을 함부로 대하다
▶ 학대하다 · mistreat, maltreat

정해진 것과 동떨어지게 잘못 사용하다
▶ 오용하다 · misapply, misemploy

34

contract

con 함께(com) + **tract** 끌다

당사자들을 모두 함께 끌어와서 지켜야 할 것을 정해 약속하다
- ▶ **계약하다** — make a deal
- ▶ **계약, 계약서** — agreement, obligation

안쪽에서 함께 잡아끌어 부피나 규모가 오그라들다
- ▶ **수축하다, 줄다** — shrink, decrease

35

solid

sol 하나 + **id** 형·접

하나의 물질로 단단하게 꽉 채운
- ▶ **단단한, 꽉 찬** — hard, rigid

꽉 차서 단단한 물체
- ▶ **고체**

여러 면으로 이루어져 부피를 가진 하나의 물체인
- ▶ **입체의** — cubic

의견 등이 하나로 똑같이
- ▶ **일치하여** — unanimously, unitedly

36

term

term 경계

시간을 경계 지어 구분한 기간
- ▶ **기간** — period, duration

한 학년을 일정한 기간으로 구분해 놓은 것
- ▶ **학기** — semester

어떤 일을 하는 경계가 되는 조건
- ▶ **조건** — condition

특정 분야에서 의미상의 경계를 명확히 하기 위해 쓰는 말
- ▶ **용어** — word, phrase

37

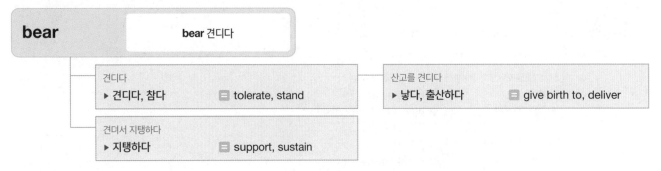

bear

bear 견디다

견디다
▸ **견디다, 참다**　　　▤ tolerate, stand

산고를 견디다
▸ **낳다, 출산하다**　　▤ give birth to, deliver

견뎌서 지탱하다
▸ **지탱하다**　　　　　▤ support, sustain

38

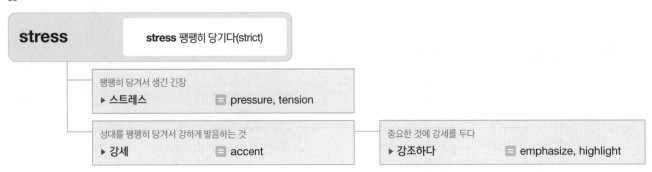

stress

stress 팽팽히 당기다(strict)

팽팽히 당겨서 생긴 긴장
▸ **스트레스**　　　　　▤ pressure, tension

성대를 팽팽히 당겨서 강하게 발음하는 것
▸ **강세**　　　　　　　▤ accent

중요한 것에 강세를 두다
▸ **강조하다**　　　　　▤ emphasize, highlight

39

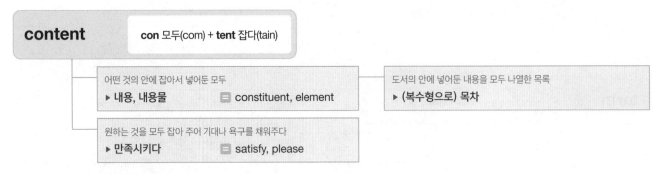

content

con 모두(com) + **tent** 잡다(tain)

어떤 것의 안에 잡아서 넣어둔 모두
▸ **내용, 내용물**　　　▤ constituent, element

도서의 안에 넣어둔 내용을 모두 나열한 목록
▸ **(복수형으로) 목차**

원하는 것을 모두 잡아 주어 기대나 욕구를 채워주다
▸ **만족시키다**　　　　▤ satisfy, please

current

cur(r) 흐르다 + ent 형·접

지금 세상에 흐르고 있는
▶ **현재의** 　　　 **=** present, contemporary

지금 세상에 흐르고 있는 유행 또는 경향
▶ **흐름, 추세** 　　　 **=** trend, tendency

지금 세상의 흐름에 맞아 사용될 수 있는
▶ **통용되는** 　　　 **=** valid, usable

(바다, 공기, 전기가) 흐르는 것
▶ **물살, 해류, 흐름** 　　　 **=** flow, water stream

direct

di 떨어져(dis) + rect 바르게 이끌다

무리에서 떨어져 나와 그들을 바르게 이끌다
▶ **안내하다** 　　　 **=** guide, escort

어떤 일이 잘못되지 않도록 안내 또는 지휘하다
▶ **지휘하다, 감독하다** 　　　 **=** conduct, manage

원래 있던 곳에서 떨어진 어떤 것이 바르게 이끌어져 목적지로 가다
▶ **~로 향하다, 겨냥하다** 　　　 **=** aim

중간에 낀 것 없이 향하는 방향으로 바로 연결되는
▶ **직접적인** 　　　 **=** immediate

중간에 서지 않고 향하는 목적지로 바로 가는
▶ **직행의** 　　　 **=** straight

withdraw

with 뒤로 + draw 끌다

뒤로 끌어 물러나게 하다
▶ **물러나게 하다, 물러나다** **=** retreat, retire

사람이나 장비를 뒤로 끌어내어 물러나게 하다
▶ **철수하다** 　　　 **=** pull out of

이전의 말이나 계획을 뒤로 끌어 거두어들이다
▶ **취소하다** 　　　 **=** cancel

43

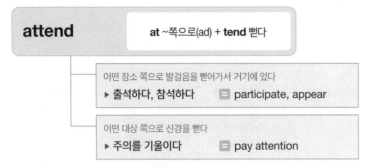

attend　　　**at** ~쪽으로(ad) + **tend** 뻗다

어떤 장소 쪽으로 발걸음을 뻗어가서 거기에 있다
▶ **출석하다, 참석하다**　　participate, appear

어떤 대상 쪽으로 신경을 뻗다
▶ **주의를 기울이다**　　pay attention

44

capital　　　**cap(it)** 머리 + **al** 명·접

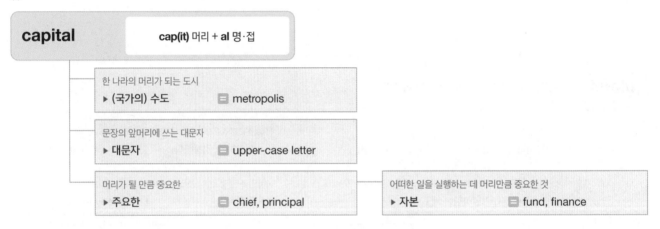

한 나라의 머리가 되는 도시
▶ **(국가의) 수도**　　metropolis

문장의 앞머리에 쓰는 대문자
▶ **대문자**　　upper-case letter

머리가 될 만큼 중요한
▶ **주요한**　　chief, principal

어떠한 일을 실행하는 데 머리만큼 중요한 것
▶ **자본**　　fund, finance

45

volume　　　**volu(me)** 말다

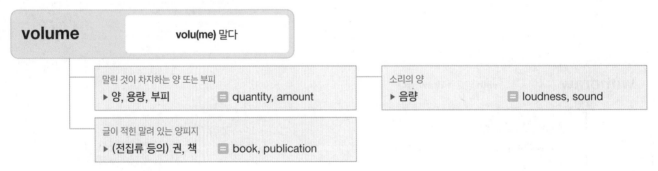

말린 것이 차지하는 양 또는 부피
▶ **양, 용량, 부피**　　quantity, amount

소리의 양
▶ **음량**　　loudness, sound

글이 적힌 말려 있는 양피지
▶ **(전집류 등의) 권, 책**　　book, publication

46

tend

tend 뻗다

한쪽으로 뻗어서 그쪽으로 가려 하다
▶ **경향이 있다, ~하기 쉽다**　　🟦 be inclined, be apt

어떤 쪽으로 뻗어서 가다
▶ **향하여 가다**　　🟦 direct

47

succeed

suc 아래로(sub) + ceed 가다

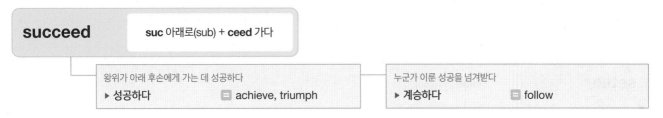

왕위가 아래 후손에게 가는 데 성공하다
▶ **성공하다**　　🟦 achieve, triumph

누군가 이룬 성공을 넘겨받다
▶ **계승하다**　　🟦 follow

48

deliver

de 떨어져 + liver 자유롭게 하다(liber)

어떤 것을 떨어진 곳에서도 자유롭게 쓸 수 있도록 가져다주다
▶ **배달하다, 전달하다**　　🟦 bring, send

마음속의 말을 자유롭게 밖으로 뱉어 떨어져 있는 곳까지 전하다
▶ **(연설 등을) 하다**　　🟦 give, present

산모가 배 속의 아기를 몸 밖으로 자유롭게 떨어져 나오게 하다
▶ **출산하다**　　🟦 give birth to, bear

49

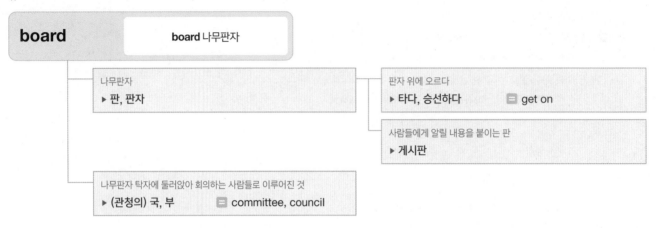

board

board 나무판자

나무판자
▶ **판, 판자**

판자 위에 오르다
▶ **타다, 승선하다**　　□ get on

사람들에게 알릴 내용을 붙이는 판
▶ **게시판**

나무판자 탁자에 둘러앉아 회의하는 사람들로 이루어진 것
▶ **(관청의) 국, 부**　　□ committee, council

50

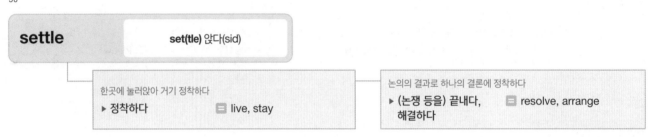

settle

set(tle) 앉다(sid)

한곳에 눌러앉아 거기 정착하다
▶ **정착하다**　　□ live, stay

논의의 결과로 하나의 결론에 정착하다
▶ **(논쟁 등을) 끝내다,** 　□ resolve, arrange
해결하다

51

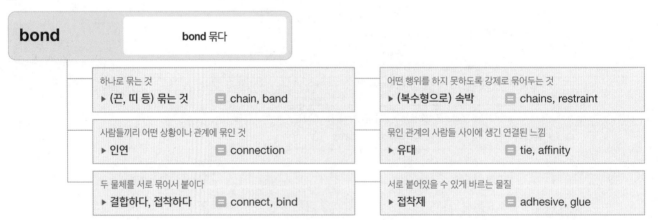

bond

bond 묶다

하나로 묶는 것
▶ **(끈, 띠 등) 묶는 것**　□ chain, band

어떤 행위를 하지 못하도록 강제로 묶어두는 것
▶ **(복수형으로) 속박**　□ chains, restraint

사람들끼리 어떤 상황이나 관계에 묶인 것
▶ **인연**　　□ connection

묶인 관계의 사람들 사이에 생긴 연결된 느낌
▶ **유대**　　□ tie, affinity

두 물체를 서로 묶어서 붙이다
▶ **결합하다, 접착하다**　□ connect, bind

서로 붙어있을 수 있게 바르는 물질
▶ **접착제**　　□ adhesive, glue

deposit de 아래로 + pos(it) 놓다

계약 조건 아래에 미리 넣어 놓는 돈
▸ **보증금, 예치금** prepayment, security

다른 누군가의 관리 아래에 돈을 넣어 놓다
▸ **(돈을) 맡기다** entrust, bank

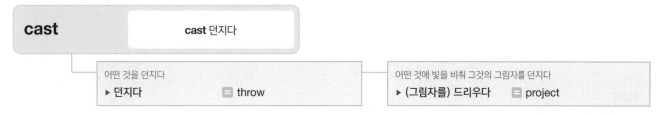

cast cast 던지다

어떤 것을 던지다
▸ **던지다** throw

어떤 것에 빛을 비춰 그것의 그림자를 던지다
▸ **(그림자를) 드리우다** project

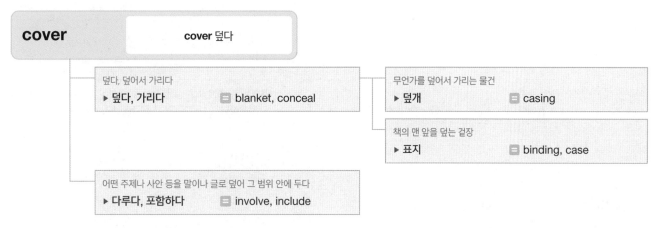

cover cover 덮다

덮다, 덮어서 가리다
▸ **덮다, 가리다** blanket, conceal

무언가를 덮어서 가리는 물건
▸ **덮개** casing

책의 맨 앞을 덮는 겉장
▸ **표지** binding, case

어떤 주제나 사안 등을 말이나 글로 덮어 그 범위 안에 두다
▸ **다루다, 포함하다** involve, include

다의어

해커스공무원 영어 어휘

55

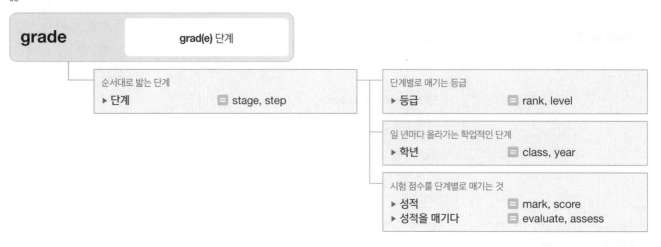

grade grad(e) 단계

순서대로 밟는 단계
▶ **단계** ▤ stage, step

단계별로 매기는 등급
▶ **등급** ▤ rank, level

일 년마다 올라가는 학업적인 단계
▶ **학년** ▤ class, year

시험 점수를 단계별로 매기는 것
▶ **성적** ▤ mark, score
▶ **성적을 매기다** ▤ evaluate, assess

56

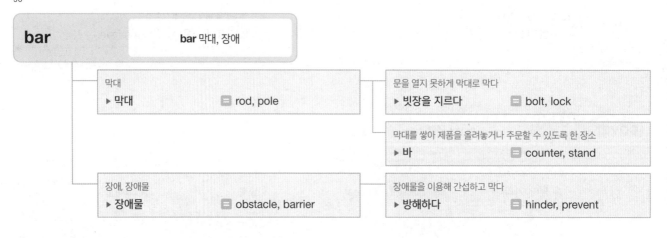

bar bar 막대, 장애

막대
▶ **막대** ▤ rod, pole

문을 열지 못하게 막대로 막다
▶ **빗장을 지르다** ▤ bolt, lock

막대를 쌓아 제품을 올려놓거나 주문할 수 있도록 한 장소
▶ **바** ▤ counter, stand

장애, 장애물
▶ **장애물** ▤ obstacle, barrier

장애물을 이용해 간섭하고 막다
▶ **방해하다** ▤ hinder, prevent

57

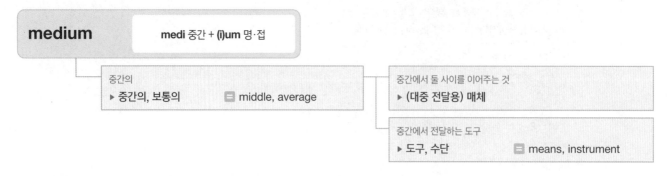

medium medi 중간 + (i)um 명·접

중간의
▶ **중간의, 보통의** ▤ middle, average

중간에서 둘 사이를 이어주는 것
▶ **(대중 전달용) 매체**

중간에서 전달하는 도구
▶ **도구, 수단** ▤ means, instrument

58

press press 누르다

힘을 주어 누르다
▶ **누르다, 압력을 가하다** 🔲 push

압력을 가하여 부피를 줄이는 기계
▶ **압축 기계**

인쇄기로 신문을 눌러서 찍어내는 활동 또는 기관
▶ **언론** 🔲 media

59

engagement en 안에 + gage 서약 + ment 명·접

서약 안에 있는 것
▶ **약속** 🔲 appointment

결혼을 하기로 한 약속
▶ **약혼** 🔲 betrothal

사람이나 단체 간의 특정한 의무에 관한 약속
▶ **계약** 🔲 contract, agreement

서약 중인 사람들 안에 끼어드는 것
▶ **개입** 🔲 involvement

어떤 서약에 함께 하기 위해 그 안에 들어가는 것
▶ **참여** 🔲 participation, partaking

60

lead lead 이끌다

이끌다
▶ **이끌다, 데리고 가다** 🔲 head

어떠한 결과로 이끌다
▶ **(결과적으로) 이어지다** 🔲 result in, cause

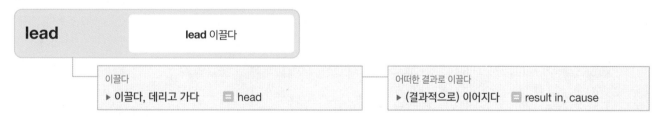

해커스공무원
gosi.Hackers.com

시험에 꼭 나오는
최빈출
생활영어 표현

☐ 날씨에 대해 말할 때

| 1 | It's raining cats and dogs. | 비가 억수같이 내리네요. |
| 2 | The fog is rolling in. | 안개가 자욱하네요. |

☐ 안부를 묻고 답할 때

| 1 | A: How are you feeling today? | 오늘 기분이 어때요? |
| | B: Same old, same old. | 늘 똑같죠, 뭐. |

2	A: How are things with you?	잘 지내고 있나요?
	B: I can't complain.	잘 지내요.
	B: Things couldn't be better.	더없이 좋아요.

| 3 | A: How's it going? | 요즘 어떠세요? |
| | B: I'm not myself today. | 오늘 제정신이 아니에요. |

| 4 | A: How's life treating you? | 요즘 사는 건 어때요? |
| | B: Life's not easy for me. | 사는 게 쉽지 않네요. |

| 5 | A: How are you getting along? | 잘 지내고 있어요? |
| | B: I've been so busy all day. | 하루 종일 너무 바빴어요. |

6	A: What are you up to these days?	요즘 어떻게 지내세요?
	B: So far, so good.	지금까지는 좋습니다.
	B: I'm so absent-minded.	너무 정신이 없어요.

| 7 | A: What's up? | 잘 지냈어요? |
| | B: I don't feel very well today. | 오늘 몸 상태가 안 좋아요. |

☐ 우연히 누군가를 만났을 때

| 1 | It's been ages. | 정말 오랜만이에요. |
| 2 | Look who's here! | 아니 이게 누구야! |

3	**What a nice surprise!**	정말 반가워요!
4	**I'm glad to see you up and about.**	당신이 좋아진 걸 보니 정말 기쁘네요.

☐ 헤어질 때

1	**Catch you later.**	다음에 또 봐요.
2	**Drop me a line sometime!**	가끔 편지라도 보내세요!
3	**Keep me posted.**	계속 소식 전해 주세요.
4	**Till next time!**	다음에 다시 만날 때까지 잘 지내요!

☐ 전화할 때

1	**A: Is he available?**	그가 전화를 받을 수 있나요?
	B: I'll switch you over to him.	그에게 전화를 연결해 드리겠습니다.
	B: I'll put you through.	연결해 드릴게요.
	B: He's on the horn.	그는 통화 중이에요.

2	**A: May I speak to Sara please?**	Sara와 통화할 수 있을까요?
	B: Please hold on.	잠시만 기다려 주세요.
	B: I'll transfer you to that department.	그 부서로 연결해 드리겠습니다.
	B: Would you hang on for a second?	잠시만 기다려 주시겠어요?
	B: She's not available at the moment.	그녀는 지금 전화를 받을 수 없습니다.
	B: She's on another line.	그녀는 통화 중입니다.
	B: Her phone is busy.	그녀는 통화 중입니다.

 **1초 Quiz**

주어진 생활영어 표현을 알맞은 뜻과 연결하세요.

① I'm not myself today. •   • a. 오늘 몸 상태가 안 좋아요.

② I'll put you through. •   • b. 연결해 드릴게요.

③ I'm glad to see you up and about. •   • c. 오늘 제정신이 아니에요.

④ I don't feel very well today. •   • d. 당신이 좋아진 걸 보니 정말 기쁘네요.

정답 | ① c ② b ③ d ④ a

☐ 동의할 때

1	**That makes two of us.**	저도 마찬가지예요.
2	**We're on the same page.**	우리는 같은 생각을 하고 있네요.
3	**You read my mind.**	제 마음을 읽으셨네요.
4	**You can say that again.**	당신의 말에 전적으로 동의해요.
5	**That'll do.**	그러면 되겠군요.
6	**You're telling me.**	내 말이 그 말이야.
7	**I can't agree with you more!**	네 의견에 전적으로 동의해!
8	**I'll say!**	그럼요!
9	**Tell me about it.**	제 말이 그 말이에요.
10	**I'd like to fall in with your idea.**	당신의 생각에 동의해요.
11	**I'm with you.**	저는 당신 편이에요.
12	**Without question!**	이의 없어요!
13	**You said it.**	그렇긴 해요.
14	**We're talking the same language.**	우리는 말이 통하네요.

☐ 동의하지 않을 때

1	**Chances are slim.**	가능성이 거의 없어요.
2	**Not a chance.**	절대 안 돼요.
3	**Not on your life.**	어림도 없는 소리예요.
4	**I'd like to take a different stance.**	저는 다른 입장이에요.

☐ 칭찬할 때

1	**You're dressed to kill.**	옷차림이 끝내주네요.
2	**You're one in a million!**	당신은 정말 특별한 사람이에요!
3	**Way to go!**	잘했어요!
4	**You're something else.**	당신은 최고예요.
5	**It was out of this world.**	정말 훌륭했어요.
6	**You're really on top of things.**	당신은 매사에 훤하네요.

7	He stands head and shoulders above the rest.	그는 다른 사람들보다 훨씬 뛰어나요.
8	She's got a heart of gold.	그녀는 아주 친절해요.
9	They turned up trumps.	그들은 기대 이상의 성과를 거두었어요.
10	The professor paid me a compliment.	교수님께서 저를 칭찬하셨어요.

🔲 경고나 주의를 줄 때

1	It's none of your business.	당신이 상관할 바 아니에요.
2	Over my dead body.	내 눈에 흙이 들어가기 전에는 안 돼요.
3	Take it or leave it.	싫으면 그만두세요.
4	Don't let the cat out of the bag.	비밀을 누설하지 마세요.
5	Don't pass the buck to someone else.	남에게 책임을 전가하지 마세요.
6	Don't put on airs.	잘난 체하지 마세요.
7	Don't boss me around.	저한테 이래라저래라 하지 마세요.
8	You're barking up the wrong tree.	당신은 헛다리를 짚고 있어요.

🔲 비난할 때

1	It's like water off a duck's back.	그건 전혀 효과가 없어요.
2	It serves you right.	자업자득이에요.

1초 Quiz

주어진 생활영어 표현을 알맞은 뜻과 연결하세요.

① Don't boss me around.　　・　　・　a. 가능성이 거의 없어요.
② Take it or leave it.　　・　　・　b. 저한테 이래라저래라 하지 마세요.
③ Chances are slim.　　・　　・　c. 싫으면 그만두세요.
④ Not on your life.　　・　　・　d. 어림도 없는 소리예요.

정답 | ① b ② c ③ a ④ d

의견을 물을 때

1	**A penny for your thoughts!**	무슨 생각을 하고 있는지 말해주세요!
2	**The ball's in your court.**	결정은 당신 몫이에요.
3	**Just let your hair down.**	그냥 솔직하게 말해요.

확실한 것에 대해 말할 때

1	**Now that you mention it, I do remember that.**	당신 말을 들으니, 이제 생각나네요.
2	**No matter what, my mind is set.**	어떻든지 간에, 저는 마음의 결정을 내렸어요.
3	**I got it straight from the horse's mouth.**	믿을 만한 소식통으로부터 들었어요.
4	**I know it like the back of my hand.**	저는 그것을 속속들이 알고 있어요.
5	**I have every intention of getting to it this weekend.**	이번 주말에는 틀림없이 할게요.

불확실한 것에 대해 말할 때

1	**It's on the tip of my tongue.**	생각이 날 듯 말 듯 해요.
2	**Beats me.**	모르겠어요.
3	**It's up in the air.**	아직 미정이에요.
4	**Not that I know of.**	제가 알기로는 그렇지 않아요.
5	**It's a long shot.**	거의 승산이 없어요.
6	**I heard through the grapevine.**	소문을 통해 들었어요.
7	**Let's play it by ear then.**	그럼 그때 봐서 결정해요.
8	**I've been batting around the idea of going into business.**	개업하는 것을 이리저리 논의하고 있어요.
9	**I don't have an inkling of what he needs.**	저는 그가 무엇을 필요로 하는지 짐작을 못하겠어요.
10	**I don't want to make a trip for nothing.**	헛걸음하고 싶지 않아서요.

조언할 때

1	**Call a spade a spade.**	솔직하게 말하세요.
2	**You should get a move on.**	당신은 서둘러야 해요.

3	Don't count on it.	기대하지 마세요.
4	Don't throw caution to the wind.	조심하는 게 좋을 거예요.
5	Let bygones be bygones.	지나간 일은 모두 잊어버리세요.
6	Take it on the chin.	꾹 참고 견디세요.
7	Take it easy.	진정하세요.
8	Don't get your head buried in the sand.	현실을 직시하세요.
9	Get it off your chest.	솔직하게 얘기하세요.
10	Just keep your shirt on.	진정하세요.
11	Stop beating a dead horse.	헛수고하지 마세요.
12	Hold your horses.	서두르지 마세요.
13	Shake a leg.	서두르세요.
14	You should take the bull by the horns.	정면으로 돌파해야 해요.
15	You have to learn to roll with the punches.	당신은 힘든 상황에 적응하는 법을 배워야 해요.
16	That's the way the cookie crumbles.	세상사가 다 그런 거예요.

이해한 것을 확인할 때

1	Do you get the picture?	이해하시겠어요?
2	I'm all ears.	듣고 있어요.
3	It's all Greek to me.	무슨 말인지 하나도 모르겠어요.

 1초 Quiz

주어진 생활영어 표현을 알맞은 뜻과 연결하세요.

① Take it on the chin.　　　•　　　•　a. 아직 미정이에요.

② It's up in the air.　　　•　　　•　b. 헛수고하지 마세요.

③ The ball is on your court.　•　　　•　c. 결정은 당신 몫이에요.

④ Stop beating a dead horse.　•　　　•　d. 꾹 참고 견디세요.

정답 | ① d ② a ③ c ④ b

☐ 격려할 때

1	**Hang in there.**	조금만 참으세요.
2	**Keep your spirits up.**	기운 내세요.
3	**Look on the bright side.**	긍정적으로 생각해 보세요.
4	**Things will work out for the best.**	결국엔 잘 될 거예요.
5	**Keep your chin up!**	기운 내세요!
6	**Don't be dejected, take courage.**	낙담하지 말고, 용기를 내세요.
7	**Snap out of it!**	기운을 내세요!
8	**Break a leg!**	행운을 빌어요!
9	**I'll keep my fingers crossed!**	행운을 빌어요!
10	**Give it your best shot.**	최선을 다해 보세요.
11	**Keep up the good work.**	계속 열심히 하세요.
12	**You're on the right track.**	잘하고 있어요.

☐ 우울하거나 초조할 때

1	**I'm feeling blue.**	우울해요.
2	**I feel like a fish out of water here.**	물 밖에 나온 물고기 같은 기분이에요.
3	**I have butterflies in my stomach.**	마음이 조마조마해요.
4	**I'm a little on edge right now.**	지금 약간 초조해요.

☐ 화가 날 때

1	**You get on my nerves.**	당신은 내 신경을 건드리고 있어요.
2	**I can't take this anymore.**	더는 못 참겠어요.
3	**You always turn your nose up at anything I want to do.**	당신은 내가 하려고 하는 것이 무엇이든 항상 거절하네요.
4	**That was the last straw.**	더는 못 참아요.
5	**It drove me crazy.**	그게 날 미치게 했어요.
6	**He stabbed me in the back.**	그가 제 뒤통수를 쳤어요.

기대나 선호를 표현할 때

1	I'll make a day of it.	즐거운 하루를 보낼 거예요.
2	I can't wait to get my feet wet.	시작하는 게 정말 기다려져요.
3	I prefer Italian food over Chinese.	저는 중국 음식보다 이탈리아 음식을 더 좋아해요.
4	I think the world of him.	저는 그를 아주 좋아해요.

걱정이나 유감을 나타낼 때

1	What's eating you?	무슨 걱정 있어요?
2	Why the long face?	왜 그렇게 시무룩해요?
3	What's weighing on your mind?	고민거리가 뭐예요?
4	How did you get that black eye?	왜 눈에 멍이 들었어요?
5	You look down in the mouth.	우울해 보여요.
6	Things will look up soon.	시간이 지나면 괜찮아질 거예요.
7	It was a close call.	큰일 날 뻔했네요.
8	My heart goes out to you.	당신의 심정 이해해요.
9	It was like a bolt out of the blue.	마른하늘에 날벼락이었어요.
10	I'm all thumbs when it comes to matching colors.	색을 맞추는 것에 관해선 제가 몹시 서툴러요.

 **1초 Quiz**

주어진 생활영어 표현을 알맞은 뜻과 연결하세요.

① It was a close call. • • a. 계속 열심히 하세요.
② That was the last straw. • • b. 마른하늘에 날벼락이었어요.
③ Keep up the good work. • • c. 큰일 날 뻔 했네요.
④ It was a bolt out of the blue. • • d. 더는 못 참아요.

☐ 고마움을 표현할 때

1
A: I owe you one.   제가 신세를 지는군요.
B: It was nothing.   아무것도 아닌걸요.

2
A: I want to return your favor.   당신의 호의에 보답하고 싶어요.
B: It's no bother at all.   별거 아니에요.

3
A: How can I ever repay you?   어떻게 보답하죠?
B: Think nothing of it.   신경 쓰지 마세요.

4
A: I'm forever in your debt.   제가 큰 신세를 졌어요.
B: It's my pleasure to help you out.   당신을 돕게 되어 기뻐요.

5
A: I can't begin to express my gratitude.   뭐라고 감사의 인사를 드려야 할지 모르겠어요.
B: Don't make too much of it.   너무 대단하게 생각하지 마세요.

☐ 안부를 묻고 답할 때

1
A: I didn't mean to step on your toes.   당신의 감정을 상하게 하려던 것은 아니었어요.
B: Apology accepted.   사과를 받아 줄게요.

2
A: I shouldn't have stuck my nose in.   제가 참견하지 말았어야 했어요.
B: I don't mind at all.   전혀 개의치 않습니다.

3
A: Let's bury the hatchet.   화해합시다.
B: Don't sweat it.   괜찮아요.

4
A: Sorry to rain on your parade.   실망하게 해서 미안해요.
B: No harm done.   괜찮아요.

5
A: I can't tell you how sorry I am.   정말 죄송해서 어떻게 해야 할지 모르겠네요.
B: It's nothing major.   큰 문제도 아닌걸요.

A: I owe you an apology.	당신에게 사과할게요.
6	B: No worries.	괜찮아요.
	B: Don't give it another thought.	자꾸 미안하게 생각할 필요 없어요.

☐ 변명할 때

1	I didn't mean to.	일부러 그런 건 아니에요.
2	I couldn't help it.	어쩔 수 없었어요.
3	I couldn't make it.	해낼 수 없었어요.
4	I've had all I can take.	저는 최선을 다했어요.
5	That's the way it goes.	어쩔 수 없는 일이에요.
6	I took my eye off the ball.	제가 제대로 집중하지 못했어요.
7	I think I'm getting forgetful.	저 건망증이 생기는 것 같아요.
8	I promise you this will be the last time.	이번이 마지막이라고 약속할게요.
9	I don't have a choice.	저도 어쩔 수 없어요.

1초 Quiz

주어진 생활영어 표현을 알맞은 뜻과 연결하세요.

① I took my eye off the ball. •
② I shouldn't have stuck my nose in. •
③ I'm forever in your debt. •
④ I've had all I can take. •

• a. 제가 제대로 집중하지 못했어요.
• b. 제가 참견하지 말았어야 했어요.
• c. 저는 최선을 다했어요.
• d. 제가 큰 신세를 졌어요.

☐ 약속을 잡을 때

1	A: Tell me what time suits you best.	언제가 가장 좋은지 저에게 말해 주세요.
	B: I'm free any time after 6.	6시 이후에는 아무 때나 괜찮아요.
2	A: Do you want me to come over to your place now?	제가 지금 당신 집에 들를까요?
	B: Something came up that I have to take care of.	처리해야 할 일이 생겼어요.
3	A: What do you say to going out for a movie with me on Saturday?	토요일에 저랑 영화 보러 가는 거 어때요?
	B: Can I take a rain check?	다음 기회로 미뤄도 될까요?
4	A: Is it possible to make the appointment for 2:30?	2시 30분으로 예약할 수 있나요?
	B: I think I'll have to beg off.	거절해야 할 것 같아요.
5	A: Is tomorrow all right with you?	내일 시간 괜찮으세요?
	B: Let's make it another time.	다음에 만나죠.
	B: The meeting was called off.	그 회의는 취소되었어요.

☐ 초대할 때

1	A: Care to come over for some coffee?	커피 마시러 올래요?
	B: Thanks for having us.	우리를 초대해 주셔서 감사해요.
2	A: I'd be delighted if you came for dinner.	당신이 저녁 식사를 하러 오신다면 기쁠 거예요.
	B: I'm sorry, but I have a prior engagement.	죄송하지만 선약이 있어요.
3	A: I'm throwing a party at my place.	우리 집에서 파티를 열 거예요.
	B: I'd love to come.	정말 가고 싶어요.
	B: I don't know whether I can go.	제가 갈 수 있을지 잘 모르겠어요.
	B: Do I have to dress up?	옷을 갖추어 입어야 하나요?

| 4 | A: Come as you are. | 옷 입은 그대로 오세요. |
| | B: It's a deal. | 그렇게 하죠. |

| 5 | A: You're more than welcome to join us for dinner. | 당신이 우리와 함께 저녁 식사하는 것은 언제든지 환영이에요. |
| | B: I appreciate the invitation. | 초대해 주셔서 감사해요. |

| 6 | A: It wouldn't be a party without you! | 당신이 빠지면 파티가 아니죠! |
| | B: I wouldn't miss it for the world. | 꼭 갈게요. |

☐ 초대 후 만날 때

1	Make yourself at home.	편하게 계세요.
2	I'm glad we got together.	우리가 만나게 되어 기쁩니다.
3	I'm happy I could make it.	올 수 있어서 기쁩니다.
4	I can't wait to meet them.	그들을 만나는 게 정말 기다려져요.
5	We should do this more often.	좀 더 자주 만나요.

1초 Quiz

주어진 생활영어 표현을 알맞은 뜻과 연결하세요.

① I wouldn't miss it for the world. •

② I don't know whether I can go. •

③ I can't wait to meet them. •

④ I think I'll have to beg off. •

• a. 거절해야 할 것 같아요.

• b. 꼭 갈게요.

• c. 제가 갈 수 있을지 잘 모르겠어요.

• d. 그들을 만나는 게 정말 기다려져요.

정답 | ① b ② c ③ d ④ a

☐ **상품을 구매할 때**

	A: Which one do you want to see?	어떤 것을 보고 싶으세요?
1	B: I'm just browsing.	그냥 둘러보는 중이에요.
	B: Just looking, thank you.	그냥 둘러보는 거예요, 감사합니다.

2	A: Does it fit OK?	이거 잘 맞나요?
	B: Come see for yourself.	직접 오셔서 보세요.

	A: Do you have this in a size 6?	이거 6사이즈 있나요?
3	B: I'll check our inventory.	재고품 목록을 확인해 보겠습니다.
	B: That style is temporarily out of stock.	그 스타일은 일시 품절입니다.

4	A: Let me have a larger one.	더 큰 것으로 주세요.
	B: I'm sorry, but it's sold out.	죄송하지만, 그것은 품절입니다.

5	A: It looks great on you.	당신에게 정말 잘 어울려요.
	B: I'm of two minds about it.	살지 말지 결정을 못 하겠어요.

	A: It's on sale for $10.	그것은 10달러에 할인 판매 중입니다.
6	B: That's not a bad price.	나쁜 가격은 아니네요.
	B: At this price, it's a steal.	이 가격이면 공짜나 마찬가지예요.

	A: I'll help you complete your purchase.	구매를 완료하시도록 도와 드리겠습니다.
	B: Can I get points on my membership card with this purchase?	이것을 구매하면 제 회원 카드에 포인트를 적립할 수 있나요?
7	B: I'll pay in cash.	현금으로 계산할게요.
	B: Can I put this purchase on a six-month payment plan?	6개월 할부로 살 수 있을까요?
	B: Can you come down a little?	조금 할인해 주실 수 있나요?

☐ 교환하거나 환불할 때

1	**I was ripped off.**	나 바가지 썼어요.
2	**You can return it within 30 days.**	30일 이내에 반품하실 수 있습니다.
3	**We'll credit it to your card account.**	저희가 카드 처리를 취소해 드릴게요.
4	**Do you have a receipt for the book?**	그 책의 영수증을 가지고 있으신가요?

1초 Quiz

주어진 생활영어 표현을 알맞은 뜻과 연결하세요.

① I'll check our inventory. •   • a. 살지 말지 결정을 못 하겠어요.

② I'm of two minds about it. •   • b. 재고품 목록을 확인해 보겠습니다.

③ I was ripped off. •   • c. 그냥 둘러보는 중이에요.

④ I'm just browsing. •   • d. 저 바가지 썼어요.

☐ 식사할 때

1	**I've been on hold for an hour.**	저는 한 시간 동안 기다렸어요.
2	**Can I take your order?**	주문하시겠어요?
3	**For here or to go?**	여기서 드시겠어요, 가져가시겠어요?
4	**How would you like it done?**	어떻게 해 드릴까요?
5	**Have you been served?**	주문하셨나요?
6	**I'll go for the steak.**	저는 스테이크로 할게요.
7	**I'm being waited on.**	주문했습니다.
8	**Make that a double.**	두 배로 주세요.
9	**Make that two.**	그걸로 두 개 주세요.
10	**Can I get a side of rice with that?**	거기에 밥을 곁들일 수 있나요?
11	**Can I have a doggy bag?**	남은 음식을 싸갈 수 있을까요?
12	**I could eat a horse.**	엄청 배고파요.
13	**Let's have a toast.**	건배합시다.
14	**Would you care for seconds?**	더 드시겠어요?
15	**Help yourself.**	마음껏 드세요.
16	**How would you like your coffee?**	커피는 어떻게 해 드릴까요?

☐ 계산할 때

1	**Be my guest.**	제가 낼게요.
2	**How about going Dutch?**	각자 내는 게 어때요?
3	**I'd like this dinner to be my treat.**	이번 저녁 식사는 제가 대접하고 싶어요.
4	**It's on me.**	이건 제가 살게요.
5	**Let me get the bill.**	제가 낼게요.
6	**Let's split the bill.**	각자 냅시다.
7	**Let's go halves.**	반반씩 냅시다.

☐ 스포츠 경기를 볼 때

1	**He is hands down the best player.**	그는 확실히 최고의 선수예요.
2	**It was a nail-biter.**	조마조마한 경기였어요.
3	**Take the bull by the horns!**	정면으로 돌파해야지!
4	**That was a close race.**	그것은 접전이었어요.
5	**The winner takes it all.**	승자가 모든 것을 차지하죠.
6	**Throw in the towel.**	패배를 인정하세요.
7	**Could you save my place, please?**	제 자리 좀 맡아 주시겠어요?
8	**It ended in a tie.**	동점으로 끝났어요.
9	**The game is neck and neck.**	막상막하의 경기예요.

☐ 영화를 볼 때

1	**The movie dragged on.**	그 영화는 질질 끌었어요.
2	**This movie got two thumbs up.**	이 영화는 극찬을 받았어요.
3	**The twist at the end was shocking!**	마지막 반전은 충격적이었어요!

🕐 1초 Quiz

주어진 생활영어 표현을 알맞은 뜻과 연결하세요.

① Make that a double. •   • a. 이건 제가 살게요.
② Throw in the towel. •   • b. 조마조마한 경기였어요.
③ It was a nail-biter. •   • c. 패배를 인정하세요.
④ It's on me. •   • d. 두 배로 주세요.

정답 | ① d ② c ③ b ④ a

☐ 여행을 할 때

1	**Please put my name in the appointment book.**	예약 명단에 제 이름을 넣어 주세요.
2	**Are we all set to go camping?**	캠핑 갈 준비가 다 되었나요?
3	**Everything's planned out.**	모든 계획을 다 세워 놓았어요.
4	**He packed everything but the kitchen sink.**	그는 필요 이상으로 많은 것들을 챙겼어요.
5	**I'm just taking a carry-on bag.**	저는 그냥 휴대용 가방만 들고 갈 거예요.
6	**I'm ready to hit the road.**	떠날 준비가 다 되었어요.
7	**It pays to pack light.**	가볍게 짐 싸는 게 득 보는 거예요.
8	**Do you take traveler's checks?**	여행자 수표를 받으시나요?
9	**We'll be on the road for eight hours today.**	오늘은 8시간 동안 이동할 겁니다.
10	**We'll make a pit stop in about 15 minutes.**	대략 15분 후에 화장실에 들르겠습니다.
11	**Let's drop by a gift shop.**	선물 가게에 잠깐 들러요.

☐ 호텔에서 예약하거나 숙박할 때

1	**Can I book a room for three?**	세 명이 쓸 객실을 예약할 수 있나요?
2	**I'd like a wake-up call at 6 a.m.**	오전 6시에 모닝콜을 받고 싶습니다.
3	**These room prices are off the charts!**	이 방들은 너무 비싸네요!
4	**I want to see the room myself.**	제가 직접 방을 보고 싶어요.

☐ 공항을 이용할 때

1	**When is the boarding time?**	비행기 탑승 시간은 언제인가요?
2	**I missed my connecting flight.**	제가 환승 비행기를 놓쳤어요.
3	**Should I check this baggage in?**	이 짐을 부쳐야 하나요?
4	**Is this the baggage claim area?**	이곳이 수하물 찾는 장소인가요?
5	**Do I have to declare these items to customs?**	이 물건들을 세관에 신고해야 하나요?
6	**I've got nothing to declare.**	저는 세관에 신고할 것이 없습니다.
7	**Both flights have layovers in Amsterdam.**	두 비행기 모두 암스테르담에 들릅니다.

| 8 | Please write the flight number on your arrival card. | 입국 신고서에 항공편 번호를 적어 주세요. |
| 9 | The flight has a brief stopover in Dallas. | 이 비행기는 댈러스에 잠시 중간 기착합니다. |

☐ 길을 찾을 때

1	Will I have to take a detour?	우회해서 가야 하나요?
2	I think we made a wrong turn.	우리는 길을 잘못 들어선 것 같아요.
3	You'll have to make a U-turn.	유턴하셔야 할 거예요.
4	Make a left at the intersection.	교차로에서 좌회전하세요.
5	Is there a shortcut to Gyeongbokgung?	경복궁으로 가는 지름길이 있나요?
6	That's just around the corner.	모퉁이를 돌면 바로 있어요.
7	You can't miss it.	찾기 쉬울 거예요.

1초 Quiz

주어진 생활영어 표현을 알맞은 뜻과 연결하세요.

① Will I have to take a detour? • • a. 우회해서 가야 하나요?

② Is this the baggage claim area? • • b. 비행기 탑승 시간은 언제인가요?

③ Are we all set to go camping? • • c. 이곳이 수하물 찾는 장소인가요?

④ When is the boarding time? • • d. 캠핑 갈 준비가 다 되었나요?

정답 | ① a ② c ③ d ④ b

10. 교통수단 이용하기

☐ 교통수단을 이용할 때

1	Could I get a free ticket with my air miles?	제 탑승 마일리지로 무료 티켓을 받을 수 있나요?
2	There's a fee to change your routing.	여정을 변경하는 데에는 요금이 발생합니다.
3	Would you prefer a window or aisle seat?	창가 자리와 복도 자리 중 어디를 선호하시나요?
4	You can upgrade with your air miles.	탑승 마일리지로 좌석을 업그레이드할 수 있습니다.
5	It's a flat rate to the airport.	공항까지는 고정 요금입니다.
6	Airport shuttles are free of charge.	공항 왕복 버스는 무료입니다.
7	How much is the fare?	요금이 얼마인가요?
8	I want to take the one that is cheaper and takes less time.	저는 더 싸고 시간이 덜 걸리는 것을 타고 싶어요.
9	Can I book a ticket to Canada?	캐나다행 티켓을 예약할 수 있나요?
10	The subways here run 24/7.	여기 지하철은 항상 다녀요.
11	You're better off grabbing a cab.	당신은 택시를 타는 편이 더 나아요.
12	I need to change my reservation.	예약을 변경해야 합니다.
13	I'd like to book a direct flight.	직항으로 예약하고 싶습니다.
14	First-class seats are available.	일등석 좌석이 이용 가능합니다.

☐ 기타 표현

1	He ran a red light.	그는 정지 신호를 무시하고 달렸어요.
2	I got a ticket for speeding.	저는 과속으로 딱지를 뗐어요.
3	I only got a slap on the wrist from the cop.	저는 경찰로부터 경고만 받았어요.
4	I was pulled over.	저는 차를 갓길에 세워야 했어요.
5	I'll let you off with a warning this time.	이번에는 경고만 드리고 보내 드릴게요.
6	You could get fined for that.	그것 때문에 벌금을 물 수도 있어요.
7	You shouldn't drive under the influence.	음주 운전을 하시면 안 돼요.
8	Don't be a backseat driver.	뒤에서 잔소리 좀 하지 마요.
9	He's got a lot of road rage.	그는 운전할 때 짜증을 잘 내요.
10	Step on it! We're late!	속도를 내세요! 우리 늦었어요!
11	Fill it up with unleaded, please.	무연 휘발유로 가득 넣어 주세요.

12	**Have you been behind the steering wheel yet?**	운전해 본 적은 있나요?
13	**I'm a student driver.**	저는 운전 교습생이에요.
14	**Hop in. I can drop you off.**	타세요. 모셔다드릴게요.
15	**Could you let me off here?**	여기에 내려 주실 수 있나요?

1초 Quiz

주어진 생활영어 표현을 알맞은 뜻과 연결하세요.

① Airport shuttles are free of charge. •

② There's a fee to change your routing. •

③ It's a flat rate to the airport. •

④ Fill it up with unleaded, please. •

• a. 공항까지는 고정 요금입니다.

• b. 무연 휘발유로 가득 넣어 주세요.

• c. 여정을 변경하는 데에는 요금이 발생합니다.

• d. 공항 왕복 버스는 무료입니다.

☐ 시간·계획에 대해 말할 때

1	A: The deadline is coming.	마감 기한이 다가오고 있어요.
	B: It's crunch time.	결정적인 순간이에요.
	B: I don't have a second to spare.	여유 시간이 없어요.
	B: There's no time to lose.	지체할 시간이 없어요.
	B: We don't have all day.	시간이 많지 않아요.
	B: Hang on a second. I'm almost done.	잠시만요. 거의 다 했어요.
2	A: Have you got the time?	지금 몇 시입니까?
	B: It's a quarter to five.	5시 15분 전입니다.
	B: It's 20 past the hour.	20분이에요.
3	A: Can we do this at a later date?	이것을 다른 날에 해도 될까요?
	B: I've rescheduled it for a different day.	일정을 다른 날로 변경했어요.
	B: I'll be taking a leave of absence next month.	저는 다음 달에 휴가를 갈 거예요.
	B: I'm tied up until Wednesday.	저는 수요일까지 바빠요.
	B: I have time on my hands.	저는 바쁘지 않아요.
	B: There's no rush.	서두를 것 없어요.

☐ 약속 시간에 대해 말할 때

1	That's cutting it close.	아슬아슬하네요.
2	I got there in the nick of time.	거기에 아슬아슬하게 시간을 맞춰 도착했어요.
3	I'm on my way.	가는 중이에요.
4	I'll be back in a jiffy.	쏜살같이 돌아올게요.
5	You're right on time.	제시간에 왔네요.

☐ 경제 사정에 대해 말할 때

1	He's flat broke.	그는 완전히 거덜 났어요.
2	He's good with money.	그는 돈에 밝아요.

3	**I'm back on my feet now.**	사정이 다시 좋아졌어요.
4	**I'm not made of money.**	저는 돈이 넉넉하지가 않아요.
5	**I'm not well off.**	저는 부유하지 않아요.
6	**Money doesn't grow on trees.**	돈은 거저 생기지 않아요.
7	**Money is no object.**	돈은 문제가 안 돼요.
8	**She went from rags to riches.**	그녀는 무일푼에서 부자가 되었어요.
9	**That's my bread and butter.**	그것이 저의 주 수입원이죠.
10	**Could you loan me a few bucks?**	저에게 돈 좀 빌려줄 수 있어요?
11	**Give me a ballpark figure.**	대략 얼마나 되는지 알려 주세요.

☐ 은행 업무를 볼 때

1	**I'd like to open an account, please.**	계좌를 개설하고 싶어요.
2	**I'd like to withdraw money from my account.**	제 계좌에서 돈을 찾고 싶어요.
3	**What's the exchange rate today?**	오늘 환율이 어떻게 되나요?
4	**Can I cash this check here?**	여기서 이 수표를 현금으로 바꿀 수 있나요?
5	**Could you break this bill for me, please?**	이 지폐를 잔돈으로 바꿔 주실 수 있나요?

1초 Quiz

주어진 생활영어 표현을 알맞은 뜻과 연결하세요.

① I got there in the nick of time.   •

② I have time on my hands.   •

③ I'm not made of money.   •

④ I don't have a second to spare.   •

  • a. 거기에 아슬아슬하게 시간을 맞춰 도착했어요.

  • b. 저는 돈이 넉넉하지가 않아요.

  • c. 저는 바쁘지 않아요.

  • d. 여유 시간이 없어요.

정답 | ① a ② c ③ b ④ d

☐ 진료를 받을 때

1	I would get that checked out if I were you.	제가 당신이라면 진료를 받아 보겠어요.
2	You should get that looked at.	당신은 진료를 받아야 해요.
3	I'll schedule an appointment with the doctor.	진료 예약을 할게요.
4	I'd like to run some tests.	몇 가지 검사를 해 보는 게 좋겠어요.
5	I got some stitches.	상처를 몇 바늘 꿰맸어요.
6	You've got a clean bill of health.	당신은 건강에 아무 이상 없습니다.
7	The results came out negative.	결과는 음성으로 나왔습니다.
8	I'll write you a prescription.	처방전을 써 드릴게요.
9	You can schedule your next check-up with the nurse.	간호사와 다음 검진 일정을 잡으시면 됩니다.
10	Let me refer you to a specialist.	제가 전문의를 소개해 드릴게요.
11	She underwent heart surgery.	그녀는 심장 수술을 받았어요.
12	I don't have any medical insurance.	저는 의료 보험이 없어요.
13	I got tested at the hospital.	병원에서 검사를 받았어요.
14	Did the X-ray results come out?	엑스레이 결과가 나왔나요?
15	I'm going to get a flu shot.	독감 예방 주사를 맞을 거예요.

☐ 건강 상태를 말할 때

1	You're as healthy as a horse.	당신은 굉장히 건강하시군요.
2	I couldn't be better.	제 상태는 최고예요.
3	She's in perfect health.	그녀는 매우 건강해요.
4	I'm back to normal.	정상으로 돌아왔어요.
5	I feel sick as a dog.	몸이 별로 좋지 않아요.
6	I've been under the weather lately.	요즘 몸이 좀 안 좋아요.
7	He sprained his ankle.	그는 발목을 삐었습니다.
8	I ache all over.	온몸이 쑤셔요.
9	I'm coming down with a fever.	열이 납니다.
10	I've got an upset stomach.	배탈이 났어요.

11	**My knee was scratched up.**	무릎이 까졌어요.
12	**I have food poisoning.**	식중독에 걸렸어요.
13	**She just had a touch of flu.**	그녀는 독감 기운이 있었어요.
14	**I feel a bit sore.**	약간 아파요.
15	**He's in great shape for a man his age.**	그는 나이에 비해 상당히 건강해요.
16	**I feel feverish.**	열이 있어요.
17	**I have a sore throat, but it's not that serious.**	목이 좀 아프지만 심각한 건 아니에요.
18	**I'm allergic to pollen.**	저는 꽃가루 알레르기가 있어요.
19	**I'm breaking out in hives.**	두드러기가 나고 있어요.

1초 Quiz

주어진 생활영어 표현을 알맞은 뜻과 연결하세요.

① I'm breaking out in hives.　·　·　a. 두드러기가 나고 있어요.

② I feel a bit sore.　·　·　b. 열이 있어요.

③ I ache all over.　·　·　c. 약간 아파요.

④ I feel feverish.　·　·　d. 온몸이 쑤셔요.

정답 | ① a ② c ③ d ④ b

☐ 시험에 대해 말할 때

1	**I aced my exam.**	저는 시험을 아주 잘 봤어요.
2	**I blew my final exams.**	저는 기말고사를 망쳤어요.
3	**I flunked my physics test.**	저는 물리학 시험에 낙제했어요.
4	**I passed with flying colors.**	저는 우수한 성적으로 합격했어요.
5	**I'm lagging behind in my classes.**	저는 수업에서 뒤처지고 있어요.
6	**I'm falling behind in math.**	저는 수학에서 뒤처지고 있어요.
7	**You got straight A's.**	당신은 전부 A를 받았군요.
8	**Hit the books if you don't want to fail.**	낙제하고 싶지 않으면 공부하세요.
9	**I pulled an all-nighter studying.**	저는 밤샘 공부를 했어요.
10	**You have to take a make-up test.**	당신은 보충 시험을 치러야 해요.
11	**What's going to be on the exam tomorrow?**	내일 시험에 뭐가 나올까요?

☐ 회사에서 일할 때

1	**Do you have any openings for a manager?**	관리자직 자리가 있습니까?
2	**The position has been filled.**	그 자리는 충원되었어요.
3	**The position is still open.**	그 자리는 아직 비어 있습니다.
4	**I'm buried in work.**	저는 일에 파묻혀 있어요.
5	**I got a big raise today.**	저는 오늘 상당한 급여 인상을 받았습니다.
6	**I'm running against the clock.**	저는 시간을 다투어 일하고 있어요.
7	**Keep me in the loop.**	저에게 계속 보고해 주세요.
8	**Let's call it a day!**	퇴근합시다!
9	**Let's get this show on the road.**	이걸 한번 시작해 봅시다.
10	**What time do you get off work?**	몇 시에 퇴근하세요?
11	**Could you substitute for me?**	저를 대신해 주실 수 있나요?
12	**He will be the right person for the position.**	그가 그 자리에 적임자일 것입니다.
13	**Here's the list of your responsibilities.**	여기 당신의 담당 업무 목록이에요.
14	**He's a really top-notch administrator.**	그는 정말 최고의 관리자예요.
15	**You're in charge of general office work.**	당신은 일반 사무 업무를 담당합니다.

16	**I will step into his shoes.**	저는 그의 후임이 될 거예요.
17	**The weekly meeting has dragged on for 3 hours.**	주간 회의가 3시간이나 계속됐어요.

☐ 일을 쉬거나 그만둘 때

1	**He is taking a day off.**	그는 하루 휴가입니다.
2	**She is on leave.**	그녀는 휴가 중입니다.
3	**Do you have a new job lined up?**	새 직장은 구했어요?
4	**If I were you, I wouldn't make such a risky move.**	제가 당신이라면 그렇게 위험한 이직은 하지 않을 거예요.
5	**He got laid off last week.**	그는 지난주에 해고됐어요.

 **1초 Quiz**

주어진 생활영어 표현을 알맞은 뜻과 연결하세요.

① Keep me in the loop. •

② The position has been filled. •

③ Let's get this show on the road. •

④ Hit the books if you don't want to fail. •

• a. 낙제하고 싶지 않으면 공부하세요.

• b. 이걸 한번 시작해 봅시다.

• c. 저에게 계속 보고해 주세요.

• d. 그 자리는 충원되었어요.

정답 | ① c ② d ③ b ④ a

☐ 주변 사람에 대해 말할 때

1	He is beginning to look his age.	그가 나이에 걸맞게 보이기 시작하네요.
2	Her dancing is second to none.	그녀의 춤은 누구에게도 뒤지지 않아요.
3	He is the last person to deceive you.	그는 당신을 속일 사람이 아니에요.
4	He's always got something to beef about.	그는 항상 투덜거려요.
5	He's over the hill now.	그는 이제 한물갔어요.
6	He is a social butterfly.	그는 사교성 있는 사람이에요.
7	She is such a stuffed shirt.	그녀는 매우 격식을 차리는 사람이에요.
8	He is hot-tempered.	그는 다혈질이에요.
9	She's good with words.	그녀는 말주변이 좋아요.
10	He was born with a silver spoon in his mouth.	그는 부유한 집에서 태어났어요.
11	The supervisor jumped down her throat.	그 감독관이 그녀를 막 꾸짖었어요.
12	What's your impression of her?	그녀에 대한 인상이 어땠어요?
13	He is reliable.	그는 믿을 만해요.
14	They are tying the knot next weekend in Seoul.	그들은 다음 주말에 서울에서 결혼해요.

☐ 도움이 필요할 때

	A: What's wrong?	무슨 일이에요?
	B: The toilet is clogged up.	변기가 막혔어요.
1	B: The bike is beyond repair.	자전거의 상태가 수리할 수 없을 정도입니다.
	B: I'm locked out.	문이 안에서 잠겼어요.

	A: I don't have enough hands.	일손이 부족해요.
2	B: I can lend a hand.	제가 도와 드릴 수 있어요.

	A: Would you mind giving me a hand?	좀 도와주시겠어요?
3	B: I'll give you a hand.	제가 도와 드릴게요.

	A: Would you be kind enough to help me with this?	이것을 도와주실 수 있나요?
4	B: It'll be my pleasure.	기꺼이 해 드릴게요.

	A: I'm wondering if you can do anything with this.	당신이 이것 좀 도와주실 수 있는지 궁금해요.
5	B: I'd move mountains for you.	당신을 위해서라면 뭐든 해 드릴게요.

	A: Would you do me a favor?	제 부탁 하나만 들어줄래요?
6	B: I'm sorry, but I can't help you out.	죄송하지만, 도와 드릴 수 없어요.

	A: Could you fill me in?	저에게 좀 알려 주시겠어요?
7	B: I can give you a leg up.	제가 도와 드릴 수 있어요.

	A: I want you to back me up.	당신이 날 지지해 주길 바랍니다.
8	B: Just say the word.	말씀만 하세요.

	Need a hand?	도움이 필요하세요?
9	B: Don't bother.	신경 쓰지 마세요.
	B: No thanks, I'll take care of it.	괜찮아요, 제가 알아서 할게요.

1초 Quiz

주어진 생활영어 표현을 알맞은 뜻과 연결하세요.

① He's always got something to beef about. •

② He is the last person to deceive you. •

③ I'd move mountains for you. •

④ I can give you a leg up. •

• a. 당신을 위해서라면 뭐든 해 드릴게요.

• b. 제가 도와 드릴 수 있어요.

• c. 그는 항상 투덜거려요.

• d. 그는 당신을 속일 사람이 아니에요.

정답 | ① c ② d ③ a ④ b

1	**Better safe than sorry.**	나중에 후회하는 것보다 조심하는 것이 낫다.
2	**The grass is always greener on the other side of the fence.**	울타리 저편의 잔디가 항상 더 푸르다. (남의 떡이 더 커 보인다.)
3	**Speak of the devil.**	악마도 제 말하면 나타난다. (호랑이도 제 말하면 온다.)
4	**Money makes the mare go.**	돈은 암말도 가게 한다. (돈이 있으면 귀신도 부린다.)
5	**The squeaky wheel gets the grease.**	시끄러운 바퀴가 기름을 얻는다. (우는 아이 떡 하나 더 준다.)
6	**It takes two to tango.**	탱고 추는 데는 두 명이 필요하다. (손뼉도 부딪쳐야 소리가 난다.)
7	**More haste, less speed.**	급할수록 돌아가라.
8	**He who laughs last laughs longest.**	맨 끝에 웃는 사람이 가장 오래 웃는 사람이다. (최후에 웃는 사람이 진짜 승리자이다.)
9	**A fool and his money are soon parted.**	어리석은 이는 돈을 오래 지니고 있지 못한다.
10	**The apple doesn't fall far from the tree.**	사과는 나무에서 멀리 떨어지지 않는다. (부전자전이다.)
11	**A chain is only as strong as its weakest link.**	쇠사슬은 가장 약한 고리만큼만 강하다.
12	**Birds of a feather flock together.**	같은 깃털의 새들이 무리를 짓는다. (유유상종하다.)
13	**Don't count your chickens before they hatch.**	부화하지 않은 병아리를 세어보지 마라. (김칫국부터 마시지 마라.)
14	**Haste makes waste.**	서두르면 일을 그르친다.
15	**Every man for his own trade.**	모든 사람은 제각기 전문 분야가 있다. (굼벵이도 구르는 재주가 있다.)
16	**Hunger is the best sauce.**	시장이 반찬이다.
17	**One man's meat is another man's poison.**	사람마다 취향이 다르다.
18	**The pot calls the kettle black.**	냄비가 주전자더러 까맣다고 한다. (똥 묻은 개가 겨 묻은 개를 나무란다.)
19	**Practice makes perfect.**	연습이 완벽을 만든다.
20	**Don't judge a book by its cover.**	겉표지로 책을 판단하지 마라. (겉만 보고 속을 판단하지 마라.)
21	**Time and tide wait for no man.**	세월은 사람을 기다려 주지 않는다.

22	**Don't bite off more than you can chew.**	씹을 수 있는 것보다 많이 입에 물지 마라. (송충이는 솔잎을 먹어야 한다.)
23	**Every cloud has a silver lining.**	모든 구름은 은빛 선을 가지고 있다. (고생 끝에 낙이 온다.)
24	**Too many cooks spoil the broth.**	요리사가 너무 많으면 수프를 망친다. (사공이 많으면 배가 산으로 간다.)
25	**Do to others as you would be done by.**	대우받고 싶은 대로 다른 사람을 대우하라.
26	**Don't put off for tomorrow what you can do today.**	오늘 할 일을 내일로 미루지 마라.
27	**Experience is the best teacher.**	경험은 최고의 스승이다.
28	**Practice is better than precept.**	실행이 교훈보다 낫다.
29	**Strike while the iron is hot.**	쇠가 달아올랐을 때 두드려라. (쇠뿔도 단김에 빼라.)
30	**There is no rule but has exceptions.**	예외 없는 규칙은 없다.
31	**The pen is mightier than the sword.**	펜은 칼보다 강하다.

1초 Quiz

주어진 생활영어 표현을 알맞은 뜻과 연결하세요.

① Don't judge a book by its cover. •
② Too many cooks spoil the broth. •
③ Strike while the iron is hot. •
④ It takes two to tango. •

• a. 사공이 많으면 배가 산으로 간다.
• b. 손뼉도 부딪쳐야 소리가 난다.
• c. 쇠뿔도 단김에 빼라.
• d. 겉만 보고 속을 판단하지 마라.

정답 | ① d ② a ③ c ④ b

해커스공무원
gosi.Hackers.com

빈출 순으로 외우는
공무원 핵심 유의어

생각하다 추측하다	suspect 추측하다 suppose 추정하다, 생각하다 reckon 생각하다 surmise 짐작하다, 추측하다 expect 생각하다, 추측하다 figure 생각하다, 여기다 guess 추측하다 speculate 사색하다, 추측하다 conjecture 추측하다 presume 추정하다, 생각하다	승인하다	allow 허락하다, 허가하다 approve 찬성하다, 승인하다 grant 승인하다, 허가하다 sanction 허가하다, 찬성하다 permit 허가하다 ratify 비준하다 authorize 정식으로 허가하다 validate 승인하다 admit 인정하다, 승인하다 agree 승인하다, 동의하다
오르다 증가하다	rise 오르다, 올라가다 increase 증가하다 ascend 오르다, 올라가다 elevate 올리다, 높이다 lift 올리다, 인상하다 escalate 차츰 오르다 surge 급등하다 skyrocket 급등하다 soar 급등하다, 치솟다 boost 증가하다, 인상하다	방해하다	interrupt 가로막다, 저지하다 interfere 간섭하다, 개입하다 obstruct 막다, 방해하다 intrude 방해하다, 침입하다 thwart 방해하다, 좌절시키다 prevent 막다, 방해하다 hamper 방해하다 hinder 방해하다 impede 방해하다, 지연시키다 block 막다, 차단하다

 1초 Quiz

주어진 단어와 의미가 통하지 않는 단어를 선택하세요.

1. **reckon**   ⓐ surmise   ⓑ figure   ⓒ sanction   ⓓ presume
2. **ratify**   ⓐ interfere   ⓑ validate   ⓒ authorize   ⓓ grant
3. **escalate**   ⓐ boost   ⓑ increase   ⓒ ascend   ⓓ impede
4. **thwart**   ⓐ hamper   ⓑ suspect   ⓒ obstruct   ⓓ intrude

멈추다 그만두다	**cease** 끝나다, 그만두다
	abandon 그만두다, 포기하다
	suspend 중지하다, 정지하다
	leave off 중단하다, 멈추다
	halt 멈추다, 정지하다
	discontinue 중단하다
	stop 멈추다, 그만하다
	terminate 끝나다, 종료되다
	wind up 마무리 짓다
	pause 잠시 멈추다

무시하다	**underestimate** 과소평가하다, 경시하다
	belittle 과소평가하다, 얕보다
	despise 경멸하다, 얕보다
	snub 냉대하다, 무시하다
	defy 무시하다, 얕보다
	neglect 무시하다
	disregard 무시하다, 묵살하다
	slight 무시하다
	disdain 업신여기다, 무시하다
	scorn 멸시하다

개조하다 고치다	**renovate** 개조하다, 혁신하다
	revamp 개조하다
	recycle 개조하다, 고치다
	overhaul 정비하다, 검사하다
	amend 개정하다, 수정하다
	redo 다시 하다, 고치다
	rectify 바로잡다
	revise 변경하다, 수정하다
	modify 수정하다

일으키다 야기하다	**trigger** 일으키다, 유발하다
	evoke 일으키다, 자아내다
	induce 야기하다, 일으키다
	provoke 불러일으키다
	incur 초래하다
	bring on 초래하다, 야기하다
	cause 야기하다, 초래하다
	generate 발생시키다
	produce 초래하다
	bring about 야기하다, 초래하다

 1초 Quiz

주어진 단어와 의미가 통하지 않는 단어를 선택하세요.

1. **suspend** ⓐ cease ⓑ terminate ⓒ incur ⓓ discontinue
2. **recycle** ⓐ rectify ⓑ overhaul ⓒ halt ⓓ revamp
3. **belittle** ⓐ amend ⓑ snub ⓒ disdain ⓓ slight
4. **provoke** ⓐ trigger ⓑ generate ⓒ induce ⓓ defy

정답 | 1 ⓒ 2 ⓒ 3 ⓐ 4 ⓓ

나타내다 상징하다	**represent** 나타내다, 상징하다 **express** 나타내다, 상징하다 **refer** 지시하다, 나타내다 **stand for** 나타내다, 의미하다 **denote** 표시하다, 나타내다 **betoken** 나타내다 **signify** 나타내다, 표명하다 **embody** 상징하다 **symbolize** 상징하다 **emblematize** 상징하다

~인 체하다 가장하다	**posture** ~인 체하다 **fake** ~인 체하다, 가장하다 **simulate** ~인 체하다, 가장하다 **pretend** ~인 체하다, 가장하다 **assume** ~인 척하다, 가장하다 **concoct** 날조하다, 엮어내다 **feign** 가장하다, ~인 척하다 **impersonate** 가장하다, 흉내 내다 **dissemble** 가장하다 **feint** ~하는 체하다

임명하다 위임하다	**appoint** 임명하다 **assign** 임명하다, 선임하다 **authorize** 위임하다 **designate** 임명하다, 지명하다 **nominate** 지명하다, 임명하다 **name** 지명하다 **commission** 위임하다 **ordain** (성직자로) 임명하다 **instate** 임명하다, 취임시키다 **select** 선출하다

강요하다	**impose** 강요하다 **enforce** 강요하다 **force** 강요하다 **obligate** 강요하다 **compel** ~하게 만들다 **coerce** 강요하다 **oblige** ~에게 강요하다 **impel** 몰아대다, 재촉하다 **pressure** 강제하다

 1초 Quiz

주어진 단어와 의미가 통하지 않는 단어를 선택하세요.

1. denote	ⓐ stand for	ⓑ feint	ⓒ betoken	ⓓ signify
2. appoint	ⓐ designate	ⓑ nominate	ⓒ assign	ⓓ embody
3. concoct	ⓐ dissemble	ⓑ feign	ⓒ select	ⓓ posture
4. compel	ⓐ simulate	ⓑ oblige	ⓒ coerce	ⓓ impose

괴롭히다 귀찮게 하다	pester 괴롭히다		숙고하다	deliberate 숙고하다
	torment 괴롭히다, 고통을 주다			ponder 깊이 생각하다
	bother 괴롭히다, 귀찮게 하다			meditate 숙고하다, 묵상하다
	distress 괴롭히다, 슬프게 하다			reflect 심사숙고하다
	beset 괴롭히다			dwell on 깊이 생각하다
	torture 괴롭히다, 번민하게 하다			ruminate 심사숙고하다
	tease 괴롭히다, 놀리다			contemplate 심사숙고하다
	agonize 몹시 괴롭히다			think over 곰곰이 생각하다
	afflict 괴롭히다			muse 깊이 생각하다
	harass 괴롭히다			bethink 숙고하다

기르다 양육하다	foster 기르다		실행하다 수행하다	execute 실행하다, 수행하다
	cultivate 기르다			administer 실행하다, 실시하다
	rear 기르다, 양육하다			fulfill 이행하다, 수행하다
	nurture 양육하다, 기르다			implement 이행하다, 실행하다
	bring up 기르다, 양육하다			action 실행하다
	look after 돌보다, 보살피다			carry out 이행하다, 수행하다
	raise 기르다			carry through 이행하다
	parent 기르다, 양육하다			perform 행하다, 수행하다
	nourish 기르다			accomplish 수행하다, 성취하다
	care for 돌보다, 보살피다			exercise 수행하다, 행하다

1초 Quiz

주어진 단어와 의미가 통하지 않는 단어를 선택하세요.

1. **pester** ⓐ beset ⓑ ponder ⓒ tease ⓓ harass
2. **nurture** ⓐ dwell on ⓑ care for ⓒ raise ⓓ parent
3. **ruminate** ⓐ muse ⓑ agonize ⓒ meditate ⓓ deliberate
4. **implement** ⓐ carry out ⓑ administer ⓒ foster ⓓ execute

정답 | 1 ⓑ 2 ⓐ 3 ⓑ 4 ⓒ

요약하다	**abridge** 요약하다 **recapitulate** 요약하다 **summarize** 간략하게 말하다 **compress** 압축하다, 요약하다 **encapsulate** 요약하다 **abbreviate** 줄여 쓰다 **sum up** 요약하다 **synopsize** ~의 개요를 만들다 **condense** 압축하다 **epitomize** 요약하다

일치하다 **상응하다**	**coincide** 일치하다 **conform** 일치하다 **harmonize** 일치하다 **correspond** 일치하다, 상응하다 **agree** 일치하다, 합의가 되다 **match** 일치하다 **concur** 일치하다 **align** 일직선으로 하다 **accord** 조화시키다, 일치시키다 **reconcile** 일치시키다, 조화시키다

인정하다 **시인하다**	**confess** 인정하다 **grant** 인정하다 **allow** 인정하다, 시인하다 **uphold** 인정하다 **acknowledge** 인정하다 **concede** 인정하다 **recognize** 인정하다 **admit** 인정하다, 시인하다 **profess** 고백하다 **avow** 솔직하게 인정하다

조사하다 **검토하다**	**examine** 조사하다, 검토하다 **prospect** 조사하다, 답사하다 **investigate** 조사하다, 수사하다 **scrutinize** 세밀히 조사하다 **inspect** 검사하다, 점검하다 **probe** 조사하다, 캐묻다 **delve** 깊이 파고들다 **explore** 탐구하다, 조사하다 **diagnose** 원인을 밝혀내다 **anatomize** 분석하다

 1초 Quiz

주어진 단어와 의미가 통하지 않는 단어를 선택하세요.

1. **abridge**   ⓐ sum up   ⓑ epitomize   ⓒ avow   ⓓ encapsulate
2. **grant**   ⓐ acknowledge   ⓑ anatomize   ⓒ concede   ⓓ admit
3. **conform**   ⓐ recapitulate   ⓑ correspond   ⓒ reconcile   ⓓ accord
4. **prospect**   ⓐ concur   ⓑ probe   ⓒ scrutinize   ⓓ inspect

정답 | 1 ⓒ 2 ⓑ 3 ⓐ 4 ⓐ

포함하다	encompass 포함하다 comprise 포함하다 embrace 포함하다 comprehend 포함하다, 함축하다 incorporate 포함하다 include 포함하다 subsume 포함하다, 포괄하다 connote 함축하다 contain 포함하다 embody 포함하다

설명하다	translate 해석하다, 설명하다 interpret 해석하다, 설명하다 explain 설명하다 elucidate 더 자세히 설명하다 illustrate 설명하다, 예증하다 clarify 분명히 설명하다 explicate 자세히 설명하다 expound 상세히 설명하다 illuminate 명백히 하다, 해명하다 decipher 해독하다, 판독하다

구성하다	assemble 조립하다 compose 조립하다, 구성하다 construct 구성하다 constitute 구성하다, 이루다 put together 조립하다 form 구성하다 collect 모으다, 모이다 organize 구성하다, 조직하다 build 조립하다

줄다 감소하다	abate 줄다, 덜어지다 diminish 줄이다, 감소하다 dwindle 점차 감소하다 wane 작아지다, 약해지다 reduce 줄이다 lessen 줄다 decline 줄어들다, 감소하다 dwarf 작아지다, 위축되다 slash 대폭으로 인하하다 curtail 짧게 줄이다

1초 Quiz

주어진 단어와 의미가 통하지 않는 단어를 선택하세요.

1. **encompass** ⓐ slash ⓑ subsume ⓒ include ⓓ embody
2. **translate** ⓐ explain ⓑ explicate ⓒ illustrate ⓓ connote
3. **compose** ⓐ collect ⓑ abate ⓒ organize ⓓ constitute
4. **diminish** ⓐ wane ⓑ decipher ⓒ dwindle ⓓ reduce

강화하다 보강하다	**bolster** 보강하다 **enhance** 강화하다 **strengthen** 강화하다 **intensify** 세게 하다, 강화하다 **fortify** 강화하다, 튼튼히 하다 **reinforce** 강화하다, 증강하다 **improve** 증진하다, 개선하다 **beef up** 강화하다, 보강하다 **consolidate** 강화하다, 굳히다 **brace** 보강하다

만족시키다 기쁘게 하다	**fulfill** 만족시키다 **suffice** 만족시키다 **gratify** 충족시키다 **satisfy** 만족시키다 **appease** 충족시키다 **slake** 만족시키다 **gladden** 기쁘게 하다 **please** 기쁘게 하다 **content** 만족시키다 **satiate** 충분히 만족시키다

당황하게 하다 겁먹게 하다	**embarrass** 당황하게 하다 **bewilder** 당황하게 하다 **disconcert** 당황하게 하다 **rattle** 겁먹게 하다 **discomfit** 당황하게 만들다 **disturb** 불안하게 하다 **perplex** 난처하게 하다 **perturb** 동요하게 하다 **vex** 난처하게 하다 **baffle** 당황하게 하다

승진시키다	**elevate** 승진시키다 **promote** 승진시키다 **ascend** 승진하다 **upgrade** 승진시키다, 승급시키다 **advance** 승진하다 **move up** 승진하다, 출세하다 **better oneself** 승진하다, 출세하다 **exalt** 승진시키다 **raise** 승진시키다

1초 Quiz

주어진 단어와 의미가 통하지 않는 단어를 선택하세요.

1. **fortify**	ⓐ bolster	ⓑ intensify	ⓒ enhance	ⓓ ascend
2. **bewilder**	ⓐ rattle	ⓑ appease	ⓒ perplex	ⓓ baffle
3. **suffice**	ⓐ reinforce	ⓑ satiate	ⓒ satisfy	ⓓ content
4. **elevate**	ⓐ upgrade	ⓑ exalt	ⓒ disturb	ⓓ promote

정답 | 1 ⓓ 2 ⓑ 3 ⓐ 4 ⓒ

시작하다 착수하다	**launch** 시작하다, 착수하다
	initiate 시작하다, 착수하다
	embark 착수하다
	begin 시작하다
	undertake 착수하다
	commence 시작되다
	mount 시작하다
	originate 시작되다, 유래하다
	set out 착수하다
	approach 착수하다, 접근하다

완화하다 진정시키다	**soothe** 진정시키다
	mitigate 완화하다, 덜어주다
	ease 진정시키다, 완화시키다
	relieve 완화하다
	alleviate 완화하다
	lighten 완화하다, 경감하다
	assuage 완화하다, 진정시키다
	subdue 누그러지게 하다
	allay 진정시키다, 가라앉히다
	palliate 완화시키다

약화시키다 저하시키다	**exacerbate** 악화시키다
	aggravate 악화시키다
	deteriorate 악화시키다, 저하시키다
	inflame 악화시키다
	deepen 악화시키다
	compound 더 심각하게 만들다
	enfeeble 약화시키다
	degrade 저하시키다
	undermine 약화시키다
	worsen 악화시키다

이해하다	**perceive** 이해하다, 깨닫다
	digest 이해하다, 터득하다
	comprehend 이해하다, 파악하다
	figure out 이해하다, 알아내다
	appreciate 올바르게 인식하다
	understand 이해하다, 알아듣다
	grasp 파악하다, 이해하다
	catch on 이해하다
	apprehend 파악하다, 이해하다

⏱ **1초 Quiz**

주어진 단어와 의미가 통하지 않는 단어를 선택하세요.

1. **launch**	ⓐ commence	ⓑ figure out	ⓒ set out	ⓓ embark
2. **deteriorate**	ⓐ exacerbate	ⓑ compound	ⓒ mount	ⓓ degrade
3. **mitigate**	ⓐ alleviate	ⓑ digest	ⓒ subdue	ⓓ palliate
4. **apprehend**	ⓐ approach	ⓑ grasp	ⓒ comprehend	ⓓ perceive

정답 | 1 ⓑ 2 ⓒ 3 ⓑ 4 ⓐ

조정하다 중재하다	**reconcile** 조정하다, 중재하다 **mediate** 조정하다, 중재하다 **intercede** 중재하다, 조정하다 **negotiate** 협상하다, 교섭하다 **coordinate** 조정하다 **intermediate** 중재하다 **arbitrate** 중재하다, 조정하다 **intervene** 중재하다, 간섭하다 **resolve** 해결하다, 결의하다 **referee** ~의 중재를 하다

예측하다 예상하다	**anticipate** 예측하다 **predict** 예측하다, 예견하다 **foretell** 예고하다, 예언하다 **foresee** 예견하다 **forecast** 예상하다, 예측하다 **prophesy** 예언하다 **prognosticate** 예언하다 **envisage** 예상하다 **antedate** 예상하다, 내다보다 **expect** 예상하다, 기대하다

좌절시키다 실패시키다	**defeat** 좌절시키다 **defy** 좌절시키다 **frustrate** 좌절시키다, 실패시키다 **thwart** 좌절시키다 **baffle** 좌절시키다 **confound** 혼동하다, 좌절시키다 **foil** 좌절시키다 **beat** 패배시키다 **crush** 희망을 꺾다, 좌절시키다 **overwhelm** 압도하다

학대하다 혹사하다	**misuse** 학대하다 **abuse** 학대하다, 욕하다 **mistreat** 학대하다, 혹사하다 **oppress** 학대하다, 박해하다 **plague** 괴롭히다 **ill-treat** 학대하다 **maltreat** 학대하다, 혹사하다 **torment** 고통을 안겨주다 **torture** 고문하다, 괴롭히다 **trouble** 괴롭히다

1초 Quiz

주어진 단어와 의미가 통하지 않는 단어를 선택하세요.

1. **resolve** ⓐ reconcile ⓑ intercede ⓒ negotiate ⓓ confound
2. **frustrate** ⓐ foil ⓑ oppress ⓒ thwart ⓓ defy
3. **forecast** ⓐ anticipate ⓑ antedate ⓒ overwhelm ⓓ envisage
4. **mistreat** ⓐ torment ⓑ prophesy ⓒ torture ⓓ plague

정답 | 1 ⓓ 2 ⓑ 3 ⓒ 4 ⓑ

혼란시키다	disrupt 혼란시키다	흩뜨리다 분산시키다	disperse 흩뜨리다, 분산시키다
	perplex 당황케 하다		scatter 흩뿌리다
	puzzle 당혹하게 하다		break up 흩뜨리다, 해산하다
	confuse 혼란시키다		spread 퍼뜨리다, 살포하다
	muddle 혼란시키다		litter 흩뜨리다
	confound 혼란에 빠뜨리다		diffuse 확산시키다, 보급시키다
	discomfit 혼란스럽게 만들다		dissipate 흩뜨리다
	disconcert 당황하게 하다		disseminate 흩뿌리다, 퍼뜨리다
	mess 혼란스럽게 하다		dispel 흩뜨리다, 없애다
	perturb 혼란시키다		disband 해산하다

확인시키다 증명하다	prove 입증하다, 증명하다	삭제하다 없애다	eliminate 제거하다, 삭제하다
	confirm 확실하게 하다		eradicate 근절하다
	substantiate 입증하다		obliterate 지우다, 없애다
	verify 확인하다		delete 삭제하다, 지우다
	uphold 확인하다, 확정하다		rid 제거하다, 없애다
	ensure 확실케 하다		censor (검열하여) 삭제하다
	ascertain 확인하다		efface 지우다, 삭제하다
	corroborate 확실하게 하다		annihilate 전멸시키다
	authenticate 증명하다, 인증하다		expunge 지우다, 삭제하다
	certify 증명하다		wipe out 지우다

 1초 Quiz

주어진 단어와 의미가 통하지 않는 단어를 선택하세요.

1. **muddle** ⓐ confirm   ⓑ confound   ⓒ perplex   ⓓ puzzle
2. **uphold** ⓐ substantiate   ⓑ corroborate   ⓒ prove   ⓓ disband
3. **scatter** ⓐ mess   ⓑ spread   ⓒ litter   ⓓ disperse
4. **rid** ⓐ expunge   ⓑ wipe out   ⓒ verify   ⓓ eliminate

소모시키다 다 써버리다	drain 소모시키다
	exhaust 소모하다
	consume 소비하다, 다 써버리다
	deplete 비우다, 고갈시키다
	empty 비우다
	use up 다 써버리다
	expend 다 써버리다
	dissipate 낭비하다, 탕진하다
	spend 낭비하다
	squander 탕진하다

갈망하다 동경하다	yearn 동경하다, 열망하다
	covet 몹시 탐내다, 갈망하다
	long 간절히 바라다
	desire 몹시 바라다
	crave 간청하다, 갈망하다
	hunger 갈망하다
	hanker for 갈망하다
	ache for 바라다
	thirst for 바라다
	pine 갈망하다

취소하다 폐지하다	abolish 폐지하다
	withdraw 취소하다, 철회하다
	repeal 무효로 하다, 폐지하다
	annul 무효하게 하다
	nullify 무효화하다
	void 무효로 하다
	revoke 취소하다, 폐지하다
	abrogate 폐지하다, 철폐하다
	cancel 취소하다
	scrap 폐기하다

화나게 하다	infuriate 격노하게 하다
	enrage 몹시 화나게 하다
	outrage 격분시키다
	aggravate 화나게 하다
	annoy 화나게 하다
	rankle 짜증 나게 하다
	irritate 화나게 하다
	anger 성나게 하다
	offend 성나게 하다
	provoke 화나게 하다
	exasperate 격분시키다

1초 Quiz

주어진 단어와 의미가 통하지 않는 단어를 선택하세요.

1. dissipate   ⓐ squander   ⓑ deplete   ⓒ covet   ⓓ use up
2. annul   ⓐ abolish   ⓑ enrage   ⓒ void   ⓓ revoke
3. yearn   ⓐ crave   ⓑ repeal   ⓒ long   ⓓ desire
4. infuriate   ⓐ withdraw   ⓑ provoke   ⓒ irritate   ⓓ offend

정답 | 1 ⓒ 2 ⓑ 3 ⓑ 4 ⓐ

명령하다 **지시하다** **관리하다**	**dictate** 명령하다, 지시하다 **command** 명령하다 **instruct** 지시하다 **oversee** 감독하다 **direct** 지도하다 **supervise** 감독하다, 통제하다 **administer** 관리하다 **superintend** 관리하다 **manage** 조종하다, 다루다

~의 탓으로 **(공으로)** **돌리다**	**credit** ~에게 돌리다 **attribute** ~의 탓으로 하다 **blame** ~의 탓으로 돌리다 **owe** ~에 돌리다 **ascribe** ~에 돌리다 **accredit** ~로 돌리다 **impute** ~에 돌리다 **put down to** ~의 탓으로 보다 **pin on** ~의 탓으로 돌리다

사로잡다 **매혹시키다**	**charm** 매혹하다 **captivate** ~의 마음을 사로잡다 **absorb** 열중시키다 **possess** 사로잡다 **preoccupy** 마음을 빼앗다 **attract** 끌다, 매혹하다 **mesmerize** 매혹시키다 **bewitch** 매혹시키다 **hypnotize** 매혹하다

강조하다	**underline** 강조하다, 명시하다 **emphasize** 강조하다, 역설하다 **stress** 강조하다 **highlight** 강조하다 **accentuate** 두드러지게 하다 **underscore** 강조하다 **italicize** 강조하다 **play up** 강조하다 **accent** 강조하다 **foreground** 특히 중시하다

1초 Quiz

주어진 단어와 의미가 통하지 않는 단어를 선택하세요.

1. **direct**　　ⓐ dictate　　ⓑ manage　　ⓒ credit　　ⓓ administer
2. **attract**　　ⓐ absorb　　ⓑ bewitch　　ⓒ mesmerize　　ⓓ accentuate
3. **accredit**　　ⓐ foreground　　ⓑ owe　　ⓒ blame　　ⓓ pin on
4. **play up**　　ⓐ underline　　ⓑ emphasize　　ⓒ charm　　ⓓ underscore

정답 | 1. ⓒ 2. ⓓ 3. ⓐ 4. ⓒ

겁먹게 하다 위협하다	intimidate 협박하다, 위협하다 menace 위협하다, 협박하다 frighten 위협하다 threaten 위협하다 scare 위협하다, 겁나게 하다 spook 겁먹게 하다 horrify 무섭게 하다 terrify 무섭게 하다 appall 오싹하게 하다	과장하다	exaggerate 과장하다, 과대시하다 flourish 과시하다, 자랑하다 magnify 과장하다 overstate 과장하여 말하다 overrate 과대평가하다 overdo 과장하다 overdraw 과장하다 overemphasize 지나치게 강조하다 inflate 과장하다
견디다 참다	endure 견디다, 인내하다 put up with ~을 참다 bear 견디다 tolerate 참다, 견디다 undergo 견디다, 참다 stand 참다, 견디다 persevere 인내하다, 견디어내다 hang on 참다, 버티다 suffer 견디다 survive 살아남다, 견디다	금지하다	prohibit 금지하다, 방해하다 proscribe 금지하다, 배척하다 ban 금지하다 outlaw 금지하다 forbid 금지하다 inhibit 금하다, 못하게 막다 restrain 제지하다, 못하게 하다 dissuade 단념시키다 deter 못하게 막다 debar 제외하다, 금하다

 1초 Quiz

주어진 단어와 의미가 통하지 않는 단어를 선택하세요.

1. **intimidate**	ⓐ terrify	ⓑ appall	ⓒ exaggerate	ⓓ menace
2. **undergo**	ⓐ put up with	ⓑ bear	ⓒ suffer	ⓓ deter
3. **magnify**	ⓐ debar	ⓑ overdo	ⓒ overdraw	ⓓ inflate
4. **proscribe**	ⓐ restrain	ⓑ stand	ⓒ dissuade	ⓓ inhibit

정답 | 1 ⓒ 2 ⓓ 3 ⓐ 4 ⓑ

장식하다 꾸미다	embellish 장식하다
	weave 꾸미다, 만들어 내다
	beautify 아름답게 하다
	bedeck 장식하다, 꾸미다
	decorate 장식하다
	ornament 장식하다, 꾸미다
	frill 가장자리 장식을 붙이다
	adorn 꾸미다, 장식하다
	trim 가장자리를 장식하다
	festoon 장식하다

늘이다 연장하다 넓히다	extend 늘이다
	expand 넓히다, 확장하다
	lengthen 길게 하다, 늘이다
	escalate 단계적으로 확대하다
	amplify 확대하다
	dilate 넓히다, 팽창시키다
	elongate 연장하다, 늘이다
	prolong 연장하다, 늘이다
	protract 길게 하다, 연장하다
	broaden 넓히다

의지하다	depend on 의지하다, 신뢰하다
	rely on 의지하다
	lean on 기대다
	count on 의지하다
	turn to 의지하다
	look to 의지하다
	draw on 의지하다, 의존하다

노력하다 시도하다	strive 노력하다, 분투하다
	endeavor 노력하다, 시도하다
	labor 노동하다, 노력하다
	struggle 분투하다, 애쓰다
	toil 애쓰다, 수고하다
	exert 쓰다, 노력하다
	attempt 시도하다
	try 노력하다, 시도하다

1초 Quiz

주어진 단어와 의미가 통하지 않는 단어를 선택하세요.

1. **ornament**   ⓐ festoon   ⓑ embellish   ⓒ adorn   ⓓ strive
2. **rely on**   ⓐ hang on   ⓑ turn to   ⓒ depend on   ⓓ look to
3. **elongate**   ⓐ protract   ⓑ exert   ⓒ broaden   ⓓ extend
4. **toil**   ⓐ trim   ⓑ struggle   ⓒ endeavor   ⓓ attempt

정답 | 1 ⓓ 2 ⓐ 3 ⓑ 4 ⓐ

능가하다	**exceed** 능가하다, 우월하다 **excel** 능가하다, 탁월하다 **surpass** ~보다 낫다, 능가하다 **transcend** 초월하다, 능가하다 **outdo** ~보다 낫다, 능가하다 **outstrip** ~보다 뛰어나다, 능가하다 **outshine** ~보다 우수하다 **beat** 능가하다 **better** 능가하다 **predominate** 우세하다

약속하다 **맹세하다**	**guarantee** 약속하다, 확언하다 **pledge** 맹세하다 **vow** 맹세하다 **swear** 맹세하다, 선서하다 **promise** 약속하다 **testify** 증언하다, 증거가 되다 **attest** 진실이라고 선언하다 **avow** 맹세하다, 공언하다 **vouch for** 보증하다

단언하다 **주장하다**	**allege** 단언하다 **assert** 강력히 주장하다 **affirm** 단언하다, 확언하다 **maintain** 주장하다, 단언하다 **stand on** ~을 주장하다 **declare** 단언하다 **contend** 주장하다 **claim** 주장하다 **insist** 주장하다 **argue** 논증하다, 주장하다

도망가다 **피하다**	**avoid** 피하다 **escape** 달아나다, 탈출하다 **shun** 피하다, 멀리하다 **elude** (교묘히) 피하다 **evade** 피하다 **abscond** 도망하다 **run away** 도망치다, 가버리다 **flee** 달아나다, 도망치다 **get away** 도망치다, 벗어나다 **dodge** 피하다

1초 Quiz

주어진 단어와 의미가 통하지 않는 단어를 선택하세요.

1. **surpass**   ⓐ abscond   ⓑ outstrip   ⓒ excel   ⓓ predominate
2. **assert**   ⓐ insist   ⓑ contend   ⓒ attest   ⓓ declare
3. **pledge**   ⓐ vow   ⓑ swear   ⓒ testify   ⓓ transcend
4. **elude**   ⓐ evade   ⓑ dodge   ⓒ allege   ⓓ shun

정답 | 1 ⓐ 2 ⓒ 3 ⓓ 4 ⓒ

위반하다 어기다	**contravene** 위반하다 **breach** 위반하다, 어기다 **trespass** 위법 행위를 하다 **violate** 위반하다 **break** 어기다, 위반하다 **infringe** 어기다, 위반하다 **transgress** 어기다, 위반하다 **disobey** 불복종하다, 어기다 **act against** ~에 반하다
속이다	**deceive** 속이다, 기만하다 **cheat** 속이다 **beguile** 속이다, 기만하다 **falsify** 속이다, 왜곡하다 **delude** 속이다, 현혹하다 **trick** 속이다 **bluff** 속이다 **fool** 속이다, 기만하다 **take in** 속이다 **put upon** 속이다

할당하다 배당하다	**assign** 할당하다, 배당하다 **assess** 할당하다, 부과하다 **allocate** 할당하다 **allot** 할당하다 **consign** 위임하다, 위탁하다 **apportion** 배분하다, 할당하다 **share** 분배하다 **distribute** 배분하다, 배당하다 **dispense** 분배하다 **parcel** 나누다, 분배하다
일어나다 발생하다	**occur** 일어나다, 발생하다 **take place** 일어나다, 개최되다 **emerge** 발생하다 **happen** 발생하다, 벌어지다 **transpire** 일어나다 **arise** 일어나다, 발생하다 **befall** 일어나다, 생기다 **ensue** 뒤이어 일어나다 **eventuate** 생기다, 일어나다 **come about** 발생하다, 일어나다

 1초 Quiz

주어진 단어와 의미가 통하지 않는 단어를 선택하세요.

1. **trespass**　　ⓐ contravene　　ⓑ beguile　　ⓒ infringe　　ⓓ breach
2. **apportion**　　ⓐ parcel　　ⓑ dispense　　ⓒ ensue　　ⓓ assess
3. **delude**　　ⓐ falsify　　ⓑ deceive　　ⓒ take in　　ⓓ consign
4. **befall**　　ⓐ allot　　ⓑ arise　　ⓒ come about　　ⓓ eventuate

제정하다 확립하다	enact 제정하다, 규정하다
	constitute 제정하다, 설립하다
	establish 확립하다
	ordain 제정하다
	proclaim 선언하다, 공포하다
	authorize 정식으로 허가하다
	legislate 제정하다
	decree 명하다, 결정하다
	set up 창설하다, 수립하다
	pronounce 선언하다, 공표하다

촉진시키다 재촉하다	facilitate 촉진시키다
	accelerate 가속하다, 촉진하다
	advance 촉진하다
	expedite 진척시키다, 촉진시키다
	hasten 서두르게 하다
	quicken 빠르게 하다
	promote 촉진시키다
	hustle 재촉하다
	rush 재촉하다
	further 조장하다, 촉진시키다

반복하다	repeat 되풀이하다, 반복하다
	reiterate 반복하여 말하다
	echo 되풀이하다
	restate 다시 말하다
	recur 되돌아가 말하다
	replay 반복하다
	retell 되풀이하다
	rehearse 반복하다
	ingeminate 반복하다

용서하다	forgive 용서하다
	overlook 눈감아 주다
	excuse 용서하다, 봐주다
	pardon 용서하다, 사면하다
	condone 용서하다, 묵과하다
	acquit 무죄를 선고하다
	absolve 용서하다, 무죄를 선언하다

1초 Quiz

주어진 단어와 의미가 통하지 않는 단어를 선택하세요.

1. **constitute**   ⓐ legislate   ⓑ decree   ⓒ absolve   ⓓ pronounce
2. **repeat**   ⓐ rehearse   ⓑ ordain   ⓒ echo   ⓓ recur
3. **accelerate**   ⓐ ingeminate   ⓑ expedite   ⓒ hustle   ⓓ further
4. **forgive**   ⓐ excuse   ⓑ overlook   ⓒ condone   ⓓ proclaim

정답 | 1 ⓒ 2 ⓑ 3 ⓐ 4 ⓓ

지우다 부과하다	lade 지우다
	impose 지우다, 부과하다
	burden 짐을 지우다
	levy 부과하다, 징수하다
	exact 요구하다, 받아 내다
	tax 세금을 부과하다
	assess 할당하다, 부과하다
	charge 부담시키다, 청구하다
	encumber 지우다
	demand 청구하다

추방하다 내쫓다	deport 국외로 추방하다
	ostracize 추방하다
	exile 추방하다, 유배에 처하다
	dismiss 해고하다, 내쫓다
	eject 쫓아내다
	expatriate 국외로 추방하다
	expel 내쫓다
	exclude 추방하다
	banish 추방하다, 내쫓다
	oust 내쫓다

해결하다	resolve 해결하다
	settle 해결하다
	solve 해결하다, 타결하다
	clear up 해결하다
	elucidate 명료하게 하다, 해명하다
	iron out 해결하다
	fix 해결하다
	work out 해결하다
	dispose of 해결하다
	straighten out 해결하다, 수습하다

충돌하다 부딪치다	impact 충돌하다
	conflict 충돌하다
	strike 충돌하다, 부딪치다
	run into 충돌하다
	crash 충돌하다, 부딪치다
	smash 박살 나다, 부딪치다
	collide 충돌하다, 부딪치다
	clash 맞붙다, 충돌하다
	skirmish 소규모 충돌을 벌이다

 **1초 Quiz**

주어진 단어와 의미가 통하지 않는 단어를 선택하세요.

1. **impose**   ⓐ lade   ⓑ charge   ⓒ deport   ⓓ burden

2. **settle**   ⓐ work out   ⓑ resolve   ⓒ collide   ⓓ elucidate

3. **ostracize**   ⓐ expel   ⓑ banish   ⓒ eject   ⓓ skirmish

4. **strike**   ⓐ assess   ⓑ clash   ⓒ impact   ⓓ conflict

칭찬하다	**applaud** 칭찬하다
	praise 칭찬하다
	compliment 칭찬하다
	extol 크게 칭찬하다
	commend 칭찬하다
	acclaim 갈채하다
	eulogize 칭송하다
	laud 칭송하다
	exalt 칭찬하다
	approve 좋다고 인정하다

혼합하다 통합하다	**synthesize** 합성하다
	compound 혼합하다, 합성하다
	concoct 섞어서 만들다
	blend 섞다, 혼합하다
	fuse 융합시키다
	mix 혼합하다, 배합하다
	meld 섞이다, 혼합되다
	commingle 혼합하다, 합치다
	integrate 통합하다
	unify 통합하다

포기하다 버리다	**renounce** 포기하다, 단념하다
	surrender 포기하다, 양도하다
	abandon 버리다
	forsake 저버리다
	discard 버리다, 처분하다
	relinquish 양도하다, 포기하다
	give up 포기하다
	cast off ~을 버리다
	desert 버리다, 유기하다
	ditch 버리다, 도망치다

음모하다 공모하다	**conspire** 음모를 꾸미다
	scheme 모의하다
	plot 음모하다, 모의하다
	intrigue 음모를 꾸미다
	collude 공모하다, 결탁하다
	connive 방조하다, 공모하다

 1초 Quiz

주어진 단어와 의미가 통하지 않는 단어를 선택하세요.

1. **acclaim**	ⓐ integrate	ⓑ eulogize	ⓒ exalt	ⓓ praise
2. **cast off**	ⓐ relinquish	ⓑ meld	ⓒ discard	ⓓ forsake
3. **commingle**	ⓐ fuse	ⓑ compound	ⓒ synthesize	ⓓ connive
4. **conspire**	ⓐ plot	ⓑ scheme	ⓒ intrigue	ⓓ desert

정답 | 1 ⓐ 2 ⓑ 3 ⓓ 4 ⓓ

많은 풍부한	**abundant** 풍부한, 많은 **lavish** 풍부한, 충분한 **affluent** 풍족한, 부유한 **considerable** 상당한, 많은 **substantial** 상당한, 많은 **ample** 충분한, 풍부한 **generous** 많은, 풍부한 **plentiful** 많은, 풍부한 **liberal** 많은, 풍부한 **luxuriant** 무성한, 풍성한	명백한 분명한	**evident** 명백한 **transparent** 명백한 **explicit** 명백한, 뚜렷한 **manifest** 명백한, 분명한 **obvious** 명백한, 분명한 **apparent** 명백한, 분명한 **overt** 명백한, 공공연한 **conspicuous** 두드러진 **patent** 명백한 **unequivocal** 명백한, 모호하지 않은
거대한 막대한	**tremendous** 거대한, 대단한 **immense** 거대한, 막대한 **enormous** 거대한, 막대한 **colossal** 거대한, 방대한 **mighty** 굉장한, 대단한 **ample** 넓은, 광대한 **massive** 거대한 **vast** 광대한, 막대한 **gigantic** 거대한 **huge** 거대한, 막대한	적당한 알맞은	**modest** 적당한, 보통의 **decent** 적당한, 알맞은 **moderate** 적당한, 알맞은 **appropriate** 어울리는, 타당한 **temperate** 온건한, 적당한 **reasonable** 온당한, 적당한 **proper** 적당한, 적절한 **adequate** 알맞은, 어울리는 **sufficient** 충분한, 족한 **suitable** 적당한

 **1초 Quiz**

주어진 단어와 의미가 통하지 않는 단어를 선택하세요.

1. **substantial**　　ⓐ explicit　　　　ⓑ ample　　　　ⓒ liberal　　　　ⓓ plentiful
2. **colossal**　　　ⓐ huge　　　　　ⓑ immense　　　ⓒ mighty　　　　ⓓ overt
3. **unequivocal**　ⓐ conspicuous　ⓑ patent　　　ⓒ proper　　　　ⓓ obvious
4. **moderate**　　 ⓐ decent　　　　ⓑ reasonable　ⓒ tremendous　ⓓ adequate

격렬한 신랄한	**biting** 통렬한, 신랄한		최고의	**prime** 가장 중요한
	sharp 날카로운, 신랄한			**optimal** 최선의, 최상의
	acute 격렬한, 심한			**supreme** 최고의, 최상의
	fierce 격렬한, 열렬한			**superb** 최고의, 최상의
	bitter 격렬한, 적의에 찬			**paramount** 최고의, 가장 중요한
	acrid 가혹한			**top-notch** 최고의, 일류의
	caustic 신랄한, 비꼬는			**excellent** 훌륭한, 뛰어난
	harsh 가혹한, 엄한			**chief** 최고의
	cutting 통렬한, 신랄한			**leading** 일류의, 최고의
	acerbic 신랄한, 엄한			**stellar** 일류의, 주요한

즉석의	**swift** 즉석에서의		우아한 정교한	**elegant** 우아한, 고상한
	instant 즉석의			**exquisite** 정교한, 우아한
	prompt 즉석의			**impeccable** 결점 없는
	immediate 즉각적인, 당장의			**delicate** 정교한, 우아한
	improvised 즉석의, 즉흥적인			**sophisticated** 정교한, 복잡한
	extempory 즉석에서의, 즉흥의			**genteel** 품위 있는, 우아한
	quick 즉석의, 일순간의			**stylish** 우아한, 유행을 따른
	speedy 즉석의			**refined** 세련된
	impromptu 즉흥적으로 한			**ornate** 화려하게 장식된
	off hand 즉석에서			**graceful** 우아한

1초 Quiz

주어진 단어와 의미가 통하지 않는 단어를 선택하세요.

1. **caustic** ⓐ biting ⓑ harsh ⓒ acerbic ⓓ impeccable
2. **extempory** ⓐ fierce ⓑ instant ⓒ prompt ⓓ immediate
3. **optimal** ⓐ chief ⓑ superb ⓒ prime ⓓ graceful
4. **exquisite** ⓐ genteel ⓑ sophisticated ⓒ off hand ⓓ elegant

정답 | 1 ⓓ 2 ⓐ 3 ⓓ 4 ⓒ

결정적인 중요한	crucial 결정적인, 중대한
	essential 가장 중대한
	important 중대한
	considerable 중요한
	significant 중요한
	vital 극히 중대한
	critical 결정적인, 중대한
	momentous 중대한, 중요한
	decisive 결정적인, 중대한
	weighty 중대한

대담한 용감한	audacious 대담한
	daring 대담한, 용감한
	bold 대담한, 용감한
	intrepid 대담한, 용맹한
	courageous 용기 있는, 용감한
	undaunted 두려워하지 않는
	valiant 용맹스러운, 씩씩한
	brave 용감한, 용맹한
	dauntless 겁 없는
	valorous 씩씩한, 용감한

다루기 힘든 완고한	unwieldy 다루기 힘든
	bulky (너무 커서) 다루기 힘든
	stubborn 다루기 힘든, 완고한
	awkward 다루기 힘든, 불편한
	cumbersome 다루기 불편한
	obstinate 완고한, 고집 센
	unyielding 완고한, 단호한
	tenacious 고집하는
	willful 고집 센
	inflexible 완고한, 경직된

엄한 엄격한	grim 엄한, 엄격한
	relentless 가차 없는
	severe 엄한, 엄중한
	rigid 엄격한, 엄한
	strict 엄격한
	stern 엄격한
	cruel 무자비한
	austere 엄격한, 엄숙한
	oppressive 억압하는, 압박적인
	regimented 엄격한

1초 Quiz

주어진 단어와 의미가 통하지 않는 단어를 선택하세요.

1. **crucial**	ⓐ weighty	ⓑ momentous	ⓒ valorous	ⓓ essential
2. **cumbersome**	ⓐ inflexible	ⓑ bulky	ⓒ rigid	ⓓ unwieldy
3. **daring**	ⓐ intrepid	ⓑ considerable	ⓒ courageous	ⓓ dauntless
4. **grim**	ⓐ awkward	ⓑ severe	ⓒ relentless	ⓓ austere

완전한	**sheer** 완전한 **complete** 완전한 **outright** 완전한, 철저한 **flawless** 완전한, 완벽한 **intact** 완전한, 건전한 **impeccable** 나무랄 데 없는 **utter** 전적인, 완전한 **immaculate** 오점 없는, 흠 없는 **perfect** 완전한 **absolute** 완전한, 완전무결한

기본적인 **본질적인**	**elementary** 기본이 되는, 초보의 **cardinal** 기본적인 **intrinsic** 본질적인 **fundamental** 근본적인, 기본적인 **basic** 기본적인 **essential** 본질적인 **primary** 기본적인

훌륭한 **멋진**	**radiant** 찬란한, 눈부신 **brilliant** 훌륭한, 멋진 **admirable** 훌륭한, 우수한 **reputable** 평판이 좋은, 훌륭한 **splendid** 화려한, 훌륭한 **dazzling** 눈부신, 휘황찬란한 **scenic** 경치가 좋은 **picturesque** 그림 같은, 아름다운 **stunning** 멋진 **gorgeous** 화려한, 찬란한 **stupendous** 굉장한, 엄청난

부족한	**deficient** 부족한, 불충분한 **scanty** 부족한, 불충분한 **inadequate** 불충분한 **scarce** 부족한, 적은 **insufficient** 불충분한, 부족한 **lacking** 부족한 **wanting** 모자라는, 결핍한 **meager** 결핍한, 불충분한 **sparse** 희박한 **bereft** ~이 전무한

 1초 Quiz

주어진 단어와 의미가 통하지 않는 단어를 선택하세요.

1. **flawless**	ⓐ impeccable	ⓑ complete	ⓒ intact	ⓓ lacking
2. **admirable**	ⓐ picturesque	ⓑ stunning	ⓒ dazzling	ⓓ cardinal
3. **fundamental**	ⓐ reputable	ⓑ basic	ⓒ essential	ⓓ intrinsic
4. **scanty**	ⓐ meager	ⓑ sparse	ⓒ sheer	ⓓ inadequate

정답 | 1 ⓓ 2 ⓓ 3 ⓐ 4 ⓒ

거친 조잡한	**turbulent** 사나운, 거친
	fierce 사나운, 흉포한
	nasty 험악한, 사나운
	rough 난폭한, 사나운
	coarse 조잡한
	crude 조잡한, 거친
	unrefined 세련되지 못한, 거친
	harsh 거친
	raucous 요란하고 거친

솔직한	**direct** 솔직한
	outspoken 솔직한, 노골적인
	candid 솔직한, 숨김없는
	straightforward 솔직한, 정직한
	frank 솔직한, 터놓는
	blunt 직설적인
	downright 곧은, 솔직한
	forthright 솔직한, 거리낌 없는
	sincere 참된, 진실의
	truthful 성실한, 정직한

날카로운 예리한	**shrill** 날카로운, 높은
	acute 날카로운, 뾰족한
	keen 날카로운, 예리한
	shrewd 예민한, 날카로운
	pungent 날카로운
	edgy 날카로운
	incisive 날카로운
	trenchant 날카로운, 통렬한
	sharp 예리한, 날카로운
	piercing 날카로운

악의 있는	**infamous** 악명 높은
	malicious 악의 있는, 심술궂은
	vicious 악의 있는, 심술궂은
	malignant 악의가 있는
	evil 사악한
	notorious 악명 높은
	wicked 사악한, 나쁜
	malevolent 악의 있는
	disreputable 평판이 좋지 않은
	baleful 악의적인

1초 Quiz

주어진 단어와 의미가 통하지 않는 단어를 선택하세요.

1. **fierce** ⓐ turbulent ⓑ harsh ⓒ rough ⓓ baleful
2. **shrewd** ⓐ piercing ⓑ pungent ⓒ wicked ⓓ trenchant
3. **outspoken** ⓐ edgy ⓑ frank ⓒ forthright ⓓ candid
4. **notorious** ⓐ infamous ⓑ disreputable ⓒ malignant ⓓ blunt

열렬한 열심인	enthusiastic 열렬한, 열광적인 ardent 열렬한, 열심인 zestful 열심인 industrious 열심히 일하는, 근면한 studious 열심인, 애쓰는 laborious 근면한, 부지런한 zealous 열심인 assiduous 근면한 diligent 공을 들이는 eager 열렬한, 열심인	가까운 이웃의	adjacent 이웃의, 인접한 adjoining 서로 접한 beside ~옆에, 가까이에 neighboring 이웃의, 근처의 contiguous 접촉하는, 인접하는 abutting 인접한, 접경한 near 가까운 touching (물건 등이) 접촉한 proximate 가까운 close 가까운
예의 바른 정중한	courteous 예의 바른, 정중한 decent 점잖은, 예절 바른 urbane 정중한, 예절 바른 decorous 예의 바른, 단정한 polite 예의 바른 respectful 공손한, 정중한 discreet 예의 바른, 조심스러운 gallant 친절한, 정중한 well behaved 예절 바른 modest 겸손한, 신중한	진지한 성실한	earnest 진지한, 성실한 sincere 성실한, 진실의 genuine 성실한, 진심의 sedate 진지한, 진중한 serious 진지한, 심각한 sober 냉철한, 진지한 undissembled 거짓 없는, 진심의

 1초 Quiz

주어진 단어와 의미가 통하지 않는 단어를 선택하세요.

1. **industrious** ⓐ zealous ⓑ assiduous ⓒ discreet ⓓ ardent
2. **urbane** ⓐ gallant ⓑ polite ⓒ decent ⓓ sedate
3. **contiguous** ⓐ adjacent ⓑ decorous ⓒ abutting ⓓ proximate
4. **genuine** ⓐ serious ⓑ sober ⓒ sincere ⓓ close

정답 | 1 ⓒ 2 ⓓ 3 ⓑ 4 ⓐ

| 공평한 | impartial 공평한, 공명정대한
indifferent 공평한, 중립의
neutral 공평한
unbiased 편견 없는, 공정한
equitable 공정한, 정당한
evenhanded 공평한, 공명정대한
disinterested 사심 없는, 공평한
fair 공평한, 올바른
unprejudiced 편견이 없는
just 공정한 | 놀랄 만한
눈에 띄는 | wondrous 놀랄 만한, 불가사의한
remarkable 놀랄 만한, 주목할 만한
startling 깜짝 놀라게 하는
conspicuous 눈에 띄는, 잘 보이는
outstanding 눈에 띄는, 현저한
notable 주목할 만한, 뛰어난
striking 현저한, 두드러진
preeminent 현저한
prominent 현저한, 두드러진
distinct 뚜렷한 |
| 관대한 | generous 관대한, 아량 있는
liberal 관대한, 개방적인
magnanimous 관대한
bountiful 아낌없이 주는, 관대한
benevolent 자비로운, 인자한
beneficent 도움을 주는
compassionate 인정 많은
merciful 자비로운, 인정 많은
charitable 관대한, 관용적인
humane 자비로운 | 확고한
정확한 | firm 확고한
steadfast 확고한, 부동의
absolute 확실한, 확고한
accurate 정확한
precise 정밀한
unfailing 틀림이 없는
meticulous 정확한
unerring 잘못이 없는, 정확한
definite 확고한
exact 정확한 |

1초 Quiz

주어진 단어와 의미가 통하지 않는 단어를 선택하세요.

1. **impartial**   ⓐ indifferent   ⓑ neutral   ⓒ magnanimous   ⓓ unbiased
2. **charitable**   ⓐ benevolent   ⓑ unerring   ⓒ generous   ⓓ liberal
3. **conspicuous**   ⓐ striking   ⓑ distinct   ⓒ fair   ⓓ prominent
4. **precise**   ⓐ exact   ⓑ absolute   ⓒ firm   ⓓ just

정답 | 1 ⓒ 2 ⓑ 3 ⓒ 4 ⓓ

강제적인 의무적인	compulsive 강제적인 compelling 강제적인, 억지의 inevitable 불가피한 coercive 강제적인, 강압적인 mandatory 강제적인, 필수적인 obligatory 의무적인, 필수의 binding 의무적인, 구속력 있는 imperative 반드시 해야 하는 compulsory 의무적인	겸손한	humble 겸손한, 겸허한 modest 겸손한, 신중한 unassuming 겸손한 unpretentious 겸손한 meek 순한, 유순한 unostentatious 거만 떨지 않는 demure 차분한, 얌전한 unpresumptuous 겸손한 unobtrusive 겸손한
소란스러운	turbulent 소란스러운, 난폭한 raucous 소란한, 시끌벅적한 deafening 귀청이 터질 것 같은 vociferous 고함치는, 시끄러운 boisterous 명랑하고 떠들썩한 noisy 떠들썩한, 시끄러운 rowdy 소동을 벌이는 riotous 소란스러운 loudmouthed 큰 목소리의 uproarious 소란스러운	치명적인	fatal 치명적인 deadly 치명적인 lethal 치명적인 mortal 치명적인 terminal 가망이 없는 ruinous 파괴적인 catastrophic 파멸의 virulent 치명적인 pernicious 치명적인 mortiferous 치명적인

 1초 Quiz

주어진 단어와 의미가 통하지 않는 단어를 선택하세요.

1. **inevitable** ⓐ compulsive ⓑ compelling ⓒ fatal ⓓ obligatory
2. **riotous** ⓐ boisterous ⓑ rowdy ⓒ binding ⓓ uproarious
3. **humble** ⓐ unassuming ⓑ meek ⓒ demure ⓓ imperative
4. **virulent** ⓐ turbulent ⓑ terminal ⓒ mortal ⓓ lethal

우연의 우발적인	casual 우연의, 뜻하지 않은	해로운 유독한	poisonous 유독한, 유해한
	accidental 우연한, 우발적인		toxic 유독한, 치명적인
	incidental 우연한		harmful 해로운
	haphazard 우연한		injurious 해로운, 유해한
	inadvertent 우연의, 의도하지 않은		deleterious 해로운, 유독한
	contingent 우발적인		detrimental 해로운
	fortuitous 뜻밖의, 우연한		venomous 독이 있는
	adventitious 우연의, 우발적인		malignant 악성의
	by chance 우연히		nocuous 유해한
	coincidental 우연의 일치인		noxious 유해한, 유독한

유능한 능력이 있는	capable 유능한, 능력 있는	유리한 득이 되는	lucrative 유리한, 벌이가 되는
	competent 유능한, 능력이 있는		favorable 유리한, 순조로운
	accomplished 재주가 많은		advantageous 유리한
	talented 재능이 있는, 유능한		beneficial 이로운, 득이 되는
	gifted 타고난, 재능이 있는		profitable 수익성이 있는
	efficient 능률적인, 유능한		rewarding 수익이 많이 나는
	proficient 익숙한, 숙달한		paying 돈이 벌리는
	skilled 숙련된, 노련한		productive 이익을 내는
	intelligent 똑똑한		fruitful 수입이 많은, 유리한
	expert 숙련된		gainful 이익이 있는

1초 Quiz

주어진 단어와 의미가 통하지 않는 단어를 선택하세요.

1. **incidental** ⓐ talented ⓑ fortuitous ⓒ haphazard ⓓ adventitious
2. **competent** ⓐ capable ⓑ detrimental ⓒ efficient ⓓ skilled
3. **harmful** ⓐ venomous ⓑ nocuous ⓒ toxic ⓓ coincidental
4. **productive** ⓐ profitable ⓑ gifted ⓒ rewarding ⓓ paying

유행하는 널리 퍼진	prevalent 유행하는, 널리 퍼진
	prevailing 유행하는, 보급되는
	widespread 널리 퍼진, 만연된
	rampant 만연하는
	ubiquitous 어디에나 있는
	pervasive 퍼지는
	popular 대중적인
	epidemic 유행성의
	omnipresent 어디에나 있는
	diffused 널리 퍼진

일시적인	transient 일시적인, 순간적인
	temporary 일시적인, 임시의
	passing 잠깐의, 일시적인
	momentary 순식간의, 순간적인
	transitory 일시적인, 잠시 동안의
	impermanent 영구적이 아닌
	brief 잠시의
	fleeting 잠시 동안의
	interim 잠정적인

능률적인 효과적인	effective 효과적인, 유효한
	valid 효과적인, 유효한
	efficient 능률적인, 효율적인
	useful 유용한, 실용적인
	effectual 효과적인, 효험이 있는
	productive 생산적인
	efficacious 효과적인
	operative 효과적인
	streamlined 능률적인, 간결한
	well-oiled 순조롭게 움직이는

무관한 부적절한	irrelevant 부적절한, 무관한
	impertinent 적절치 않은, 관계없는
	inappropriate 부적절한
	incongruent 부적당한
	improper 부적절한
	unrelated 무관한
	unsuitable 적합하지 않은
	inapt 적절하지 않은
	unbecoming 부적절한

 1초 Quiz

주어진 단어와 의미가 통하지 않는 단어를 선택하세요.

1. **rampant**   ⓐ prevalent   ⓑ popular   ⓒ widespread   ⓓ passing
2. **streamlined**   ⓐ operative   ⓑ temporary   ⓒ efficient   ⓓ well-oiled
3. **impermanent**   ⓐ diffused   ⓑ fleeting   ⓒ interim   ⓓ transient
4. **improper**   ⓐ valid   ⓑ unrelated   ⓒ incongruent   ⓓ inapt

정답 | 1 ⓓ 2 ⓑ 3 ⓐ 4 ⓐ

충실한 **헌신적인** **믿음직한**	**faithful** 충실한, 성실한 **loyal** 충실한, 충성스러운 **true** 충실한 **committed** 헌신적인, 열성적인 **devoted** 헌신적인 **dedicated** 헌신적인 **reliable** 믿을 수 있는 **staunch** 믿음직한 **trusty** 믿을 수 있는 **stalwart** 충실한, 신의가 두터운	**튼튼한**	**sturdy** 튼튼한, 건장한 **stout** 튼튼한, 견고한 **solid** 튼튼한, 견고한 **firm** 견고한, 확고한 **robust** 튼튼한 **hardy** 튼튼한, 단련된 **staunch** 견고한, 튼튼한 **substantial** 크고 튼튼한 **durable** 오래 견디는, 튼튼한
비열한 **비참한**	**abject** 비열한, 비굴한 **despicable** 비열한, 야비한 **lowly** 지위가 낮은, 천한 **servile** 노예근성의, 비굴한 **miserable** 불쌍한, 비참한 **pathetic** 슬픈, 형편없는 **subservient** 비굴한, 아첨하는 **humble** 비천한, 낮은 **wretched** 비참한, 불쌍한 **piteous** 불쌍한, 비참한 **obsequious** 아첨하는	**파산한** **돈이 없는**	**bankrupt** 지불 능력이 없는 **insolvent** 파산한, 지불 불능의 **broke** 파산하여 **bust** 파산한 **wiped-out** 무일푼의 **destitute** 결핍한, 궁핍한 **impoverished** 빈곤한 **penniless** 무일푼의 **ruined** 몰락한, 파산한

🕐 1초 Quiz

주어진 단어와 의미가 통하지 않는 단어를 선택하세요.

1. **devoted** ⓐ loyal ⓑ pathetic ⓒ faithful ⓓ dedicated
2. **abject** ⓐ wretched ⓑ piteous ⓒ subservient ⓓ staunch
3. **stout** ⓐ robust ⓑ hardy ⓒ insolvent ⓓ sturdy
4. **bust** ⓐ penniless ⓑ despicable ⓒ impoverished ⓓ destitute

정답 | 1 ⓑ 2 ⓓ 3 ⓒ 4 ⓑ

편리한

convenient 편리한, 간편한
handy 편리한, 유용한
comfortable 편안한
expedient 편리한, 편의의
portable 간편한, 휴대용의
facile 쉬운, 편리한
serviceable 편리한
functionalistic 편리한, 실용적인

유전의 타고난

genetic 유전의
hereditary 유전적인
innate 타고난, 선천적인
ingrain 타고난
inborn 유전성의
inbred 타고난
inheritable 세습적인, 유전하는
ancestral 조상 전래의
congenital 선천적인
connate 타고난

호의적인 동정하는

favorable 호의적인
sympathetic 호의적인, 동정적인
friendly 호의적인
pitying 동정하는
well-disposed 호의적인
compassionate 동정하는
outgiving 호의적인
considerate 배려하는
positive 호의적인

불법의

illicit 불법의, 불의의
illegal 불법의, 비합법적인
unlawful 불법의
illegitimate 불법의
forbidden 금지된
bootleg 불법의
wrongful 부당한, 불법의
malfeasant 불법의
wrongous 불법의
unchartered 불법의, 공인되지 않은

1초 Quiz

주어진 단어와 의미가 통하지 않는 단어를 선택하세요.

1. **facile**　　ⓐ friendly　　ⓑ serviceable　　ⓒ convenient　　ⓓ expedient
2. **sympathetic**　　ⓐ pitying　　ⓑ genetic　　ⓒ considerate　　ⓓ compassionate
3. **ingrain**　　ⓐ inheritable　　ⓑ outgiving　　ⓒ ancestral　　ⓓ innate
4. **illicit**　　ⓐ illegal　　ⓑ unlawful　　ⓒ portable　　ⓓ bootleg

정답 | 1 ⓐ 2 ⓑ 3 ⓑ 4 ⓒ

순진한 순수한	innocent 순진한, 악의 없는
	ingenuous 순진한, 천진난만한
	chaste 순결한, 순수한
	naive 소박한, 순진한
	childlike 순진한
	wide-eyed 순진한
	simple-hearted 천진난만한
	single-hearted 진심의
	cherubic 순진한, 천사의
	pristine 자연 그대로의

어색한 서투른	clumsy 어색한
	awkward 어색한, 거북한
	bungling 서투른
	inept 서투른, 부적당한
	maladroit 서투른, 솜씨 없는
	heavy-handed 서투른
	ungainly 어색한
	blundering 어색한
	amateurish 서투른
	gauche 서투른

쌀쌀한 냉담한	distant 쌀쌀한, 거리를 두는
	remote 쌀쌀한, 냉담한
	insensitive 무감각한, 둔감한
	unconcerned 관심이 없는
	indifferent 무관심한, 냉담한
	detached 무심한
	apathetic 무감각한, 냉담한
	aloof 무관심한, 냉담한
	cavalier 무신경한, 무관심한

필수의	indispensable 없어서는 안 되는
	integral 없어서는 안 될, 필수의
	necessitous 필수적인
	compulsory 필수의
	required 필수의
	essential 필수적인
	obligate 필수의
	vital 필수적인
	must 없어서는 안 될
	requisite 필요한, 필수의

1초 Quiz

주어진 단어와 의미가 통하지 않는 단어를 선택하세요.

1. **ingenuous** ⓐ chaste ⓑ pristine ⓒ integral ⓓ childlike
2. **apathetic** ⓐ distant ⓑ remote ⓒ naive ⓓ unconcerned
3. **awkward** ⓐ maladroit ⓑ aloof ⓒ blundering ⓓ gauche
4. **necessitous** ⓐ requisite ⓑ integral ⓒ indispensable ⓓ insensitive

정답 | 1 ⓒ 2 ⓒ 3 ⓑ 4 ⓓ

| 연약한
깨지기 쉬운 | **delicate** 연약한, 가냘픈
fragile 허약한, 연약한
brittle 부서지기 쉬운
breakable 깨지기 쉬운
feeble 연약한, 허약한
frail 부서지기 쉬운
tenuous 얇은, 가는
vulnerable 연약한, 취약한
flimsy 얇은, 잘 찢어지는
weak 약한, 연약한 | 졸리는
활기 없는 | **drowsy** 졸리는, 꾸벅꾸벅 조는
somnolent 졸리는, 최면의
sleepy 졸리는, 활기 없는
dozy 졸리는
dormant 잠자는 것 같은, 활동을 중단한
listless 무기력한, 생기 없는
languid 나른한, 기운이 없는
lethargic 무기력한, 혼수상태의
slumberous 졸리는, 활발하지 않은
yawning 하품을 하는 |
| 현명한
똑똑한 | **bright** 영리한, 똑똑한
sage 슬기로운, 현명한
sagacious 현명한, 영리한
shrewd 영리한, 통찰력이 있는
agile 기민한, 똑똑한
wise 슬기로운, 현명한
clever 영리한, 슬기로운
judicious 현명한
discreet 분별 있는
sensible 분별 있는
canny 영리한 | 표면의
피상적인 | **superficial** 표면(상)의, 외면의
cursory 피상적인
seeming 겉으로의, 표면상의
cosmetic 표면적인
shallow 얕은, 피상적인
perfunctory 형식적인, 피상적인
ostensible 표면상의
outward 표면상의
depthless 피상적인 |

⏱ 1초 Quiz

주어진 단어와 의미가 통하지 않는 단어를 선택하세요.

1. **breakable**	ⓐ tenuous	ⓑ fragile	ⓒ flimsy	ⓓ lethargic
2. **judicious**	ⓐ sagacious	ⓑ dormant	ⓒ discreet	ⓓ shrewd
3. **somnolent**	ⓐ ostensible	ⓑ languid	ⓒ slumberous	ⓓ dozy
4. **cursory**	ⓐ superficial	ⓑ shallow	ⓒ agile	ⓓ outward

정답 | 1 ⓓ 2 ⓑ 3 ⓐ 4 ⓒ

작은 하찮은	minuscule 하찮은, 아주 작은		반대의	converse 거꾸로 된, 정반대의
	trifling 하찮은, 시시한			adverse 거스르는, 반대의
	tiny 아주 작은			opposite 정반대의
	minimal 극히 작은, 최소의			counter 반대의
	microscopic 현미경으로 봐야 보이는			contrary 반대의
	petty 사소한, 하찮은			reversed 반대의, 거꾸로 된
	trivial 하찮은, 사소한			deprecatory 반대의
	small-time 시시한			antagonistic 반대의
	measly 쥐꼬리만 한			contradictory 모순된
	paltry 보잘것없는			antithetical 정반대의

가짜의	spurious 가짜의, 위조의		계획적인	deliberate 고의의, 계획적인
	counterfeit 위조의, 가짜의			intentional 고의적인, 계획된
	mock 가짜의			purposeful 의도적인, 고의의
	fake 가짜의			calculated 계산된, 고의의
	bogus 가짜의, 위조의			systematic 조직적인, 계획적인
	phony 가짜의, 거짓된			premeditated 미리 계획된
	faux 가짜의			designed 계획적인
	sham 가짜의, 허위의			intended 계획된
	made-up 가짜의			planned 계획된
	fraudulent 사기를 치는			organized 계획된, 조직화된

1초 Quiz

주어진 단어와 의미가 통하지 않는 단어를 선택하세요.

1. **trifling**   ⓐ paltry   ⓑ spurious   ⓒ trivial   ⓓ petty

2. **mock**   ⓐ adverse   ⓑ phony   ⓒ sham   ⓓ counterfeit

3. **contrary**   ⓐ fraudulent   ⓑ antagonistic   ⓒ opposite   ⓓ counter

4. **intentional**   ⓐ purposeful   ⓑ bogus   ⓒ designed   ⓓ deliberate

정답 | 1 ⓑ 2 ⓐ 3 ⓐ 4 ⓑ

애매한 모호한	**ambiguous** 모호한, 분명하지 않은 **vague** 애매한, 모호한 **cloudy** 흐릿한, 애매한 **indistinct** 희미한, 흐릿한 **indefinite** 명확하지 않은 **inarticulate** 모호한 **dubious** 모호한 **blurry** 흐릿한 **uncertain** 모호한, 불분명한 **enigmatic** 알기 어려운

순종하는 유순한	**domesticated** 길든 **tame** 길든, 온순한 **obedient** 순종하는 **subordinate** 종속적인 **submissive** 복종하는, 순종하는 **docile** 온순한, 유순한 **meek** 유순한, 온순한 **compliant** 유순한, 고분고분한 **acquiescent** 순종하는 **tractable** 순종하는, 유순한

금전상의	**monetary** 금융의, 재정(상)의 **pecuniary** 금전상의 **financial** 재정상의, 금전상의 **fiscal** 국고의, 회계의 **economic** 경제적인 **capitalistic** 자본주의적인 **budgetary** 예산상의 **commercial** 영리적인 **capital** 자본의

까다로운 꼼꼼한	**precise** 까다로운 **fastidious** 까다로운, 가리는 **fussy** 까다로운 **acute** 예민한, 민감한 **meticulous** 꼼꼼한 **incisive** 예민한, 예리한 **trenchant** 예민한, 철저한 **picky** 까다로운 **choosy** 까다로운 **exacting** 엄한, 까다로운

 1초 Quiz

주어진 단어와 의미가 통하지 않는 단어를 선택하세요.

1. **dubious**   ⓐ inarticulate   ⓑ fiscal   ⓒ ambiguous   ⓓ indistinct

2. **pecuniary**   ⓐ economic   ⓑ monetary   ⓒ trenchant   ⓓ budgetary

3. **tame**   ⓐ subordinate   ⓑ submissive   ⓒ meek   ⓓ enigmatic

4. **fussy**   ⓐ meticulous   ⓑ obedient   ⓒ incisive   ⓓ exacting

정답 | 1 ⓑ 2 ⓒ 3 ⓓ 4 ⓑ

논쟁의	**controversial** 논란의 여지가 있는
	disputable 논란의 여지가 있는
	polemic 논쟁을 좋아하는
	argumentative 논쟁적인
	contentious 논쟁하기 좋아하는
	gladiatorial 논쟁의
	contentious 논쟁을 초래할
	arguable 논쟁의 소지가 있는
	disputatious 논쟁적인
	eristic 논쟁적인

성난	**resentful** 분개한, 성난
	indignant 분개한, 성난
	incensed 몹시 화난
	angry 성난
	irate 성난
	provoked 화난
	furious 몹시 화가 난
	ireful 성난, 화난, 분노한
	embittered 분격한, 적의를 품은

슬퍼하는	**sorrowful** 슬퍼하는, 비탄에 잠긴
	anguished 비통한
	grieved 슬퍼하는
	heartsore 슬퍼하는
	ruthful 슬퍼하는
	mournful 슬퍼하는
	woeful 몹시 슬픈
	dolorous 비통한
	heartrending 몹시 슬픈

인조의 인공의	**artificial** 인조의, 인공적인
	contrived 인위적인
	synthetic 진짜가 아닌
	factitious 인위적인
	ersatz 인공의
	false 인조의, 가짜의
	imitational 모조의, 인조의
	man-made 인조의, 인공의
	plasticated 인공적인
	manufactured 제작된

 **1초 Quiz**

주어진 단어와 의미가 통하지 않는 단어를 선택하세요.

1. **gladiatorial**　ⓐ embittered　ⓑ controversial　ⓒ contentious　ⓓ disputatious
2. **incensed**　ⓐ provoked　ⓑ irate　ⓒ furious　ⓓ polemic
3. **anguished**　ⓐ woeful　ⓑ eristic　ⓒ ruthful　ⓓ mournful
4. **contrived**　ⓐ indignant　ⓑ synthetic　ⓒ imitational　ⓓ factitious

정답 | 1 ⓐ 2 ⓓ 3 ⓑ 4 ⓐ

고통 고뇌	distress 고통 torment 고통, 고뇌 wound 고통 agony 심한 고통, 고뇌 torture 심한 고통, 고뇌 affliction 고통 anguish 고민, 고통 angst 걱정, 고뇌 woe 고통, 고뇌 suffering 고통	영향	repercussion 영향 impact 영향, 효과 force 영향력, 효력 aftermath 여파, 영향 influence 영향 effect 영향 implication 영향 consequence 영향(력) ramification 영향, 파문 bearing 영향
비난	condemnation 비난 charge 비난, 고발 reproach 비난, 질책 rebuke 비난, 힐책 censure 비난 criticism 비난, 비판 accusation 비난, 기소 recrimination 비난 impeachment 비난	개요 요약	outline 개요 abstract 개요, 발췌 digest 요약, 개요 summary 요약, 개요 overview 개관, 개요 schema 윤곽, 개요 synopsis 개요 recapitulation 요약, 개요 profile 개요(서) sketch 개요, 요약

 1초 Quiz

주어진 단어와 의미가 통하지 않는 단어를 선택하세요.

1. **affliction**   ⓐ anguish   ⓑ reproach   ⓒ angst   ⓓ woe
2. **impeachment**   ⓐ torment   ⓑ criticism   ⓒ accusation   ⓓ recrimination
3. **impact**   ⓐ consequence   ⓑ digest   ⓒ ramification   ⓓ aftermath
4. **schema**   ⓐ synopsis   ⓑ recapitulation   ⓒ implication   ⓓ overview

정답 | 1 ⓑ 2 ⓐ 3 ⓑ 4 ⓒ

오해 망상	**misconception** 오해, 착각 **illusion** 오해, 착각 **delusion** 망상 **mirage** 신기루, 망상 **chimera** 망상 **hallucination** 환각, 환상 **vision** 환상, 상상력 **daydream** 공상, 백일몽 **reverie** 몽상, 공상 **phantasm** 환영	가능성	**feasibility** 실행할 수 있음, 가능성 **possibility** 가능성, 가망 **prospect** 전망, 조망, 가능성 **likelihood** 있음 직함, 가능성 **potentiality** 가능성, 잠재력 **practicability** 실행 가능성, 실용성 **odds** 가능성 **probability** 있음 직함 **opportunity** 기회, 가능성 **chance** 가능성
예고 전조 조짐	**precursor** 전조, 선구자 **foreboding** 육감, 예감 **omen** 전조, 조짐 **forewarning** 사전 경고 **forerunner** 전조 **premonition** 예고, 전조 **prelude** 서곡, 전조 **portent** 조짐, 전조 **harbinger** 전조, 조짐, 선구자 **indication** 암시, 조짐 **predecessor** 전신, 전임자	평안 평온	**tranquility** 평온, 고요함 **calmness** 평온 **ease** 평안, 안정, 안락 **serenity** 평온, 평정 **comfort** 평안함 **leisure** 여가 **relaxation** 휴식 **rest** 휴식, 휴양 **repose** 휴식, 수면 **peace** 평온, 평안

 **1초 Quiz**

주어진 단어와 의미가 통하지 않는 단어를 선택하세요.

1. **illusion**   ⓐ reverie   ⓑ odds   ⓒ hallucination   ⓓ mirage
2. **foreboding**   ⓐ portent   ⓑ prelude   ⓒ tranquility   ⓓ harbinger
3. **possibility**   ⓐ feasibility   ⓑ practicability   ⓒ likelihood   ⓓ premonition
4. **comfort**   ⓐ ease   ⓑ serenity   ⓒ vision   ⓓ repose

정답 | 1 ⓑ 2 ⓒ 3 ⓓ 4 ⓒ

현혹 **화려**	**dazzlement** 현혹, 눈부심 **radiance** 광채 **splendor** 장관, 화려함 **sparkle** 불꽃, 번쩍임 **resplendence** 광휘, 찬란함 **brilliance** 광휘, 광명 **magnificence** 웅장, 호화 **pageantry** 화려 **showiness** 화려, 겉만 번지르르함

우려 **염려**	**solicitude** 염려, 걱정, 심려 **apprehension** 우려, 걱정 **anxiety** 염려, 걱정 **concern** 걱정 **uneasiness** 걱정, 불안 **tension** 긴장, 불안 **angst** 불안, 걱정 **misgiving** 의혹, 불안감 **disquiet** 불안, 동요

상처 **부상**	**sore** 상처 **wound** 상처, 부상 **scrape** 상처 **injury** 상처, 부상 **scar** 상처, 흉터 **laceration** 찢어진 상처 **inflammation** 염증 **cut** 베인 상처, 자상 **disfigurement** 미관손상, 상처 **gash** 깊은 상처

정상 **절정**	**summit** 정상, 꼭대기 **pinnacle** 정점, 절정 **apex** 꼭대기, 정점 **climax** 절정 **height** 정점, 높은 곳 **peak** 산꼭대기, 절정 **zenith** 정점, 절정 **acme** 절정, 극점 **top** 정상, 꼭대기 **tip** 정상, 끝

 1초 Quiz

주어진 단어와 의미가 통하지 않는 단어를 선택하세요.

1. **resplendence**   ⓐ acme   ⓑ magnificence   ⓒ pageantry   ⓓ splendor
2. **scar**   ⓐ inflammation   ⓑ disfigurement   ⓒ wound   ⓓ tension
3. **anxiety**   ⓐ disquiet   ⓑ concern   ⓒ solicitude   ⓓ showiness
4. **summit**   ⓐ top   ⓑ angst   ⓒ apex   ⓓ pinnacle

자세 태도	pose 자세 posture 자세, 태도 way 태도 manner 태도, 몸가짐 position 입장, 자세 attitude 자세, 마음가짐 stance 태도, 입장 bearing 태도, 자세 view 사고방식 demeanor 처신, 몸가짐

결점	defect 결점, 결함 flaw 결점, 결함 blemish 결점 fault 결점 smear 오점, 얼룩 smudge 더러움, 얼룩 imperfection 결함 shortcoming 결점, 단점 weakness 약점 drawback 약점, 결점

용기	daring 용기, 대담성 pluck 담력, 용기 courage 용기 bravery 용기 nerve 용기, 담력 spirit 정신, 원기 audacity 대담함 boldness 대담 mettle 용기, 원기 gallantry 용감, 무용 temerity 무모함

곤경	plight 곤경, 궁지 predicament 곤경, 궁지 distress 곤란, 고생 impasse 난국, 곤경 trouble 곤경 difficulty 어려움, 곤경, 장애 fix 곤경 dilemma 진퇴양난 quagmire 곤경, 궁지, 수렁

 1초 Quiz

주어진 단어와 의미가 통하지 않는 단어를 선택하세요.

1. position ⓐ stance ⓑ bearing ⓒ mettle ⓓ posture
2. daring ⓐ bravery ⓑ boldness ⓒ gallantry ⓓ smear
3. imperfection ⓐ blemish ⓑ distress ⓒ smudge ⓓ drawback
4. plight ⓐ impasse ⓑ trouble ⓒ dilemma ⓓ audacity

정답 | 1 ⓒ 2 ⓓ 3 ⓑ 4 ⓓ

해커스공무원
gosi.Hackers.com

해커스공무원 영어 **어휘** Vocabulary

Index

discord	61	disrupt	100	do without	91	economical	32
discordant	86	disruption	24	downfall	91	economize	97
discourse	104	dissemble	67	downplay	71	ecosystem	50
discredit	20	disseminate	86	downsize	29	ecstatic	81
discreet	78	dissemination	72	down to	25	edible	34
discrepancy	98	dissipate	99	down-to-earth	76	editorial	59
discretion	101	dissolve	64	downward	44	efface	92
discriminating	65	dissuade	101	draft	30	efficacy	37
discrimination	84	distant	28	drain	76	efficient	86
discursion	17	distill	33	drastic	26	effuse	83
discursive	31	distinctive	92	drawback	78	ego	87
disembark	95	distort	54	draw up	37	egregious	55
disenchantment	35	distract	72	dreadful	99	elaborate	68
disgrace	37	distraught	27	drearily	75	elastic	59
disgruntled	103	distress	26	drench	99	electrical	66
disguise	108	distribute	24	drift apart	17	electrify	103
disgust	64	distribution	78	drift away	35	electron	39
dishonesty	45	district	16	drift	54	elevate	106
disillusion	17	diverge	88	drizzle	47	elevation	55
disinflation	39	divergent	90	drop by	83	eligible	36
disintegration	80	diversion	103	drop	56	eliminate	108
dislocate	19	diversity	48	drop off	77	elongate	57
dismally	35	dividual	101	drowsy	51	elope	17
dismay	105	divine	26	dual	105	eloquent	96
dismiss	70	divisible	25	due to	37	elsewhere	108
disobedient	73	divulge	88	dump	26	elucidate	68
disorder	68	do a good turn	67	duplicate	44	elude	109
disorganize	83	do away with	101	durable	100	elusive	28
disorientation	37	docility	27	dust down	37	emancipate from	103
disparage	74	doctrine	93	dweller	10	embark	39
disparaging	33	dodge	59	dwell on	93	embarrass	40
disparate	107	do justice to	33	dwindle	103	embellish	23
disparity	37	domestically	39	dynamism	109	embezzle	35
dispatch	42	domesticate	74	dysfunction	53	emblem	45
dispel	97	domestic	30			embody	38
dispense with	99	dominant	30			embrace	100
dispersal	109	dominate	64	**E**		emerge from	91
disperse	41	dominion	73			emerge	70
dispersion	63	donate	60	earnestly	107	emigrate	46
displace	22	do no harm	15	earthy	109	eminent	17
disposal	28	doomy	43	ease into	89	emission	82
disposition	84	dope	61	easygoing	53	emit	30
disproportionate	41	dormant	75	eat into	17	empathy	60
disregard	24	dosage	107	eccentric	90	emphasize	106
disrespect	57	do well to	19	ecological	12	empirical	59

해커스공무원

영어

기본서 `3권 | 어휘`

개정 11판 3쇄 발행 2024년 12월 9일

개정 11판 1쇄 발행 2024년 5월 3일

지은이	해커스 공무원시험연구소
펴낸곳	해커스패스
펴낸이	해커스공무원 출판팀

주소	서울특별시 강남구 강남대로 428 해커스공무원
고객센터	1588-4055
교재 관련 문의	gosi@hackerspass.com
	해커스공무원 사이트(gosi.Hackers.com) 교재 Q&A 게시판
	카카오톡 플러스 친구 [해커스공무원 노량진캠퍼스]
학원 강의 및 동영상강의	gosi.Hackers.com

ISBN	3권: 979-11-6999-641-9 (14740)
	세트: 979-11-6999-541-2 (14740)
Serial Number	11-03-01

공무원 교육 1위,
해커스공무원 gosi.Hackers.com

ⓗ 해커스공무원

· '회독'의 방법과 공부습관을 제시하는 **해커스 회독증강 콘텐츠**(교재 내 할인쿠폰 수록)
· 핵심만 담았다! **핵심 단어암기장&단어암기 MP3** 및 직무 관련 핵심 어휘
· **공무원 보카 어플, 단어시험지 자동제작 프로그램** 등 공무원 시험 합격을 위한 다양한 무료 학습 콘텐츠
· 해커스 스타강사의 **공무원 영어(문법/독해/어휘) 무료 특강**
· **해커스공무원 학원 및 인강**(교재 내 인강 할인쿠폰 수록)

해커스공무원 **단기 합격생**이 말하는
공무원 합격의 비밀!

해커스공무원과 함께라면
다음 합격의 주인공은 바로 여러분입니다.

대학교 재학 중,
7개월 만에 국가직 합격!

김*석 합격생

영어 단어 암기를 하프모의고사로!

하프모의고사의 도움을 많이 얻었습니다. **모의고사의 5일 치 단어를 일주일에 한 번씩 외웠고**, 영어 단어 **100개씩은 하루에 외우려고** 노력했습니다.

가산점 없이
6개월 만에 지방직 합격!

김*영 합격생

국어 고득점 비법은 기출과 오답노트!

이론 강의를 두 달간 들으면서 **이론을 제대로 잡고 바로 기출문제로 들어갔습니다**. 문제를 풀어보고 기출강의를 들으며 **틀렸던 부분을 필기하며 머리에 새겼습니다.**

직렬 관련학과 전공,
6개월 만에 서울시 합격!

최*숙 합격생

한국사 공부법은 기출문제 통한 복습!

한국사는 휘발성이 큰 과목이기 때문에 **반복 복습이 중요하다고** 생각했습니다. 선생님의 강의를 듣고 나서 바로 **내용에 해당되는 기출문제를 풀면서 복습**했습니다.
